Callejón sin salida

books4pocket

Iris Johansen

Callejón sin salida

Traducción de Alicia Sánchez Millet

EDICIONES URANO

Argentina - Chile - Colombia - España
Estados Unidos - México - Perú - Uruguay - Venezuela

Título original: *Blind Alley*

Aribau, 142, pral. – 08036 Barcelona
www.edicionesurano.com
www.books4pocket.com

1ª edición en books4pocket mayo 2011

Diseño de la colección: Opalworks
Imagen de portada: Corbis
Diseño de portada: Epica Prima

Impreso por Novoprint, S.A.
Energía 53
Sant Andreu de la Barca (Barcelona)

Fotocomposición: books4pocket

ISBN: 978-84-92801-89-3
Depósito legal: B-14.039-2011

Impreso en España – *Printed in Spain*

Capítulo 1

Calhoun, Georgia

Joe miraba cómo el equipo forense levantaba cuidadosamente de la tumba el cuerpo envuelto en una lona de color verde oscuro.

—Gracias por venir, Quinn. —La detective Christy Lollack se dirigía hacia él—. Ya sé que éste no es tu caso, pero te necesitaba. Es un caso especial.

—¿Qué tiene de especial?

—Mírala. —Se acercó a la camilla donde habían colocado el cadáver—. Los niños que la encontraron casi vomitan.

La siguió y observó mientras destapaba la lona verde.

No tenía rostro. Sólo quedaba la calavera. Sin embargo, desde el cuello hacia abajo el cadáver estaba sólo un poco descompuesto, pero prácticamente intacto.

—Según parece, alguien no quiere que sea identificada. —Bajó la mirada para verle las manos—. Ha metido la pata. Debería haberle cortado las manos. Ahora podremos identificar enseguida sus huellas dactilares. El ADN tardará más, pero eso...

—Mira más detenidamente. Le han quemado las yemas de los dedos —interrumpió Christy—. No hay huellas. Trevor me advirtió de que posiblemente no habría.

—¿Quién?

—Un inspector de Scotland Yard, Mark Trevor. Envió un e-mail al cuerpo después de haber leído el caso de Dorothy Millbruk de Birmingham y la capitana me lo reenvió a mi ordenador. Decía que había enviado el mismo e-mail a la mayoría de las ciudades de la región del Sureste para advertirles de que posiblemente el autor de los hechos se dirigiera hacia sus jurisdicciones.

Millbruck... El homicidio de una prostituta que había levantado mucho revuelo hacía cuatro meses. Joe revisó los detalles mentalmente.

—El caso Millbruck no tiene ninguna conexión. No era el mismo *modus operandi*. Fue quemada y abandonada en un contenedor de basura.

—Pero cuando fue quemada ya no tenía rostro.

—No intentó evitar que la policía de Birmingham averiguara quién era la víctima. Todavía pudieron encontrar huellas. —Movió la cabeza—. No, no es el mismo asesino, Christy.

—Me alegro de que estés tan seguro —dijo ella sarcásticamente—. Porque yo no lo estoy. No me gusta esto. ¿Y si no quisiera que relacionáramos ambos casos? ¿Y si le hubiera arrancado la cara para retrasarnos y que no supiéramos que se había trasladado a esta zona?

—Es posible. —Joe la miró fijamente a los ojos—. ¿Qué quieres de mí, Christy? No es habitual que pidas ayuda.

—En cuanto los forenses terminen con ella, quiero que le lleves el cráneo a Eve para averiguar qué aspecto tenía esta mujer. No quiero esperar a saber quién es.

Era la respuesta que esperaba. No era la primera vez que le pedían que hiciera de intermediario entre el cuerpo de policía y Eve. Ella probablemente era la mejor escultora forense del mundo y la capitana no iba a dejar pasar por alto semejante recurso humano. Movió la cabeza negativamente.

—De ninguna manera. Tiene un montón de trabajo atrasado y ahora mismo está hasta el cuello. No voy a cargarla con nada más.

—Hemos de saberlo, Joe.

—Y yo no quiero que se agote.

—¡Por favor! ¿Crees que te pediría esto si no fuera urgente? Aprecio a Eve. Conozco a Eve y a Jane desde hace casi tanto tiempo como a ti. Estoy asustada. Te digo que es necesario, ¡maldita sea!

—¿Por algún vago consejo de Scotland Yard? ¿Qué caray tienen que ver ellos con todo esto?

—Dos casos en Londres. Uno en Liverpool. Uno en Brighton. No han atrapado al asesino y creen que se trasladó a Estados Unidos hace tres años.

—Entonces pueden esperar a identificarla o a que Eve se ponga al día.

Christy movió la cabeza.

—Ven a mi coche y te enseñaré el e-mail de Trevor.

—No me va a hacer cambiar de opinión.

—Puede que sí.

—Ella se dirigió al coche. Joe primero dudó, pero luego la siguió. Encendió su ordenador portátil y abrió el e-mail.

—Aquí está. Léelo y haz lo que creas conveniente. —Se dio la vuelta y se marchó—. Tengo que acabar unas cosas por aquí.

Joe ojeó la carta y el informe y luego pasó a la página de la víctima.

Se quedó paralizado del horror.

—¡Joder!

Cabaña del lago
Atlanta, Georgia

No podía respirar.

—¡No!

No iba a morir, pensó ella con coraje. No había llegado tan lejos para yacer eternamente en la oscuridad. Era demasiado joven. Todavía tenía que hacer, ver y ser muchas cosas.

Otro giro y seguía sin ver luz al final del túnel.

Quizá no tenía final

Quizás éste fuera su final.

Hacía mucho calor y no había aire.

Notaba que le entraban ganas de gritar de pánico.

No te rindas. El pánico era para los cobardes y ella nunca había sido cobarde.

Pero, Dios mío, hacía mucho calor. No podía soportarlo...

—Jane. —La estaban moviendo—. Por Dios, despierta pequeña. No es más que un sueño.

No, no era un sueño.

—Despierta, ¡maldita sea! Me estás asustando.

Eve. No debía asustar a Eve. Quizá fuera un sueño, si ella lo había dicho. Abrió los ojos con mucho esfuerzo y miró el rostro preocupado de Eve.

La preocupación se transformó en alivio.

—¡Guau! Debe haber sido una pesadilla horrible. —Eve le apartó el pelo de la cara a Jane—. Tenías la puerta cerrada y aún así te he oído gemir. ¿Estás bien ahora?

—Sí. —Se humedeció los labios—. Siento haberte preocupado. —El latido del corazón empezaba a normalizarse y la oscuridad había desaparecido. Quizá no volvería. Pero si lo hacía, debía asegurarse de no molestar a Eve—. Vuelve a acostarte.

—No estaba en la cama. Estaba trabajando. —Encendió la lámpara de la mesilla de noche y sonrió mientras se miraba las manos—. Y no me he sacado la arcilla antes de venir aquí. Probablemente debes tener trozos en el pelo.

—No pasa nada. Me lo pensaba lavar mañana por la mañana. Quiero tener buen aspecto para hacerme la foto para mi carné de conducir.

—¿Es mañana?

Suspiró con resignación.

—Ayer te dije que necesitaba que tú o Joe me llevarais.

—Me he olvidado. —Eve sonrió—. Quizá sea porque estoy un poco negativa al respecto. El primer permiso de conducir es como un rito de paso. Puede que inconscientemente no quiera que seas tan independiente.

—Sí, sí que quieres. —Le respondió mirándola a los ojos—. Desde que estamos juntas te has asegurado de que yo supiera cuidar de mí misma en todos los aspectos. Has hecho de todo, desde enseñarme kárate hasta hacer que Sarah entrenara a Toby como perro guardián. Así que no me digas que no quieres que sea independiente.

—Bueno, no tan independiente como para que te alejes de Joe y de mí.

—Eso no lo haré nunca. —Se sentó en la cama y le dio a Eve un rápido y extraño beso. Incluso después de tantos años, le costaba manifestar su afecto—. Tendréis que echarme. Crees que no sé valorar lo que tengo. Bueno, ¿quién de los dos va a llevarme al Departamento de Permisos de Conducir?

—Probablemente, Joe. He de terminar este cráneo ahora mismo.

—¿Por qué es tan urgente?

Eve se encogió de hombros.

—¡Yo qué sé! Joe me lo trajo de la comisaría y me dijo que tenía una prioridad absoluta. Me comentó que estaba relacionado con una serie de homicidios.

Jane se quedó en silencio durante un momento.

—¿Es una niña?

Eve lo negó con la cabeza.

—Una mujer. —Su mirada se fijó en el rostro de Jane—. ¿Has pensado que podría ser Bonnie?

Jane siempre pensaba que podría ser Bonnie, la hija de Eve que fue asesinada cuando tenía siete años y cuyo cuerpo nunca se encontró. Esa tragedia la había impulsado a estudiar escultura forense e identificar a las víctimas de asesinatos para que los padres de las mismas pudieran poner fin a su sufrimiento. La búsqueda de Bonnie y su pasión por su carrera todavía dominaban su vida. Jane sacudió la cabeza.

—Si hubieras sospechado que se trataba del cráneo de Bonnie, no habrías oído mis estúpidos lamentos. —Jane levantó las manos en cuanto Eve abrió los labios—. Lo sé. Lo sé. No me quieres menos que a Bonnie. Sólo que es diferente. Siempre lo he sabido. Desde el principio. Ella era tu hija y nosotras somos más... amigas. Y a mí ya me está bien. —Volvió a recostarse en la cama—. Ahora, vuelve a tu trabajo y yo volveré a dormirme. Gracias por venir a despertarme. Buenas noches, Eve.

Eve tardó un momento en responder.

—¿De que iba tu pesadilla?

Calor. Pánico. Oscuridad. Una noche sin aire ni esperanza. No, había una esperanza...

—No me acuerdo. ¿Ya ha regresado Toby?

—Todavía no. No estoy segura de que sea una buena idea dejarle salir por la noche. Es medio lobo.

—Por eso le dejo salir a pasear. Ahora que es adulto, necesita más libertad. Es demasiado *golden retriever* como para ser peligroso para alguien más que no sean las ardillas. Probablemente, ni siquiera para ellas. Una vez atrapó una y lo único que quería era jugar con ella. —Bostezó—. Sarah dijo que no había problema, pero si tú me lo dices no le dejaré salir.

—No, creo que no. Sarah entiende más de estos temas. —Sarah Logan, la mejor amiga de Eve era adiestradora de perros de búsqueda y rescate y le había regalado a Toby—. Sólo que le vigiles.

—Lo haré. Soy responsable de él. Sabes que no te defraudaré.

—Nunca lo has hecho. —Eve se levantó—. Haremos una pequeña fiesta cuando vengas de recoger tu permiso de conducir.

Jane esbozó una pícara sonrisa.

—¿Vas a hacer un pastel?

—No seas mala. No soy tan mala cocinera. Pero te lo merecerías si lo hiciera. —Eve sonrió mientras se dirigía hacia la puerta—. Le diré a Joe que pare en Dairy Queen y que compre un pastel helado cuando volváis a casa.

—Mucho más razonable.

Eve miró de reojo a Jane sobre su hombro con algo de preocupación.

—Quizá demasiado razonable. Me pregunto si no te he hecho demasiado responsable, Jane.

—No seas tonta. —Cerró los ojos—. Algunas personas nacen responsables. Otras nacen incapaces de sentar la cabeza. No se puede hacer nada al respecto. ¡Por el amor de Dios!, ni siquiera eres mi madre. Buenas noches, Eve.

—Bueno, creo que ya me lo has dicho —murmuró Eve. Su mirada se fijó en un dibujo que había en el asiento de debajo de la ventana. Era un dibujo de Toby durmiendo en su cama junto a la chimenea—. Eso está muy bien. Cada día lo haces mejor.

—Sí, lo sé. No voy a ser una Rembrandt, pero ser un genio no es tan bueno como lo pintan. Siempre he pensado que dedicarse al arte era para los bichos raros. Yo quiero tener el control de cualquier carrera que elija. —Sonrió—. Como tú Eve.

—Yo no siempre tengo el control. —Apartó la mirada del dibujo para mirar a Jane—. Pensaba que querías ser adiestradora de perros de búsqueda y rescate como Sarah.

—Puede que sí. Puede que no. Creo que estoy esperando a que la carrera me elija a mí.

—Bueno tienes mucho tiempo para pensarlo. Aunque tu actitud es un poco sorprendente. En general, siempre sabes exactamente lo que vas a hacer.

—No siempre. —Sonrió con picardía—. Quizá mis hormonas de la adolescencia se están interponiendo en mi camino.

Eve se rió entre dientes.

—Lo dudo. No te imagino dejando que algo se interponga en tu camino. —Abrió la puerta—. Buenas noches, Jane.

—No trabajes mucho. Has estado trabajando muchas noches en estas dos últimas semanas.

—Díselo a Joe. Está realmente interesado en que acabe esta reconstrucción.

—¡Qué raro! Siempre es él quien intenta conseguir que descanses. —Jane apretó los labios—. No te preocupes, ya se lo diré. Alguien ha de cuidar de ti.

Eve sonrió mientras abría la puerta.

—No me preocupo. No, teniéndote a ti de mi parte.

—Joe, también lo está. Pero es un hombre y ellos son diferentes. A veces las cosas se interponen en su forma de pensar.

—Una observación muy profunda. Debes hacérsela a Joe.

—Lo haré. Puede que me haga caso y además le gusta que sea sincera con él.

—Bueno, sin duda lo eres —murmuró Eve al salir de la habitación.

La sonrisa de Eve se desvaneció al cerrar la puerta del dormitorio. Las observaciones de Jane eran típicas de ella; punzantes, protectoras y propias de un adulto. Eve había ido a su dormitorio a consolarla y había sido Jane la que la había consolado a ella.

—¿Pasa algo? —Joe estaba frente a la puerta de su habitación—. ¿Le pasa algo a Jane?

—Una pesadilla. —Eve atravesó la sala para dirigirse a su estudio—. Pero no me ha hablado de ella. Probablemente piense que las pesadillas son un signo de debilidad y buena es ella para mostrar debilidad.

—Como alguien que conozco. —Joe la siguió—. ¿Quieres un café? Puedo hacer una taza ahora mismo.

Ella asintió con la cabeza.

—Me parece una buena idea. —Eve volvió a situarse delante de su pedestal—. ¿Puedes llevarla mañana al Departamento de Permisos de Conducir?

—Pues claro. Ya lo había pensado.

—A mí se me había olvidado. —Eve hizo una mueca—. Eres mejor padre que yo, Joe.

—Últimamente, no paras de trabajar. —Joe puso el café en la cafetera—. Y eso es culpa mía. Además, Jane nunca había querido tener padres cuando vino a vivir con nosotros. No era precisamente la «huerfanita Annie». ¡Demonios!, puede que sólo tuviera diez años, pero era más astuta que una mujer de treinta. Hemos hecho todo lo posible para ofrecerle un buen hogar.

—Pero, yo quería que ella... —Miró ciegamente al cráneo—. Tiene diecisiete años, Joe. ¿Sabes que nunca le he oído decir que tenía una cita, que iba a ir al baile del instituto o a un partido de fútbol? Estudia, juega con Toby y dibuja. Esto no basta.

—Tiene amigas. La semana pasada se quedó en casa de Patty hasta bastante tarde por la noche.

—¿Y cuántas veces ha sucedido eso?

—Creo que está muy equilibrada, teniendo en cuenta su pasado. Te preocupas demasiado.

—Quizá debía haberme preocupado antes. Es que siempre ha actuado con tanta madurez que me olvido de que sólo es una niña.

—No, no te has olvidado de eso. Lo que pasa es que te das cuenta de que las dos sois tan parecidas como dos gotas de agua. ¿A cuántos bailes de instituto fuiste tú cuando eras adolescente?

—Eso es diferente.

—Sí, en vez de educarte en una docena de hogares de acogida, tenías una madre drogadicta.

Eve puso mala cara.

—Muy bien, las dos hemos tenido una infancia difícil, pero yo quería algo mejor para ella.

—Pero Jane también ha de quererlo. Probablemente piense que los bailes de instituto son bastante estúpidos. ¿Te la imaginas con uno de esos vestidos recargados, entrando en una de esas grandes limusinas que los jóvenes alquilan esos días?

—Estaría preciosa.

—*Es* preciosa —respondió Joe—. Y es fuerte, inteligente y me gustaría tenerla a mi lado si alguna vez me encuentro en un aprieto. Pero a ella no le van las florituras, Eve. —Le sirvió una taza de café y se la llevó—. De modo que deja de intentar forzarla a que adopte ese rol.

—Como si pudiera. Nadie obliga a Jane a hacer algo que no quiera. —Dio un sorbo e hizo una mueca de desagrado—. Lo has hecho muy cargado. Realmente quieres que esté despierta para acabar este cráneo, ¿verdad?

—Sí.

—¿Por qué? No es propio de ti. Hasta Jane se ha dado cuenta.

—Es importante para el caso. ¿Ya la has bautizado?

—Por supuesto. Se llama Ruth. Ya sabes que siempre les pongo nombre antes de empezar a trabajar. Es más respetuoso.

—Sólo era una pregunta. —Joe se dirigió a la puerta de entrada—. Creo que he oído a Toby.

—Ya has cambiado de tema.

—Sí. —Joe giró la cabeza y sonrió por encima del hombro—. Después de tantos años he de conservar un poco de misterio. Si soy demasiado predecible, puede que acabes aburriéndote de mí.

—Imposible. —Eve apartó la mirada de él—. Puede que una vez pensara que sabía cómo ibas a reaccionar, pero eso ya no volverá a suceder.

—¡Hija de *puta*!

Eve levantó la mirada, Joe la miraba furioso.

—Lo siento. No debería haber dicho eso.

—No, ¡mierda!, no deberías haberlo dicho —dijo él con aspereza—. Aunque sabía que lo estabas pensando. ¿Cuándo vas a confiar en mí? ¡Por el amor de Dios!

—Confío en ti.

—Dentro de unos límites.

—No me lo eches en cara. Fuiste tú quien los puso.

—Mentí. Te engañé. Pero, ¡maldita sea!, sabes muy bien que lo hice para evitar que siguieras torturándote.

—Me dejaste creer que había enterrado los huesos de mi Bonnie, cuando eran los de otra niña. Lo hiciste a propósito. —Ella le miró a los ojos—. Te dije que me costaría perdonar eso. Lo intento. Lo intento todos los días. Pero a veces me viene a la cabeza y digo... te quiero Joe, pero no puedo estar siempre fingiendo. Si eso no te basta, te toca a ti.

—Y ya sabes lo que voy a hacer. —Respiró profundo y con dificultad—. Me conformaré con lo que me des. No te dejaré escapar. —Abrió la puerta mosquitera—. Cada mes, cada año que estamos juntos es como si nos tocara la lotería. Lo superaremos. ¿Dónde está ese maldito perro? —Salió al porche y le silbó—. ¡Toby!

Estaba herido y enfadado. Si no hubiera estado tan cansada, no se le hubieran escapado esas palabras. Solía tener más cuidado. Cuando decidió seguir con Joe, lo hizo con la intención de que la relación funcionara. Sabía que iba a ser duro, pero las cosas que valían la pena nunca eran fáciles. La mayor parte del tiempo su vida era buena, estaban bien juntos.

—Ya le tengo. —Toby entró en la habitación delante de Joe, jadeando y rebosante de felicidad—. Ha estado cazando. Esa sangre de lobo le domina más cada día. No estoy seguro de que Sarah tenga razón en lo de dejarle merodear por ahí.

—Eso es lo que le he dicho a Jane. —Joe actuaba como si la tensión de los últimos minutos no hubiera existido y ella hizo lo mismo—. Me ha dicho que no le dejaría salir si no nos gustaba que lo hiciera.

Joe se agachó y acarició a Toby en la cabeza.

—Le vigilaremos. Quizá tener algo de lobo no sea tan malo. Siempre me quedo más tranquilo cuando está con Jane. —Joe miró a Eve—. Probablemente, por eso se lo regaló Sarah. Seguro que pensaría que te sentirías más cómoda si Jane tenía protección.

—Porque Bonnie no la tuvo. —Eve movió la cabeza—. ¡Qué Dios me ayude!, ni siquiera se me había pasado por la cabeza la idea de que pudiera necesitarla. No podía imaginar que alguien hiciera daño a mi Bonnie. Era tan... maravillosa que... —Se calló y guardó silencio por un momento. Incluso después de todos esos años, el dolor y la rabia seguían presentes—. Pero tú ya lo sabes todo de los monstruos que matan a inocentes. Eres policía. Tratas con ellos todos los días. —Empezó a medir de nuevo la profundidad de los tejidos—. ¿Ha sido otro de esos monstruos el que ha asesinado a esta mujer?

—Eso creo. Cabe la posibilidad de que haya estado cometiendo asesinatos durante mucho tiempo. No sólo en esta zona.

—¿Cuándo me vas a hablar de ella? —Eve le miró por encima del hombro—. Y no me digas que es confidencial. No me lo trago. Sabes que puedes confiar en mí, maldita sea.

—Hablaremos de ello cuando termines. —Joe gesticuló a Toby—. Vamos, muchacho, te voy a dejar entrar en el dormitorio de Jane antes de que empieces a aullar para pedirlo. Eso le da pesadillas a cualquiera. —Empezó a atravesar la sala y se detuvo—. Sabes, creo que la semana pasada tuvo una pesadilla. Yo estaba despierto haciendo informes y la oí... jadear. —Frunció el entrecejo—. ¿Quizá lloraba? No lo sé. Cuando asomé la cabeza por la puerta, dormía tranquilamente.

—Si tiene pesadillas con frecuencia, quizá no esté tan bien como pensamos.

—Dos, no es frecuencia.

—¿Y cuántas más puede haber tenido sin que nos hayamos enterado?

—Lo único que podemos hacer es estar a su lado por si quiere hablar de ellas. Tú también tienes pesadillas. Dios sabe que no quieres hablar de ellas.

Sí, Eve tenía su ración de pesadillas y sueños con Bonnie. Las pesadillas habían desaparecido, pero, afortunadamente, los sueños sanadores continuaban.

—Le pregunté por su pesadilla y me dijo que no se acordaba. Creo no era cierto. Quizás hable contigo mañana.

—No voy a someterla a un interrogatorio. Pero si surge el tema... —Se encogió de hombros—. No obstante, no creo que salga. Está demasiado absorta en su examen para el carné de conducir.

Eve sonrió.

—Quiere estar bien segura y también quiere salir bien en la foto. Ésta ha sido la primera señal de vanidad que le he visto. Me dio esperanzas.

—Bueno. Pero mejor que te contentes con ese ápice de vanidad. —Le guiñó el ojo—. Porque nunca conseguirás que sea coqueta.

¡Ya está! Jane aparcó el SUV, saltó del coche y subió corriendo los escalones del porche donde Eve les estaba esperando.

—Ha sido un examen muy fácil Eve. Deberían ponerlo más difícil. No me gusta la idea de circular por la carretera con niñatos que pueden superar este nivel... Toby, baja. —Le dio un apretón en el cuello y le empujó hacia abajo—. Pero ya lo tengo y no he quedado mal en la foto, ¿verdad, Joe? —Le enseñó el permiso a Eve—. Al menos, estoy mejor que en mi permiso de aprendiza. No soportaba parecerme a uno de los Tres Stooges. No era una foto digna.

—¿Por eso estabas tan enfadada? ¿Por qué no nos lo dijiste? Podíamos haber esperado a que te sacaran otra.

—Teníais prisa. Pero no importa.

Eve frunció el ceño.

—También podías haber conseguido este permiso el año pasado al cumplir los dieciséis. Nunca nos dijiste que lo quisieras.

—Todo el año pasado estuviste muy agobiada por el trabajo. Y Joe estuvo yendo y viniendo de Macon durante meses por aquel caso de homicidio. Decidí que me lo sacaría a los diecisiete y que entonces todos podríamos disfrutarlo. Como he dicho, no importa. —Se giró hacia Joe—. Gracias por llevarme. Os lo recompensaré preparándoos una cena.

—No, ni hablar. —Joe salió del asiento del lado del conductor y sacó una bolsa de comestibles del capó—. Esto es una celebración y tú eres la invitada de honor. Voy a hacer unos filetes a la brasa. —Subió los escalones—. Ha sacado una puntuación perfecta en ese examen tan «fácil», Eve. Y ella tan pancha.

—No esperaba menos. —Eve miró el carné de conducir. La foto era muy buena. Sus ojos castaños resaltaban en esa cara triangular, más fascinante que bella. Eve siempre había pensado que parecía una pequeña Audrey Hepburn con esas cejas aladas y los pómulos altos, pero Joe no le veía el parecido. Decía que Jane era un original y que si se parecía a alguien era a Eve. El mismo color de pelo rojo-castaño, la misma boca bien perfilada, la barbilla fuerte—. Es una foto estupenda, Jane.

—Parece que al menos tengo un atisbo de inteligencia. ¿Has terminado con Ruth?

—Estoy a punto.

—Está bien. —Apartó la mirada de Eve y se agachó para acariciar a Toby—. Entonces, no te preocupes por parar para cenar. Te traeré un sándwich. Ya lo celebraremos otro día.

¿Otro retraso después de que Jane había esperado un año porque no era «conveniente» para Eve y Joe?

—No, ni hablar. —Le devolvió el carné de conducir a Jane—. Ésta es una ocasión especial. Ruth puede esperar.

—¿De verdad? —Jane levantó la mirada y una brillante sonrisa iluminó su rostro—. ¿Estás segura? No es por... Ha sido un examen muy fácil.

—Estoy segura. No me lo perdería por nada del mundo. Estoy muy orgullosa de ti. —Eve se dio la vuelta—. Pero trabajaré hasta que la cena esté lista. ¿De acuerdo?

—Vale. —Jane se dio la vuelta—. Pero si cambias de opinión, lo entenderé. —Bajó los escalones—. Venga Toby, vamos a correr al lago. —Giró la cabeza—. Llámame si necesitas ayuda, Joe.

—Creo que me las arreglaré. —Joe abrió la puerta mosquitera—. Toby y tú tenéis que gastar un poco de energía. Puede que no estuvierais nerviosos, pero estáis cargados. No volváis hasta que os hayáis calmado un poco.

Jane se rió pero no respondió mientras se alejaba velozmente por el sendero del lago con Toby corriendo detrás de ella.

—Es feliz. —Eve sonreía mientras seguía a Joe hacia la cabaña—. Me gusta verla así.

—Eso no es nuevo. No es que siempre vaya por ahí como un alma en pena. Normalmente es bastante feliz. Vive intensamente cada momento.

—Lo sé, pero esto es diferente. ¿Crees que deberíamos comprarle un coche?

—No, no lo aceptaría. Ya está pensando en buscar un trabajo a tiempo parcial para ganar dinero y comprarse uno ella misma.

—Eso le costará una eternidad. ¿Podríamos regalarle uno para su cumpleaños?

Joe la miró.

—¿Tú que crees?

Eve suspiró.

—Que lo verá como una ayuda.

—Correcto. —Joe empezó a descargar la compra y a llevarla al mostrador de la cocina—. Lo mejor que podemos hacer es encontrarle el trabajo a tiempo parcial mejor pagado de la zona y buscarle medios de transporte. —Desenvolvió los filetes—. Ahora mejor que vuelvas a tu trabajo. ¿Cuánto te falta?

—Puede que lo termine esta noche. Empezaré con la fase final en cuanto Jane se vaya a su habitación.

—Buena idea. —Joe cogió la bolsa de carbón y la sacó de la puerta principal.

Ni una protesta respecto a que trabajara demasiado. Ninguna sugerencia de que pospusiera el trabajo hasta el día siguiente.

Eve frunció ligeramente el entrecejo mientras atravesaba la sala de estar para dirigirse a su estudio. Las facciones de Ruth estaban en blanco, a la espera de la última capa y de que le diera la forma que les hiciera cobrar vida.

Vida.

Miró por la ventana y Joe estaba encendiendo el carbón en la barbacoa de piedra que había al lado de la cabaña. La vida se componía de un sinfín de pequeños detalles, de muchas horas y experiencias. Hoy, Jane había vivido una de esas experiencias...

Pero a Ruth le habían cortado la vida antes de que tuviera la oportunidad de experimentar poco más que el comienzo de su etapa como mujer adulta. Veinte y pocos años, le había dicho Joe que decía el informe forense. ¡Era tan joven!

—Me estoy acercando —susurró—. Sólo he de tomar unas pocas medidas más por aquí y ya estaremos. Te devolveré a casa, Ruth.

La mujer pesaba mucho.

Le costaba respirar mientras arrastraba el cuerpo envuelto en una lona colina arriba.

Era demasiado pesada. Demasiado voluptuosa. Sabía que no era Cira, pero se parecía lo suficiente como para merecer ser eliminada.

No podía arriesgarse.

No con Cira. Con Cira jamás.

Resopló al llegar a la cima. Dejó caer el cuerpo en el suelo y miró la ladera en pendiente que desembocaba en el lago Lanier. Allí había mucha profundidad y la lona se hundiría. Puede que tardaran semanas en descubrirla.

Y si la encontraban antes, peor. No cambiaría nada, sólo la dificultad.

Respiró profundo y le dio un empujón haciéndola rodar colina abajo. Vio cómo la lona desaparecía bajo el agua.

Listo.

Levantó la cabeza y notó la brisa acariciando sus mejillas. Un hormigueo de excitación recorrió sus venas y se sintió más vivo que nunca desde ese primer momento en que se había dado cuenta de lo que tenía que hacer.

Estaba cerca de ella. Podía *sentirlo*.

—Muy bien —murmuró Eve girando el pedestal hacia la luz—. Muy bien, Ruth. Las mediciones sólo nos llevan hasta aquí. Ayúdame. No puedo hacer esto sola.

Suave.

Empieza por las mejillas.

Trabaja deprisa.

No pienses.

O piensa en Ruth.

Piensa en devolverla a casa.

Haz el labio superior.

Suave.

¿Un poco menos?

No, déjalo así.

Suave.

Sus manos se movían con agilidad y sin pensar.

¿Quién eres Ruth?

Dímelo. Ayúdame.

La zona intermedia entre la nariz y el labio. ¿Más corta?

Sí.

Suave.

Suave.

Suave.

A las tres horas sus manos se apartaron del cráneo y cerró los ojos.

—Esto es todo lo que puedo hacer —susurró—. Espero que sea suficiente, Ruth. A veces lo es. —Abrió los ojos y se apartó del pedestal—. Sólo tendremos que... *¡Dios mío!*

—No la has terminado —dijo Joe desde la puerta. Se acercó a su banco de trabajo y le dio su maletín de ojos—. Tú sabes cuáles le has de poner.

—¡Maldito seas, Joe!

Sacó dos ojos de cristal y se los dio.

—Ponle ojos.

Se los metió en las cavidades y se giró hacia él.

—¿Qué demonios estás haciendo? —Su voz era temblorosa—. ¡Por Cristo! ¿Por qué no me lo has dicho?

—Por la misma razón que no quieres que te den fotos de las víctimas. Porque podía haberte influido.

—Por supuesto, que me habría influido. ¿Qué demonios está pasando? —Su mirada volvió a dirigirse al cráneo. El parecido era considerable. El rostro estaba más rellenito, era más maduro, los ojos estaban un poco más juntos, pero las facciones eran muy similares. Curiosamente, temiblemente similares—. Es *Jane*, maldito seas.

Capítulo 2

—Estoy de acuerdo en que se parece a Jane dentro de unos diez años aproximadamente. —Joe estudió la reconstrucción—. Tenía la esperanza de que no fuera así.

—Porque esta mujer se parece a Jane y ha sido asesinada. —Cruzó los brazos para resguardarse del frío—. Y sabías lo que me iba a encontrar cuando terminara la reconstrucción; sabías que iba a ser Jane.

—¡Por el amor de Dios!, no es que intentara mantenerte al margen más tiempo del necesario —dijo con brusquedad—. He hecho lo que tenía que hacer. —Cogió el paño de la mesa de trabajo y cubrió la cabeza—. Ahora ya está hecho y ya lo sabemos.

—No sabemos nada. Al menos, yo no sé nada. —Se dio la vuelta y se fue al lavadero para limpiarse la arcilla de las manos. Le estaban temblando. No te espantes. No puede volver a suceder. Dos veces no. No después de Bonnie. —Pero me voy a enterar, Joe. Lo voy a averiguar todo. Cuéntame qué está pasando.

—Te contaré lo que sé por ahora. Descubriremos el resto. Te lo prometo. —Cruzó la habitación hasta la mesa de café y abrió su ordenador portátil—. Descubrieron a la mujer en una profunda tumba a las afueras de Cahoun. Tenía las yemas de los dedos quemadas y de su rostro sólo quedaba la calavera. El resto del cuerpo estaba intacto. Christy me dijo que Scotland Yard le había advertido de que el autor podía haberse trasladado a esta zona tras supuestamente haber asesinado a una mujer en Birmingham.

—¿Supuestamente?

—No es exactamente el mismo *modus operandi*. La asesinó quemándola y no intentó ocultar su identidad. Salvo por su rostro que estaba destruido. —Sacó el informe del caso—. Era una prostituta e inmigrante ilegal y no encontraron una foto hasta que habían pasado unas semanas, cuando la historia apareció en la página cinco. Tuve que indagar para encontrarla. —Giró el ordenador hacia Eve—. No tanto, pero existe un parecido.

Otra Jane.

Labios más delgados, no tan firmes, la piel no tan resplandeciente de juventud, pero rasgos parecidos.

—¿Qué es esto? —susurró Eve.

Él no respondió, pero pasó a otra pantalla.

—El e-mail del inspector Mark Trevor. Cuatro víctimas en Reino Unido.

Sabía lo que iba a ver, pero aún así supuso un *shock* para ella.

—Todas se parecen a Jane.

—No del todo. No son idénticas, pero se parecen lo bastante como para ser hermanas.

Y todas estaban muertas. Eve se humedeció los labios.

—¿El mismo asesino en serie?

Joe asintió con la cabeza.

—En todos los casos ha destruido el rostro. Con fuego o arrancándolo tras haber cometido el acto, utilizando algún producto químico.

—¿Para ocultar su identidad?

—Éste no parecía ser su propósito salvo en el último caso.

Eve inspiró angustiada.

—Entonces lo hizo porque no soportaba su aspecto. Y ésa es la razón por las que las asesina.

—Parece una conclusión lógica.

—¿Lógica? No lo veo lógico. Tengo un miedo mortal. —Su voz sonaba desigual—. Calhoun está tan sólo a unos kilómetros por la autopista y si ha destruido sus huellas dactilares ha sido para que creyéramos que se trataba de otro asesino, con un *modus operandi* diferente. No quería que nadie supiera que estaba en esta zona. ¿Por qué?

—Quizá no quería que se alertaran las mujeres de esta ciudad.

—Pero no todas se parecen a Jane. —Eve apretó los puños—. Y eso es lo que está buscando ese loco. Intenta destruir a toda mujer que se parezca a Jane.

—No conoce a Jane.

—Entonces, a toda aquella que se parezca a una antigua amiga o a su madre. Alguien con el rostro de Jane.

—Encajaría con el perfil de un asesino en serie.

—Oh, sí, lo sé todo respecto a esos perfiles —dijo ella con voz entrecortada—. Los estudié tan a fondo tras el asesinato de Bonnie, que casi me asfixié con ellos. Muy bien, no va a sustituir a Jane en ninguna de sus fantasías psicóticas. Esto no va a volver a suceder.

—No, no sucederá —dijo Joe en voz baja—. No lo permitiré. ¿Crees que eres la única que se preocupa por Jane?

No, por supuesto que él también amaba a Jane. Pero no había perdido a una hija. No sabía lo que era vivir con el terror constante de que volviera a suceder.

—Lo sé. —Joe estudiaba la expresión de Eve—. Deberías darte cuenta de cómo me siento. ¿Quién te conoce mejor?

Nadie. Y ella no estaba siendo justa. El miedo nublaba su buen juicio.

—Lo siento. Sé que estás tan preocupado como yo. Entonces, ¿qué vamos a hacer?

—Contactar con Trevor y averiguar todo lo que podamos de lo que saben ellos de este monstruo. El e-mail era escueto, por decir algo. Le llamé a su móvil esta tarde, pero salió su buzón de voz. Le dejé el mensaje de que me llamara. —Joe miró su reloj de muñeca—. Ya es pasada la medianoche. Puede que no tengamos noticias suyas hasta dentro de unas horas. Allí sólo son las cinco de la madrugada.

—Vuelve a llamarle. No me importa si le despertamos.

Joe accedió.

—Y nosotros hemos de saber cómo se han enterado de que el asesino ha cruzado el Atlántico, si no conocen su identidad. En Yard han de tener algunas teorías si han estado trabajando en el caso durante los tres últimos años. Hemos de conocer las razones antes de que podamos prever sus movimientos.

—Les basta con mirar las fotos para saber por qué lo está haciendo. —Pero, ella no quería mirar más esas fotos. La asustaban demasiado. Se dio la vuelta—. Voy a ver cómo está Jane.

—Está bien, Eve. Estamos aquí en la habitación de al lado.

—Probablemente eso es lo que pensaron los padres de esa niña de California antes de que el asesino entrara en su hogar y se la llevara.

—Jane no es una niña. Es una jovencita fuerte e inteligente y a cualquiera que se meta con ella más le vale ir con cuidado.

—Nadie se va a meter con ella. Nadie va a hacerle daño —dijo ferozmente—. No voy a dejar que eso suceda. Otra vez, no. Llama a Trevor y sácale toda la información. Vamos a descubrir a ese bastardo antes de que él encuentre a Jane.

Jane dormía tranquilamente.

Esa noche no soñaba, pensó Eve mientras la miraba. O, si soñaba, no eran pesadillas. ¿O sí lo eran? No recordaba que Jane le hubiera hablado jamás de sus sueños. Quizá tenía que habérselo preguntado antes. Jane había encajado con tanta facilidad en sus vidas, que le había resultado muy fácil considerarla como a un miembro más de la familia. Era extraño, puesto que la personalidad de Jane era tan fuerte como la suya. Pero Jane nunca había querido retarla. Les había entregado su afecto a los dos, se había esforzado mucho por conseguir su puesto en la familia y nunca había pedido nada.

¡Era una persona maravillosa!

Y nadie iba a destruir esa maravilla.

Se dio la vuelta y salió de la habitación. Al momento pasó al lado de Joe, que supuestamente estaba llamando a Trevor y salió al porche. Se sentó en el primer escalón de arriba y apoyó la cabeza contra la columna. Hacía frío, el aire era puro y el lago estaba tranquilo esa noche. Todo era hermoso, familiar y hogareño.

Pero el hogar se podía convertir en un lugar de desolación y terror. ¿Quién podía saber mejor que ella que nadie estaba a salvo?

—Nadie, mamá. Pero no has de preocuparte hasta que haya un motivo concreto para ello. La vida es demasiado corta.

Giró la cabeza y vio a Bonnie sentada en el balancín del porche. Tenía las piernas cruzadas, iba vestida con tejanos y su habitual camiseta de Bugs Bunny.

—Eso es lo que dice Joe. No os estoy escuchando a ninguno de los dos. Él es demasiado lógico y tú eres un sueño. Creo que tengo un montón de razones para preocuparme.

Bonnie suspiró.

—No soy un sueño, soy un fantasma. En el fondo sabes que es cierto.

—No sé nada de esas cosas. Probablemente te inventé cuando estaba tan deprimida que o buscaba una forma de hacerle frente a mi situación o me suicidaba.

—Sí, por eso vine a verte la primera vez. —Una sonrisa iluminó su rostro—. Y porque te echaba de menos.

Eve notó que se le hacía un nudo en la garganta.

—Te echo de menos, pequeña.

—No me echarás tanto de menos si le abres más tu corazón a Joe. Durante un tiempo pensé que ibas a estar bien, pero le apartaste de ti.

—Ya sabes por qué lo hice.

Suspiró.

—Otra vez yo, ¿no?. Fue un error, pero lo hizo porque te quiere.

—Ya sé todo eso. Estamos trabajando en ello. —Eve miró atrás hacia el lago—. ¿Por qué has venido? Hacía meses que no te veía.

—Me necesitas. Siempre estaré contigo cuando me necesites.

¿Por qué estaba mirando el lago cuando podía mirar a Bonnie? No importaba que fuera un fantasma o un sueño, era Bonnie. Se giró y la miró enfadada.

—Te necesito. Te necesito cada minuto del día.

—Jane puede estar en peligro. Tengo miedo por ella.

Bonnie asintió con gravedad.

—Yo también temo por ella. Él está cerca.

—¿Quién está cerca?

—El malo. —Descruzó las piernas y las dejó colgando por encima del suelo del porche.

¡Era tan pequeña!, pensó Eve. Tan pequeña y querida...

—¿No sabes quién es?

Ella movió la cabeza negando.

—Sólo que es malo.

—¿Cómo el hombre que te mató a ti?

—No puedo pensar en eso, mamá. Ya ha pasado. No puedo responder a tu pregunta. Pero sé que el hombre que ha asesinado a Ruth es retorcido y macabro.

—Me alegro de que no puedas recordar eso, pequeña. —Se aclaró la garganta—. Pero maldita la gracia si no puedes decirme ningún hecho concreto. ¿De qué sirve un fantasma si no puede ser útil?

Bonnie echó atrás la cabeza y se rió.

—Yo soy útil. Evito que vayas por ahí como un alma en pena pensando en suicidarte. Además, no tengo por qué ser útil. Me querrás de todos modos.

—Sí, es verdad.

—Y querrás a Jane, haga lo que haga.

—No estoy segura de que ella crea eso.

—Tiene miedo de creerlo. La han herido demasiadas veces.

—Eso fue hace mucho tiempo. Joe y yo hemos intentado compensarla por todos esos años.

—Ella no es como yo. Los malos tiempos todavía no la han abandonado.

—Entonces, ¿qué caray puedo hacer?

Bonnie movió la cabeza.

—Ella tiene que encontrar el camino por sí sola.

—Si tiene tiempo. Si algún bastardo no la mata como te mató a ti.

—Tú no lo permitirás. —Ladeó la cabeza para escuchar—. Creo que Joe casi ha terminado de hablar. Será mejor que me vaya. ¿Sabes cuándo sabré que ya no me necesitas?

—Siempre te necesitaré.

Ella movió la cabeza.

—No me necesitarás cuando estés tan cerca de Joe que me compartas con él. Cuando le digas que vengo a verte.

—¿Y que piense que me he vuelto loca?

—Lo ves, todavía no estás preparada. —De pronto frunció el entrecejo—. Jane está soñando de nuevo. Tiene miedo. Mejor que vayas con ella.

Eve se puso de pie.

—Estaba bien cuando he ido a verla antes.

—Ahora no. Despiértala. Ahora no puede hacer nada. Necesita ayuda, pero no hay nada que... la despierte.

Eve se dirigió a la puerta.

—Si no está soñando tu credibilidad será nula.

Bonnie sonrió.

—Despiértala. Adiós mamá. Hasta pronto.

—Más te vale.

Abrió la puerta mosquitera y vio a Joe sentado en el sofá hablando por teléfono. Eve miró hacia el balancín del porche y vio lo que estaba esperando. No había nadie. No estaba Bonnie.

—Enseguida estaré contigo —dijo Joe cuando la vio en el umbral de la puerta—. Sólo unos minutos.

Ella asintió con la cabeza.

—Voy a ver Jane. —Atravesó la sala para ir al cuarto de Jane—. No tardaré.

Joe había colgado el teléfono y estaba sirviendo café recién hecho cuando ella regresó a la habitación.

—¿Está bien?

Eve frunció el entrecejo.

—No, estaba teniendo otra pesadilla. Le he dado un vaso de agua y he hablado con ella durante unos minutos.

—Bueno, al menos no le ha echado la culpa a mis filetes. —Joe le dio una taza y se sirvió una para él—. ¿Se ha calmado?

—Sí, o al menos ha hecho ver que sí. —Eve se sentó en el sofá y miró su bloc de notas—. ¿Has hablado con Trevor?

—De hecho, me ha llamado él antes de que empezara a hacer la llamada. Me ha dicho que era muy madrugador y que había pensado que como le había parecido que tenía urgencia por hablar con él se había atrevido a llamarme.

—¿Qué te ha dicho?

—No demasiado. Me ha dicho que en estos años prácticamente no han conseguido nada. Que no tienen ni idea de la identidad del asesino.

—Entonces, ¿cómo le han seguido la pista hasta aquí?

—Siguiendo la pista de una serie de asesinatos con el mismo *modus operandi*. Me ha dicho que sabía que los asesinatos de este tipo se debían a una compulsión que no se detiene y que en Inglaterra habían dejado de producirse... Así que empezó a revisar los asesinatos que tenían lugar en Europa y a este lado del Atlántico.

—Entonces, tiene que saber más que nosotros. ¿No has podido hacerle hablar?

—Yo fui el que hablé la mayor parte del tiempo. Le llamó mucho la atención lo de Ruth y no dejaba de hablar de ella. Estaba muy interesado en el hecho de que sus huellas hubieran sido borradas.

—¿Le has hablado de Jane?

—No, le dije que quería que me enviara inmediatamente un informe completo de todas las víctimas.

—Bien. ¿Cuándo llegará?

—A la una y media del mediodía. Los traerá él mismo.

—¿Qué?

—Va a coger el primer vuelo desde Londres. Quiere estar aquí, en la escena del crimen. Nos ha ofrecido su ayuda.

—No necesitamos a Scotland Yard.

—Pero, podemos necesitar a Trevor. —Joe miró pensativamente su taza de café—. He captado algo en su... creo que está obsesionado con este caso. A veces sucede eso cuando dedicas años a atrapar a un asesino.

—«Años», es la palabra clave. ¿Por qué todavía no le ha encontrado Trevor? ¿Antes de que viniera a Estados Unidos? ¿Antes de que se convirtiera en un peligro para Jane, maldita sea?

—Estoy seguro de que se lo preguntarás en cuanto entre por la puerta —dijo Joe—. Se tomó un último sorbo de café y dejó la taza sobre la mesa.— Pero, entretanto voy a llevar la reconstrucción a la comisaría para ver si podemos averiguar algo sobre Ruth y poner en marcha los engranajes a ver si averiguamos con quién pudo haber estado los días anteriores a su muerte.

—Son casi las cuatro de la madrugada, Joe.

—No puedo dormir. —Se levantó—. He llamado a comisaría y he pedido que traigan un coche patrulla para vigilar la cabaña. Pronto estarán aquí.

—Jane se preguntará por qué están aquí en cuanto se levante.

—Entonces, será mejor que te inventes una explicación. Porque van a estar aquí cuando yo no esté.

—No te lo discuto. Yo también quiero toda la protección necesaria para ella. —Llevó su taza y la de Joe al fregadero—. Solamente era una observación y no pienso mentir. No me perdonaría que no fuera sincera con ella. —Sus labios se retorcieron con preocupación—. Probablemente pensará que soy estúpida por tener tanto miedo. Ella es más valiente que yo.

—Sólo ha tenido experiencias diferentes. —Joe le dio un beso superficial en los labios y se dirigió hacia la puerta—. Nadie tiene más agallas que tú.

—Sí, claro.

Joe giró la cabeza y vio su expresión de preocupación. Murmuró una palabrota, se dio la vuelta y volvió junto a ella. Esta vez la besó, pero no de forma superficial. Fue intenso, apasionado y mareante. Los brazos de Eve se deslizaban alrededor de su cuerpo, atrayéndole.

Joe levantó la cabeza.

—Nadie tiene más agallas, resistencia o belleza que tú y no lo olvides nunca. —Se apartó de ella—. Intentaré estar de vuelta dentro de unas horas, pero si no he regresado, estaré aquí al mediodía para traer a tus pies a este prodigio de Scotland Yard.

—Muy bien —susurró ella. No quería que se fuera. Quería irse a la cama, olvidarse de Ruth, del peligro que corría Jane y de todo lo demás, salvo del sexo maravilloso y salvaje que siempre había salvado cualquier abismo entre ellos.

—Yo tampoco. —Como de costumbre, Joe había leído sus pensamientos. Tocó sus labios con su dedo índice—. Sé lo que estás pensando. Una palabra y llamaré a la patrulla para decirles que me quedaré aquí un rato más. Probablemente no podré averiguar muchas cosas a esta hora. Puedo marcharme a las seis.

Eve le abrazó enérgicamente. Joe... él era la fuerza y la vida, y, ¡Dios mío!, le necesitaba.

—Llámales —le susurró—. Las seis ya es un buen madrugón.

Londres

Trevor colgó el teléfono y se recostó en su silla.

—Era Quinn. Creo que le ha impresionado ver que empezamos a trabajar tan pronto por aquí. Me iré a Atlanta a las nueve.

Bartlett sonrió.

—Has dicho que le atraparías. ¿Quieres que vaya contigo?

—Ahora, no. —Se levantó y se dirigió al armario—. Te llamaré si te necesito. Búscame ese archivo de Quinn y Eve Duncan mientras recojo. He de estar preparado. He de saberlo todo sobre ellos.

Bartlett ya había sacado el archivo y lo estaba ojeando.

—Puede que tengas problemas. Los dos son bastante complicados. Eve Duncan creció en un barrio pobre y su madre era drogadicta. Tuvo una hija ilegítima de adolescente y le cambió la vida. Fue a la universidad y luchó por ayudar a su madre. Su hija, Bonnie, fue raptada y probablemente asesinada por un asesino en serie cuando sólo tenía siete años. Nunca encontraron el cadáver. Hace unos años creyeron haber encontrado los restos de Bonnie, pero más tarde descubrieron que se trataba de otra niña.

—¿Y Quinn?

—Nació en una familia acomodada y fue agente del FBI antes de convertirse en detective del cuerpo de policía de Atlanta. Tiene un terreno bastante grande con una cabaña junto a un lago cerca de Atlanta. Allí es donde viven Quinn y Duncan. —Miró a Trevor—. Es duro, inteligente y tenaz como un bulldog.

—¿Su debilidad?

—Eve Duncan. No cabe duda. Está con ella desde la muerte de su hija y puede que se haya quedado en Atlanta en lugar de seguir con el FBI para estar junto a ella.

—Puede ser una tecla a tocar.

—No, a menos que quieras provocar una explosión en cadena.

—A veces las explosiones son necesarias. —Trevor sonrió de manera temeraria—. Me arriesgaré.

—Siempre lo haces. —La sonrisa de Barlett se desvaneció—. Son muy duros. Los dos. Ten cuidado de que la explosión no te alcance a ti.

Trevor cerró su maletín.

—¿Por qué? Me parece que estás preocupado por mí.

—Tonterías. Sólo que soy demasiado perezoso para conseguir un nuevo contacto. ¿Te vas a llevar este archivo?

—No, si no has descuidado ningún punto importante. —Colocó su maletín sobre la silla—. Revisaré el archivo de MacGuire mientras bajas la escalera y me paras un taxi.

—¿Otra vez? Ya te lo has de saber de memoria. No hay mucho que leer. Jane MacGuire sólo tiene diecisiete años, se ha educado en hogares de acogida y está con Duncan y Quinn desde que tenía diez años. Es una estudiante excelente y nunca se ha metido en líos. Pero es demasiado joven como para tener mucha experiencia o un informe muy largo.

—No estoy de acuerdo. Mira su cara. Es joven, pero ese rostro encierra una gran experiencia. Y él se dará cuenta. Le atraerá como si fuera un imán. —Observó el rostro de la joven con su mirada desafiante—. Bartlett, el taxi.

—Enseguida.

Trevor apenas oyó la puerta cerrarse detrás de él. Estaba tan entusiasmado que tenía que reprimirse. Tenía que pensar con serenidad y claridad si quería ganar esta batalla. Y estaba *dispuesto* a ganarla, ¡maldita sea!

Tocó delicadamente la mejilla de la joven en la foto. Ella estaba cerca. Considerable y maravillosamente cerca.

—¿Suficientemente cerca, Aldo? —murmuró—. ¿Cira?

Capítulo 3

—¿De verdad se parecía Ruth a mí? —Jane miró decepcionada el pedestal vacío—. Me hubiera gustado ver la reconstrucción, antes de que Joe se la llevara. ¿Puedo ir a la comisaría y...?

—No, no puedes —dijo Eve con firmeza—. Puedes ver la fotografía. Ahora te quedarás en casa durante un tiempo.

—¿Por ese cerdo? —Jane movió la cabeza—. Me quedaré en casa hoy, pero el lunes tengo un examen de trigonometría y no voy a dejar de hacerlo por ese tipo. —Se fue a la puerta y miró el coche patrulla aparcado en la carretera—. Tendría que estar loco para intentar hacer algo viendo que Joe me tiene bajo vigilancia.

—*Está* loco —dijo Eve—. Nada está más claro que eso. Nadie va por ahí matando mujeres sólo porque le recuerden a alguien, si no está loco. Así que tu razonamiento no tiene fundamento. Y ese examen no merece el riesgo.

Jane se giró para mirarla.

—Estás verdaderamente asustada.

—Tienes toda la razón, lo estoy. No voy a permitir que te pase nada aunque para ello tenga que atarte a la cama.

Jane estudió su expresión.

—Estás recordando a Bonnie. Yo no soy Bonnie. No soy una niña inocente a la que pueden engañar para atraerla a la muerte. Pretendo tener una vida larga y provechosa y me tiraré a la yugular de cualquiera que intente arrebatármela.

—Puede que no tengas la oportunidad. Este hombre ha matado al menos a seis mujeres que sepamos. Todas ellas más mayores y con más experiencia que tú.

—Y probablemente, ellas no sospechaban nada. Yo voy a sospechar de todos. —Sonrió—. Ya sabes que no soy precisamente la persona más confiada del mundo.

—Gracias a Dios. —Eve respiró profundo—. Estoy asustada, Jane. No me asustes todavía más desafiando a ese monstruo. Por favor.

Jane frunció el ceño.

—No soporto que me impida hacer lo que tengo que hacer. Los cabrones como él no deberían poder controlarnos.

—Por favor —repitió Eve.

Jane dio un suspiro.

—Muy bien. Si te vas a preocupar.

—Me voy a preocupar. Cuento contigo. Gracias.

Jane parpadeó.

—Venga, no he tenido demasiadas opciones. Me has amenazado con atarme a la cama.

Eve sonrió.

—Sólo como último recurso.

—¿Cuánto tiempo crees que tardarán en atraparle?

La sonrisa de Eve se desvaneció.

—No lo sé. Pronto, eso espero.

—No puedo estar escondiéndome siempre, Eve. —Miró hacia el coche patrulla—. ¿Crees en el destino?

—A veces. La mayor parte del tiempo creo que nosotros controlamos nuestro destino.

—Yo también. Pero esto es una extraña coincidencia, ¿no te parece? Primero Bonnie y ahora yo. ¿Qué probabilidades crees que tienes de enfrentarte de nuevo a este tipo de situación?

—Infinitesimales. Pero así es.

—Entonces, quizá... —Jane hizo una pausa, para ver cómo iba a expresar lo que quería decir—. Si existe algún tipo de destino, ésta podría suponer una segunda oportunidad.

—¿Qué quieres decir?

—Quizá sea como... un círculo que se repite una y otra vez, si no consigues corregirlo.

—Estás siendo demasiado profunda para mí. No tengo ni la menor idea de lo que estás hablando.

Jane sacudió la cabeza como si quisiera aclararse.

—Yo tampoco. Sólo que se me ha ocurrido que... —Se dirigió a la puerta principal—. Todas estas cavilaciones me están dando dolor de cabeza. Vamos a dar un paseo.

—He de regresar a tiempo para recibir a Trevor. —Miró el reloj de pulsera—. En una hora.

—No creo que se marche si no estás en la puerta. Por lo que has dicho quiere cooperar. Además, probablemente sea uno de esos tipos metódico, cortés y de movimientos lentos.

—¿Sólo porque es de Scotland Yard? Por lo que he oído son muy eficientes.

—No atraparon a Jack el Destripador, ¿verdad? Joe lo habría atrapado. Él no piensa como los demás. —Le dio un empujoncito a Toby con el pie y empezó a bajar los peldaños—. ¡Venga, perezoso! Que te guste correr por la noche no es razón para que te pases el día durmiendo.

Toby bostezó y se levantó.

—Ya sabes que esos policías del coche nos van a seguir —dijo Eve, detrás de ella bajando los peldaños.

—El ejercicio les irá bien. —Jane sonrió a Eve girando la cabeza—. Y a ti también. Has estado muchos días encerrada en casa trabajando con Ruth. Necesitas aire fresco y cambiar de ambiente. El sol brilla y no hay nubes.

Estaba equivocada, pensó Eve. Una nube oscura y terrible las acechaba. Pero la expresión de Jane era radiante, atrevida y valiente. Eve notó que le subía el ánimo al mirarla.

—Tienes razón. Hace un día estupendo para caminar. —Se puso a su lado—. Pero sólo hasta la orilla del lago. Puede que Trevor no esté deseando verme, pero, estirado y cortés o no, yo tengo mucho interés en conocerle.

—¿Señorita Duncan? Soy Mark Trevor. —Se levantó para saludarla al verla entrar en la cabaña—. Estoy encantado de conocerla. —Le hizo un gesto a Joe, que estaba de pie en la barra de la cocina, antes de cruzar la estancia con la mano extendida—. Quinn me ha estado explicando que ha hecho una reconstrucción magnífica. Me muero de ganas de verla.

—Tendrá que ir a la comisaría. Joe se la ha llevado allí esta mañana. Ni siquiera he tenido la oportunidad de hacerle fotos. —Le dio un apretón de manos firme y fuerte y cuando la miró a los ojos, se quedó un poco conmocionada.

Trevor, evidentemente era cortés, pero eso era todo en cuanto a la descripción de Jane. No debía tener más de treinta, llevaba unos tejanos y una sudadera de color verde oliva, y era alto, de hombros anchos y musculosos. Cada palmo de su cuerpo parecía estar cargado de energía. Su pelo corto, rizado y oscuro envolvía un rostro sorprendentemente atractivo del que resaltaban unos ojos oscuros que brillaban con interés e inteligencia. Su sonrisa exudaba un carisma que la hacía acogedora y aduladora a la vez. ¡Dios mío!, parecía más un modelo o un actor que un policía.

—Ya le he pedido permiso para echar un vistazo. —Trevor tomó la taza de café que Joe le estaba ofreciendo—. En Scotland Yard tenemos nuestros propios escultores forenses y yo soy su ferviente adorador. Han realizado reconstrucciones sorprendentes.

—Eso he oído. —Joe le dio otra taza a Eve—. ¿Dónde está Jane?

—Jugando con Toby. Enseguida vendrá. Venía justo detrás de mí. —Su mirada se dirigió al maletín que había en la mesa de centro—. ¿Informes de casos?

Trevor asintió con la cabeza.

—Pero me temo que le van a decepcionar. Tal como le he dicho a Quinn por teléfono, no tenemos nada en concreto. —Abrió el maletín—. Los asesinatos parecían no tener relación entre ellos y no nos dimos cuenta de la conexión del parecido facial hasta que salimos de Inglaterra... —Se sentó en el sofá—. Usted misma. Puede quedarse con estos informes si lo desea. Son copias.

—Ustedes tienen que haber descubierto algo —dijo Eve—. En la era del ADN, no hay ningún escenario del crimen que sea estéril.

—¡Ah!, tenemos fibra y ADN, pero hemos de tener un sospechoso para compararlos.

—¿Testigos? —preguntó Joe.

Trevor movió la cabeza negativamente.

—Por la noche, las víctimas estaban vivas y a la mañana siguiente muertas. Nadie las vio con nadie. Aldo, evidentemente las vio, las acechó y luego las agredió cuando no corría riesgo de ser visto.

Eve se sorprendió.

—¿Aldo? ¿Saben su nombre?

Trevor sacudió la cabeza.

—Lo siento. No pretendía darle esperanzas. Aldo es el nombre que yo le he dado. Se lo puse porque después de todos estos años, no puedo pensar en él de forma impersonal.

—¿Por qué Aldo?

Se encogió de hombros.

¿Por qué no?

—No me importa cómo llame a ese bastardo —dijo Joe—. Sólo quiero cazarle. La mujer de Birmingham fue quemada hasta morir y el forense dice que hay indicios de que Ruth fue asfixiada. No hay similitud. —Joe señaló los informes—. ¿Qué hay de estas mujeres?

—Jean Gaskin fue asfixiada. Ellen Carter fue quemada. Parece que le gustan estas dos formas de matar a sus víctimas. —Tomó un sorbo de café—. Sin embargo, no se limita a eso. Julia Brandon murió por la inhalación de un gas venenoso.

—¿Qué?

—Presuntamente, fue forzada a inhalar. Poco común.

—Horrible.

—Sí. —Asintió con la cabeza—. Y Peggy Knowles, la mujer de Brighton, tenía agua en los pulmones. Fue ahogada. —Volvió a dejar su taza sobre la mesa—. Aldo nunca tiene prisa. Se permite el tiempo necesario para ejecutar sus crímenes tal como había planeado.

—¿No han podido identificar a quién está intentando castigar a estas mujeres? ¿Informes? ¿Alguna base de datos?

—Sería como encontrar una aguja en un pajar, Eve —respondió Joe.

Trevor asintió con la cabeza.

—Y por desgracia no contamos con una tecnología tan sofisticada. No tenemos ninguna base de datos fotográfica centralizada. Sin embargo, hicimos el intento de revisar todos nuestros informes y no encontramos nada. —Hizo una pausa, sus ojos se deslizaron por la ventana antes de volver a mirar a Eve—. Pero, yo tengo la teoría de que aunque las posibilidades no fueran tan amplias, puede que tampoco le hubiéramos encontrado en nuestros archivos.

—¿Por qué no?

—Cuando estuve buscando información tras el último asesinato en Brighton, descubrí informes de un asesinato en Italia y otro en España antes del primer asesinato en Londres. Ambas mujeres asfixiadas, las dos sin rostro.

—¡Señor! ¿Ni siquiera podemos saber su país de origen? —preguntó Joe asqueado—. ¿Qué hay de la Interpol?

Trevor sacudió la cabeza.

—¿Crees que no he rastreado toda la información posible en estos años? Si realmente asesinó a las otras mujeres, no pude encontrar ningún archivo.

—¿Y no ha dejado ninguna tarjeta de visita como hacen otros asesinos en serie?

Trevor guardó silencio por un momento.

—Bueno, sí lo hizo.

—¿Qué? ¿Por qué no nos lo has dicho desde el principio? —preguntó Eve.

—Pensé que probablemente ya lo sabíais. —Se giró hacia Joe—. ¿No has recibido todavía el informe forense de vuestra Jane Doe?

—No del todo. Va llegando por partes.

—Entonces, ¿todavía no han analizado las cenizas?

—Cenizas —repitió Eve.

—Encontraron cenizas junto al cuerpo de Ruth —dijo Joe—. Pensamos que eso podía ser una prueba de que fue asesinada en el bosque y que la hoguera fue...

—No serán cenizas de madera —dijo Trevor—. Ni de una acogedora fogata de un día en el campo. El informe revelará que son cenizas volcánicas.

—¡Mierda! —Joe empezó a marcar en su teléfono—. ¿Estás seguro?

—Bastante seguro. En todos los cuerpos se hallaron partículas de cenizas volcánicas. Vuestra policía de Birmingham fue comprensiblemente negligente en cuanto a analizar las cenizas en un caso donde la víctima había sido quemada. Como es natural supusieron que cualquier ceniza se debería al propio fuego.

—Entonces, ¿por qué no se lo dijiste?

—Te lo estoy diciendo ahora. Es tu caso. —Se levantó deprisa y se acercó rápidamente a la ventana—. ¿No sería mejor ver dónde está?

Eve notó de pronto la tensión de Trevor. Su serena compostura había desaparecido; ahora estaba alerta, inquieto y totalmente concentrado. Ella también se tensó al recordar cómo su mirada se había deslizado a través de la ventana momentos antes.

—¿Jane?

Trevor asintió con la cabeza de manera cortante.

—Al entrar ha dicho que venía detrás de usted.

Eve miró a Joe.

Sacudió la cabeza y colgó el teléfono.

—Yo no he hablado de ella con él.

Trevor se puso tenso y enfocó la mirada.

—Allí está —dijo girándose hacia Eve—. No debería haberla dejado sola.

—Si mira unos cuantos metros detrás de ella, verá que no va sola. —Eve se acercó a la ventana al lado de Trevor. Jane se acercaba con Toby pisándole los talones y los dos policías intentando seguir su ritmo—. Nunca la dejaría sin protección. —Su voz era fría—. Nunca sabes en quién puedes confiar. ¿Cómo supo de Jane?

Se giró para mirarla.

—Lo siento. Por supuesto que la protegen. He sido un poco impulsivo.

—¿Cómo supo de Jane? —repitió ella.

—Sus sospechas son muy buenas. Las apruebo. Pero yo soy la última persona de la que ha de temer. Estoy aquí para asegurarme de que no le pase nada. —Alcanzó su cartera y sacó un recorte de periódico arrugado y desteñido—. Mi ayudante ha estado revisando todos los periódicos de las ciudades más importantes durante algún tiempo y un día vio esta foto de Jane MacGuire.

Eve reconoció la foto. La habían tomado hacía tres meses en una exposición canina con fines benéficos para la Sociedad Humana. Estaba un poco borrosa, pero el rostro de Jane se veía con claridad. El terror se apoderó de Eve.

—Puede que él no la haya visto. —Trevor leyó su expresión—, No sé cómo elige a sus víctimas. Algunas han de ser al azar. La mujer de Millbruck, en Birmingham. Peggy Knowles, de Brighton. También era prostituta. Ninguna de las dos había salido en los periódicos.

—¿Y las otras?

—Una había ganado un premio de jardinería hacía una semana.

—Luego, lee los periódicos.

—Posiblemente. Pero no puede confiar en ellos para encontrar a sus víctimas y, si éstos fueran la fuente, tendría que limitarse a ciertas zonas debido a la magnitud de la tarea. Me inclino a pensar que tiene algún otro sistema para buscar objetivos.

—¿Alguna otra teoría? —Eve estaba helada—. Usted la ha encontrado.

—No teníamos nada a nuestro favor. Mi colega estaba haciendo un trabajo rutinario para ver qué podía encontrar.

—Y usted encontró a Jane. —Joe le cogió la foto a Eve—. Y es demasiado clara ¿Por qué no me lo notificaste si pensabas que corría peligro?

—El e-mail —le recordó.

—Maldito e-mail. Deberías haber sido específico.

—Ni siquiera sabía que estaba en tu zona hasta el asesinato de Millbruck y eso fue dos meses después de que se tomara esta foto. Y si él hubiera visto esta foto, no es muy probable que hubiera malgastado el tiempo y el esfuerzo en otro objetivo. Habría ido directo a ella.

—¿Por qué?

—Mírala. —La mirada de Trevor se dirigió a la foto—. Se la ve tan llena de energía que casi salta de la foto. Al compararla con las otras víctimas son como falsificaciones en comparación con la verdadera.

—Razón de más para que se hubiera puesto en contacto con nosotros.

—Puede que no estuviera en peligro.

—Bastardo, debías habérnoslo dicho.

—Os aseguro que la hemos estado vigilando. En cuanto vi esta foto, envié a Bartlett para que la vigilara. Pero estoy seguro de que yo habría sentido lo mismo si estuviera en vuestro lugar.

—Usted no sabe cómo nos hubiéramos sentido —dijo Eve ferozmente—. ¡Maldito hijo de puta! No me importa si atrapa a su asesino. Lo que quiero es la seguridad de Jane.

—Yo también. —La miró a los ojos—. No hay nada que desee más. Créame.

Eve le creyó. No ponía en duda ni su sinceridad ni la intensidad de sus sentimientos. Pero eso no disminuyó su ira.

—Me está diciendo que nos ha estado espiando sin que...

—Creo que tus policías tienen miedo de Toby, Joe. —Jane se estaba riendo cuando entró en la sala—. Les ha gruñido cuando se han acercado demasiado y se han parado tan cerca y de golpe que casi se les parte el cuello. Parecía que se hubieran dado cuenta de que Toby es... —Se calló y su mirada se dirigió a Eve y a Trevor. Dio un silbido suave. —¿Estoy percibiendo una escisión en las relaciones anglo-americanas?

Trevor sonrió.

—No por mi parte. Yo estoy totalmente de tu parte. Eres Jane MacGuire, ¿verdad? Soy Mark Trevor.

Jane le miró en silencio.

—Hola. No eres lo que yo esperaba.

—Tú eres todo lo que yo esperaba. —Cruzó la sala y le dio la mano—. Incluso más.

Jane le miraba fascinada y Eve podía entender por qué. Ella había tenido la misma respuesta a esa sonrisa y carisma cuando le conoció. Pero eso había sido antes de que se hubiera dado cuenta de lo frío e implacable que podía ser. En cuestión de minutos había pasado de ser un aliado a un adversario. Sintió el impulso de correr al otro lado de la sala y apartar a Jane de su lado.

—El señor Trevor ya se marchaba.

Trevor no apartó la mirada de Jane.

—Sí, me temo que me han puesto en su libro de los malos. He metido la pata —dijo compungido—. Estaba capeando el temporal a las mil maravillas y de pronto me preocupé porque creí que no estaban cuidando bien de ti, abrí la boca y en un minuto he echado a perder el duro trabajo de todo este tiempo.

—¿Qué duro trabajo?

—Ya te lo explicarán.

—Quiero que me lo explique usted. —Jane le miró directamente a los ojos.

—Ha estado intentando atrapar a ese asesino. ¿Qué ha estado haciendo y cómo me afecta a mí?

Trevor se rió entre dientes.

—Debería haber supuesto que serías así. Eres un encanto.

—Y usted me está diciendo sandeces.

—No, no es verdad. —Su sonrisa desapareció—. ¿Quieres saber la verdad? Eres un posible objetivo y hace algún tiempo que sé que cabe la posibilidad de que estés en peligro. He observado y he esperado. Y la señorita Duncan y Quinn están furiosos y con razón, por no haberte proporcionado toda la protección que te mereces desde un principio.

—Sí, lo estamos —dijo Eve—. Porque sólo se me ocurre una razón por la que haya esperado. Si la ha estado vigilando es porque quería utilizarla de cebo.

—Se me pasó por la cabeza. —Miró de nuevo a Jane—. Pero nunca dejaría que te pasara algo. Nadie te va a hacer daño. Te lo prometo.

—Lo que equivale a un cero a la izquierda —respondió Jane—. Yo soy responsable de lo que me sucede. No usted, Eve o Joe. Yo sé cuidar de mí misma. No me importa si usted ha jugado a algo para atrapar a ese cabrón. Siempre y cuando no haya herido a alguien que yo quiero. —Dio un paso atrás—. Creo que es mejor que se marche ahora. Ha molestado a Eve.

Trevor levantó las cejas.

—Y eso es una falta grave, ya lo he captado.

—Sí, lo es. —Le señaló la puerta—. Adiós, señor Trevor. Si puede atrapar a ese cabrón, buena suerte. Pero no vuelva por aquí a menos que tenga una muy buena razón para hacerlo.

—Y no moleste a Eve.

—Veo que lo ha entendido. —Se giró hacia Joe—. Es la hora de cenar. ¿Queréis que caliente las sobras de los filetes que hiciste ayer noche?

—Me parece que me han echado. —Trevor sonrió y se fue hacia la puerta—. Estaremos en contacto Quinn.

Joe asintió de manera tajante.

—Como ella ha dicho, mejor que tengas una buena razón.

—La mejor. No ensombreceré vuestra puerta hasta que así sea —dijo Trevor—. ¿Puedo pedirle a uno de tus hombres que me lleve a la ciudad?

Joe asintió de nuevo con la cabeza.

—Él te dejará en un hotel. —Hizo una pausa—. O en el aeropuerto.

Trevor fingió estremecerse.

—La alfombra de bienvenida ha sido definitivamente retirada. Sólo espero que algún día vuelva a tener una buena relación con vosotros.

—Nunca la ha tenido —dijo Eve—. No le conocemos y no confiamos en usted.

Se detuvo en la puerta.

—Podéis confiar en mí —dijo en voz baja—. Si buscarais hasta en el último rincón de este planeta, no encontraríais a alguien que quisiera proteger más a Jane que yo. —Se puso la mano en el bolsillo, sacó una tarjeta y la puso sobre la mesa que había al lado de la puerta—. Es para ti, Jane. Mi número del teléfono móvil. Si necesitas algo, llámame. Siempre estaré a tu disposición. —La puerta se cerró tras de él.

—¡Guau! —Jane se acercó a la ventana y le observó mientras se dirigía al coche patrulla—. Desde luego que no es ni estirado ni lento, ¿verdad?

—No. —Eve la miró fijamente—. ¿Qué piensas de él?

Jane miró a Eve.

—¿Por qué?

—Cuando le has visto por primera vez no podías apartar la mirada de él. ¿Es muy atractivo, verdad?

—¿Lo es? —Frunció el entrecejo—. Supongo que sí. No me he fijado demasiado.

—Me cuesta creerlo. Ha sido bastante evidente que te has quedado embobada.

—Me recordaba a alguien.

—¿A quién?

—No me acuerdo. A alguien... —Vio la expresión de Eve y sonrió—. Estás preocupada. ¿Crees que he tenido un flechazo en estos minutos? Yo no tengo flechazos, Eve. Ya lo sabes.

De pronto sintió alivio. Sonrió.

—Siempre hay una primera vez. Me gustaría saber que tienes un flechazo o dos. No pierdo la esperanza y espero que alguna vez se produzca. —Eve sacudió la cabeza—. Pero elije a una estrella del rock o a un jugador de fútbol. No a él, Jane.

—Definitivamente, a él no. —Joe se dirigió a la puerta—. Creo que le llevaré yo mismo a la ciudad. No te preocupes por calentarme los filetes. Traeré comida china cuando vuelva.

Jane soltó unas risitas cuando Joe cerró la puerta.

—Me recuerda al sheriff de un espagueti western. Sólo él escoltará al forajido hasta las afueras de la ciudad; no lo llevará al hotel. —Jane fue hasta la mesa del recibidor y cogió la tarjeta de Trevor—. Realmente os ha molestado a los dos. Parece como si hubiera intentado atacarme, en lugar de hacer su trabajo.

—Debía habernos avisado de la amenaza. Esto es lo que habrían hecho todos los policías que conozco.

—Quizá Scotland Yard es diferente.

—¿Le estás defendiendo?

—Supongo que sí. —Se puso la tarjeta en el bolsillo de sus tejanos—. ¿Recuerdas que de pequeña robé comida para alimentar a Mike cuando estaba escondido en aquel callejón? No quería hacerlo. Sabía que estaba mal, pero Mike sólo tenía seis años y se habría muerto de hambre si no hubiera hallado el modo de alimentarle. A veces has de hacer cosas malas para evitar otras peores.

—No es lo mismo. Sólo tenías diez años.

—Si no viera otra solución, volvería a hacer lo mismo. Quizá por eso entiendo a Trevor.

—No puedes entenderle —dijo Eve tajante—. No le conoces.

—Simplemente, no veo el porqué de tanto alboroto. Me dijiste que Joe pensaba que estaba obsesionado con este caso. Puedo entender que alguien que se sienta tan involucrado quisiera indagar un poco para ver si encontraba algún sospechoso antes de que yo estuviera rodeada de policías que pudieran disuadirle.

—Eso es más de lo que yo puedo entender. —Eve apretó los labios—. ¿Y por qué guardas esa tarjeta?

—Porque le he creído cuando ha dicho que no quería que me pasara nada. —Miró a Eve a los ojos—. ¿Y tú?

Eve quería negarlo, pero no habría sido sincera y Jane se habría dado cuenta.

—Sí, pero eso no significa que confíe en su forma de actuar y en sus medios.

Jane asintió con la cabeza.

—Te entiendo. Pero a veces nos hemos de conformar con lo que tenemos. Trevor puede ser poco convencional, pero apuesto a que es muy bueno en su trabajo. —Se dirigió hacia su dormitorio—. Ahora me voy a hacer mis deberes para poder disfrutar de la comida china que traerá Joe.

Eve observó cómo cerraba la puerta de su dormitorio. ¡Jesús! ¡Cómo desearía que Jane no fuera tan inteligente! Desde que era pequeña siempre tenía las ideas claras y confiaba en sus criterios.

Y sus criterios, generalmente, eran buenos, mejor que los de la mayoría de los adultos. Eso no significaba que fuera perfecta. Trevor era inteligente y carismático y ambas cualidades atraerían a una adolescente como Jane.

Pero no había adolescentes como Jane. Era única y sus reacciones eran típicamente suyas.

Se había guardado ese teléfono, ¡maldita sea!

Suspiró. ¿Quién sabía lo que se le ocurriría a Jane? Quizá se estaba preocupando por nada.

Al fin y al cabo, Jane le había echado de casa sólo por haberla molestado a ella.

—Éste es el Peachtree Plaza. —Joe se paró antes de llegar a la puerta principal—. Te he reservado habitación para dos noches. No pensaba que estarías más tiempo.

—Y ahora esperas que no sea así. —Mientras Trevor salía del coche el portero del hotel ya le estaba abriendo la puerta—. Mi ayuda ya no es necesaria.

—Imagino que podré encontrar todo lo que necesito en esos archivos que has traído. No te necesitamos.

Trevor sonrió.

—Pero aquí me tienes. ¿Y cómo sabes que lo he puesto todo en esos archivos?

Joe le miró fijamente a la cara.

—¿Por ejemplo?

—La procedencia de las cenizas volcánicas. Verás que los geólogos no han llegado a ninguna conclusión.

—Pero ¿tú sabes de dónde proceden?

—Tengo teorías.

—Las teorías no son pruebas.

—Pero son un punto de partida.

—¿Y tienes alguna sobre por qué deja las cenizas?

—Quizá. —Trevor le dio una propina al portero cuando le cogió su bolsa de viaje—. Lo que es cierto es que los dos podemos ayudarnos mutuamente, Quinn. Y tú te incorporas tarde a un caso en el que yo llevo años.

—¿Piensas que no me doy cuenta de que intentas jugar conmigo? —dijo Joe fríamente—. Vas soltando la información con cuentagotas con la esperanza de que te lo perdone todo y te deje volver a la investigación. Pero no me has dado nada. Cero a la izquierda.

—Jane también usó esa misma expresión. —Trevor sonrió—. La forma en que las familias adoptan palabras y rasgos mutuamente es algo entrañable. —Hizo ver que estaba pensativo—. Tienes toda la razón. No te he dicho nada. Las teorías son muy difíciles de probar. Y tú tienes todo el tiempo del mundo para formular también las tuyas e investigar, ¿no es cierto? —No esperó respuesta, se giró y entró en el hotel.

Bastardo.

Joe se quedó sentado frente al volante mirando fijamente la puerta del hotel. Trevor habría disfrutado si él hubiera salido del coche para alcanzarle. Pero estaría perdido si lo hacía. Aunque la lógica le decía que necesitaba toda la información que tenía el sarcástico hijo de puta de Trevor, tenía que esperar hasta cerciorarse de que no podía conseguirla de otro modo. Trevor era una fuerza que debía tener en cuenta y no quería que hubiera un comodín investigando fuera de su control.

Apretó el acelerador y regresó a la calle.

Cenizas de un volcán...

Extraño. Quizás el equipo científico de este lado del Atlántico daría con la respuesta. Pero si lo hacía, tenía que ser rápido. La última observación de Trevor había dado en el clavo. Puede que se les estuviera agotando el tiempo.

Ese pensamiento le provocó una sensación de pánico que le tentó a dar la vuelta y a volver con Trevor. Al infierno con la cooperación anglo-americana. Había otras formas de conseguir información de un hijo de puta, que no eran la persuasión. Dos podían jugar a ese juego. Trevor había vulnerado su puesto al no informarle del peligro...

Sonó su móvil. Miró la pantalla. Era Eve.

—Acabo de dejarle —le dijo. Estaré en casa en cuarenta y cinco minutos. ¿Todo bien?

—No, no lo creo. —Las palabras de Eve fueron rotundas—. Estaba aquí sentada ojeando estos archivos y se me ha ocurrido algo. Creo que las cosas no pueden ir peor.

Trevor observó cómo el coche de Quinn desaparecía al dar la vuelta a la esquina antes de dirigirse al mostrador de recepción.

Había hecho todo lo que había podido. Unas pocas pistas atractivas y una sutil amenaza a alguien que Quinn amaba. Una de las dos fórmulas tenía que funcionar. ¡Dios mío!, esperaba que con eso bastara. El día de hoy no había sido uno de los más brillantes. Había llegado preparado para ser astuto y vencer en todos los frentes y había cometido un error tremendo, imposible de enmendar. Quizá si Eve Duncan y Quinn no hubieran sido tan listos, menos perspicaces, habría podido allanar las diferencias, pero eran formidables, tal como Bartlett le había dicho. Había tenido suerte de haber salido de allí con...

Se detuvo de golpe en el vestíbulo de mármol al darse cuenta de eso.

Quizá no había tenido tanta suerte.

Los dos eran inteligentes y muy, pero que muy perspicaces. Tenía experiencia en reconocer esas cualidades y rara vez había conocido a alguien que le hubiera llenado de más recelo.

Y esa experiencia estaba emanando vibraciones que despertaban todos sus instintos. Sacó su móvil y llamó a Bartlett.

—Estoy en Atlanta. ¿Estás en el apartamento?

—Sí.

—Sal de ahí. Puede que tengas visita. —Miró por el vestíbulo y se dirigió al restaurante. En los hoteles casi siempre había una entrada independiente al restaurante—. La he cagado.

—No me lo puedo creer —dijo Bartlett riéndose en voz baja—. ¿Tanta labia y te han tumbado al primer asalto? Me habría gustado estar allí para verlo.

—No lo dudo —dijo secamente. Sí, había una puerta que daba a la calle en la parte posterior del restaurante. Se dirigió a ella—. Y me merezco que me lo eches en cara. ¡Jesús!, he sido un estúpido. Me he comportado como un maldito novato. No me esperaba tener esa reacción.

Bartlett se quedó un momento en silencio.

—¿Y Jane MacGuire?

—He esperado demasiado. Me entró pánico antes de que entrara en la sala.

—¿Pánico? Nunca te he visto tener pánico en ninguna situación, tú un cabrón frío y calculador.

—Bueno, hoy lo habrías visto. Estaba aterrado de pensar que podía haberla perdido antes de tener una oportunidad. Y cuando la vi intenté arreglar las cosas pero era demasiado tarde.

—¿Es ella?

—¡Oh, Dios! Sí, lo es. Me ha cortado la respiración. Incluso Aldo estaría satisfecho. —Abrió la puerta de la calle y paró a un taxi—. Pero tenías razón respecto a Quinn y a Eve Duncan. Sólo es cuestión de tiempo para que empiecen a plantearse las mismas preguntas que yo. —Entró en el taxi—. Te llamaré más tarde. No dejes nada allí. Límpialo todo a fondo.

—Puede que tú te hayas comportado como un idiota, pero yo no, y yo valoro mi eficiencia. Haré mi trabajo. —Colgó.

Como él debía haber hecho el suyo, pensó Trevor lamentándose mientras el taxi se alejaba. Pero ¿quién hubiera dicho que iba a desmoronarse de ese modo?

—Al aeropuerto Hartsfield —le dijo al conductor.

Debía haberlo supuesto. Había esperado demasiado y cada día había sido como un siglo. Pensaba que estaba preparado, pero evidentemente uno nunca puede estar preparado para algo así.

Así que a recoger las piezas y a empezar de nuevo.

No, no de nuevo. Su torpeza sólo había provocado que diera un paso atrás. Porque Jane MacGuire estaba aquí, a sólo unos minutos. La había visto, la había tocado. Llevaba ventaja en el juego.

Le llevaba ventaja a Aldo.

Por el momento.

Capítulo 4

—Lo siento detective Quinn. —La recepcionista del hotel apartó la mirada del ordenador—. El señor Trevor aún no se ha registrado.

—Vuelva a mirarlo —dijo Joe con impaciencia—. Sé que está aquí. Le he traído hace quince minutos.

La recepcionista hizo otra búsqueda y movió la cabeza negativamente.

—Lo siento mucho—volvió a decir ella—. Quizá se ha ido al bar. O a lo mejor tenía hambre y se ha ido al restaurante.

O quizás ha ahuecado el ala, pensó Joe mientras se daba la vuelta y se dirigía al bar. Lo iba a descubrir enseguida, aunque tuviera que preguntar a todos los empleados de ambos establecimientos.

—Se fue al restaurante y se marchó en un taxi —le dijo Joe a Eve, veinte minutos más tarde—. He llamado a la compañía de taxis y uno de sus taxis dejó a un hombre que se ceñía a esa descripción en el aeropuerto hace diez minutos. Voy de camino.

—¿No puedes llamar para que le retengan los agentes de seguridad del aeropuerto?

—No sin arriesgarme a que pongan una denuncia al cuerpo o provocar un incidente internacional. No hay pruebas, Eve. Como diría Trevor, pura teoría.

—Ya estoy harta de las teorías de Trevor —dijo Eve—. ¿Has llamado a la comisaría?

—Le he pedido a Christy que lo hiciera ella, puesto que fue ella quien me puso en contacto con él. Te llamaré en cuanto sepa algo.

—Que sea pronto. Estaré esperando.

—¿No le has encontrado? —dijo Eve cuando vio la cara de Joe al entrar en casa tres horas más tarde—. ¿Cómo ha podido huir?

—Bueno, no ha cogido ningún avión. He preguntado a todas las compañías de taxis y tampoco cogió un taxi para salir del aeropuerto. —Joe se dejó caer en el sofá y se frotó la nuca cansinamente—. Creo que se ha largado en transporte público y que ha tomado el metro para regresar a la ciudad. Una forma ingeniosa de largarse, difícil de seguirle la pista y muy fácil perderle.

—Muy inteligente.

—¿Qué esperabas? Es inteligente. Y tiene buena intuición. No creo que tuviera ninguna intención de fugarse cuando le dejé. Ha estado jugando conmigo por sus propios intereses.

—¿Has conseguido el informe de Christy?

—Hace treinta minutos. Llamó directamente a Scotland Yard y habló con el inspector Falsworth. No hay ningún inspector Mark Trevor. Pero hay alguien con ese nombre que trabaja en el laboratorio de pruebas. Trevor no quería hacerse pasar por un inspector. Puede que fuera una forma de salir del paso. Pero un título se puede confundir y él necesitaba un nombre real, por si alguien llamaba a la oficina, en lugar de llamarle al móvil. Ellos no mandaron ese e-mail sobre nuestro asesino en serie. No habían sospechado que estuviera en Estados Unidos. Todavía le están buscando por Inglaterra. —Joe la miró—. ¿Qué te hizo sospechar que Trevor podía ser realmente un farsante?

—No lo pensé. Fue pura intuición. Cuando te marchaste me quedé pensando en lo poco habitual que era su conducta para un policía. Seguir los procedimientos correctos es sagrado para todos vosotros y él había violado una de las reglas más importantes. —Eve apretó los labios—. Luego empecé a jugar al juego de «¿y sí?». ¿Podíamos estar seguros de que Trevor fuera quien había dicho que era? ¿Qué pruebas teníamos? Estoy segura de que te enseñó sus credenciales, pero podían ser falsas. Y ese e-mail también podía ser falso. Seguramente le habría resultado difícil acceder a la página web de Scotland Yard y utilizarla para enviar correos electrónicos oficiales y también se necesitan agallas para hacerlo, pero nada está fuera del alcance de un *hacker* experto. Valía la pena comprobarlo.

—Sí, es cierto. Sólo desearía haberle podido echar el guante antes de que desapareciera. —Joe miró hacia el pasillo—. ¿Se lo has dicho a Jane?

—Le he dicho que estábamos comprobando su identidad. No dijo apenas nada. Probablemente piense que es una de mis paranoias. —Eve se fue a la cocina—. Le calenté un filete a Jane cuando supe que no íbamos a cenar comida china. ¿Quieres uno?

—No tengo hambre. Pero me tomaré un vaso de leche. —Se levantó y se sentó en la barra de la cocina—. Christy pidió a Scotland Yard que intentaran hallar algo sobre Trevor en sus bases de datos. Necesita una buena descripción.

—Necesitarán más que eso. Probablemente, Trevor no sea su verdadero nombre. He guardado la taza de café, para conseguir sus huellas. —Le sirvió el vaso de leche—. Jane podría ayudarnos. Podría hacer un retrato robot de Trevor para Christy. —Hizo un gesto de preocupación—. Si lo quiere hacer.

—Si sabe que nos ha mentido, no va a protegerle.

—Quizás. Antes me estaba hablando de que ella había tenido que hacer cosas malas cuando era pequeña por buenas razones. No me ha gustado el modo en que se ha identificado con él. —Se humedeció los labios—. ¿Crees que es él? ¿Crees que es el asesino de Ruth?

Joe tardó un momento en responder.

—He pensado en todo esto mientras venía hacia casa. Hacerse pasar por un investigador sería una buena forma de acercarse a Jane. —Miró el archivo que estaba sobre la mesa de centro—. Y ha preparado muy bien su señuelo.

—Cabrón.

Joe asintió lentamente con la cabeza.

—Es más seguro suponer que es un peligro para Jane hasta que no se demuestre lo contrario.

Eve le miró fijamente.

—Pero tienes dudas.

—Creo que quería formar parte de la investigación.

—No sería la primera vez que un asesino en serie intenta participar en la investigación. Mira Ted Bundy.

—Ya lo sé. —Joe se terminó la leche—. Sólo que creo que habría percibido ese tipo de reacción enfermiza. Me sacó de quicio, pero ni por un momento dudé de lo que quería...

—Se encogió de hombros—. ¿Quién demonios sabe lo que quería? Lo sabremos cuando le encontremos. Si es que todavía está en la ciudad.

—Pues claro que todavía está en la ciudad —dijo Eve entrecortadamente—. ¿No te fijaste en su cara mientras miraba a Jane? No va a dejarla de ningún modo. —Eve cogió el vaso—. ¿Has conseguido un informe de Ruth?

—Dame tiempo. Su foto aparecerá mañana en los periódicos. Quizás alguien la identifique.

—Eso espero. Yo quería que saliera algo bueno de todo esto. —Hizo una pausa y luego susurró—: Tengo miedo, Joe. ¿Y si ese asesino hubiera estado aquí dándole la mano a Jane?

—Jane está a salvo, Eve.

—¿Lo está? ¡Dios!, así lo espero. —Respiró profundo y enderezo la columna—. Por supuesto que está a salvo. Y nosotros haremos que siga siendo así. —Eve puso el vaso en el fregadero y dio la vuelta a la barra—. Ahora voy a ver si Jane todavía está despierta para decirle lo del bosquejo. ¿Por qué no llamas a Christy para ver si tiene alguna noticia nueva?

Aldo sonrió mientras estudiaba la foto en los periódicos. El parecido era sorprendente. El artista que había hecho la reconstrucción sin duda tenía un portentoso talento. Casi tanto como él cuando había eliminado cuidadosamente esas facciones con su bisturí. Había pensado que tardarían mucho más en ponerle una cara a la mujer a la que llamaban Ruth.

No se llamaba Ruth, sino Caroline y probablemente pronto la identificaría alguien. Esta vez no era una prostituta o una vagabunda. La había visto saliendo de un edificio de oficinas del centro de la ciudad y había cumplido con su deber eliminando la posibilidad de que fuera Cira.

¡Caray!, ya se le estaba haciendo pesado ese deber. Siempre sentía una explosión de felicidad cuando realizaba el acto, pero estaba cansado de la búsqueda. No cabía duda de que su semejanza debía ser eliminada de la faz de la tierra, pero tenía que encontrar a la verdadera Cira. Cada noche, antes de cerrar los ojos rezaba en voz baja para que se le concediera ese regalo.

Y sentía que sus rezos pronto serían escuchados. Su excitación era tal que cada día que pasaba sus expectativas iban en aumento.

Apartó el periódico y giró su silla de nuevo hacia la pantalla de su ordenador. No podía contar con encontrar a Cira por casualidad. Hacía mucho tiempo había llegado a la conclusión de que no se merecería ese placer final si se limitaba a pasear por las calles buscándola.

Así que introdujo la contraseña robada.

El monitor se encendió

¡Ya estaba dentro!

Ahora había que evitar todas las barreras que habían puesto para proteger a Cira.

Se tranquilizó y empezó a entrar en distintas páginas. Había miles, pero era muy paciente. Aunque se notaba la vista borrosa y le dolía la espalda de estar tantas horas delante del ordenador, no se rendía.

Era la vía para encontrar a Cira.

—Aquí está. —A la mañana siguiente, a la hora del desayuno, Jane puso el bosquejo sobre la mesa delante de Joe—. Es el mayor parecido que he podido sacarle. —Se fue a la nevera y sacó zumo de naranja—. ¿Qué vas a hacer con él?

—Enviarlo a Scotland Yard y ellos probablemente lo enviarán a la Interpol. —Joe estudió el bosquejo—. Está muy bien. Le has captado perfectamente.

—No es difícil. Tiene unos rasgos muy pronunciados. —Se sirvió zumo de naranja en un vaso—. Además, tal como le dije a Eve, me recordaba a alguien. Me resultaba... no lo sé... familiar. —Se sentó a la mesa—. ¿Dónde está Eve?

—Ha ido a llevarles un café a Mike y a Brian, que hoy están de guardia. —Levantó la mirada del retrato—. Eve pensaba que a lo mejor no querrías hacerlo.

—¿Por qué? Ni siquiera conozco a ese tal Trevor. Y mi lealtad es hacia vosotros dos. —Jane sonrió—. Siempre lo será, Joe.

—Es bueno saberlo.

—Dicho esto, no creo que Trevor quiera hacerme daño. Y no me lo imagino arrancándole la cara a ninguna mujer.

—¿Sólo porque es tan atractivo?

—No, ya te he dicho que apenas me fijé en eso. Esto le atañe mucho más de lo que aparenta.

—¿Cómo puedes saberlo? Como tú misma has dicho, ni siquiera le conoces.

—Hemos de confiar en nuestra intuición. —Bebió un sorbo de zumo—. Tú siempre me lo has dicho, Joe. Sólo sigo tus consejos.

—Ahora, ¿me estás echando la culpa a mí?

—Por supuesto, ¿por qué no?

—Porque cuando viniste a vivir con nosotros tu carácter ya estaba formado. En todo caso, eres tú la que nos está llevando al huerto.

—Eso no es cierto. No me atrevería. Entonces, ¿cuándo crees que tendrás noticias de Trevor?

—Pronto, eso espero.

—Bien. Siento curiosidad. —Se terminó el zumo de naranja—. Es interesante. Me habría ofrecido a hacer su retrato aunque Eve no me lo hubiera pedido.

—Ahora sí que me sorprendes.

—¿Por qué? Él se metió en nuestras vidas y se merece que nosotros le apartemos un poco.

—Quizás, un mucho —dijo Joe con preocupación.

—Ya lo veremos. —Volvió a poner la silla en su sitio—. Ahora voy a buscar a Eve y a pedirle que me lleve a la escuela para que me den mis deberes. —Sonrió—. Por supuesto, podría pedirte prestado tu coche e ir yo sola. Ahora puedo hacerlo.

—Creo que prefiero que vayas acompañada durante los próximos días.

—Eso imaginaba. —Se dirigió a la puerta—. Eso es todo, respecto a mi permiso de conducir recién estrenado.

—Ruth se llama Caroline Halliburton —dijo Christy cuando Joe entró en la comisaría tres horas después—. Trabajaba en una oficina de corredores de Bolsa en el centro de la ciudad y sus padres viven en el norte, en Blairsville. Tenía un apartamento en Buckhead y el lunes pasado no fue a trabajar. El miércoles una amiga que trabajaba con ella denunció su desaparición.

—¿Ha sido ella la que ha identificado la foto? —preguntó Joe.

—No, de hecho, ha sido uno de nuestros administrativos del cuerpo que ha recordado haber visto la foto cuando estaban archivando el informe de la desaparición.

Joe soltó un taco exasperado.

—Seguimos la vía habitual de identificación de las personas desaparecidas antes de publicar la foto. No encontramos nada.

—Entonces, ¿qué hay de nuevo? Desde los últimos recortes en el presupuesto llevamos un mes de retraso en papeleo y casi cuatro meses en el laboratorio de ADN. —Christy miró el retrato que Joe le había dejado sobre la mesa y dio un pequeño silbido—. Es muy bueno, Joe. ¿Se parece?

—Es clavado.

Ella sonrió.

—Es un chico muy guapo. Yo dejaría que un farsante como él me hablara casi de cualquier cosa. No me extraña que Jane se quedara tan impresionada como para poder retratarle.

—Ella no se fijó en que fuera especialmente atractivo. Simplemente se sentó y dibujó lo que vio.

—Sí, claro. Por favor, Joe, tiene diecisiete años. El aspecto lo es todo para los adolescentes. Parece una estrella de cine. —Christy levantó la mano en el momento en que Joe abrió la boca—. Muy bien, ella está por encima de todo eso. No es como mi hija Emily o como el noventa y nueve por ciento de la gente de su edad. —Emitió un grosero sonido de burla y se levantó—. Lo voy a escanear enseguida y a enviárselo a Scotland Yard.

—Gracias, Christy.

Sonrió.

—De nada. Yo no soy como Jane. A mí me gusta mirar a demonios atractivos como éste.

—Puede que sea un demonio —dijo Joe—. Le has llamado farsante, pero no sabemos si también es el culpable de los crímenes.

—No, no lo sabemos. —La sonrisa de Christy se desvaneció al mirar de nuevo el retrato—. ¡Qué pena!

Joe la siguió con la mirada mientras avanzaba a través de la hilera de mesas de despacho antes de abrir el archivo de Caroline Halliburton. Creía que estaba preparado para ver la foto, pero aún así se quedó impresionado. La foto que habían tomado de la reconstrucción de Eve era muy real, pero aquello era la foto auténtica de esa mujer. Tenía veinticuatro años cuando murió, pero esa foto había sido tomada unos años antes y la semejanza con Jane era todavía mayor.

Se quedó aterrorizado.

—Joe.

Levantó la mirada y vio a Christy delante de él.

—¡Qué rápido! No pensaba que hubieras tenido tiempo de... Tenemos otra. —Cerró el móvil por el que había estado hablando—. En el lago Lanier. Unos buceadores han encontrado el cuerpo, han marcado la localización y se lo han comunicado a las autoridades.

Joe cerró de golpe el archivo y se puso de pie de un salto.

—¿Estás segura?

—Todo lo segura que puedo estar. —Tomó su bolso y se dirigió hacia la puerta—. Tampoco tiene cara.

¡Era ella!

Aldo no se lo podía creer. Era un milagro.

El corazón le latía con fuerza al mirar la foto.

Miraba al mundo con un atrevimiento que desafiaba a todos. Muy joven e inexpugnable.

No, inexpugnable no, Cira. No para mí.

Escribió su nombre.

Jane MacGuire.

Jane, no.

Cira. Cira. Cira.

Rápidamente copió la dirección del archivo.

Se dio cuenta de que estaba temblando. Temblando de emoción porque el momento ya había llegado. Las otras se parecían, pero ella era exacta, era perfecta. No cabía duda de que era el rostro que había estado viendo durante toda su vida en sus pesadillas. Se estremecía sólo con pensar en que alguien o algo pudiera arrebatársela.

No, no iba a dejar que sucediera eso. Ya había viajado bastante, dedicado demasiado tiempo a buscar, asesinado a demasiadas falsas Ciras.

Pero Jane MacGuire no era una imitación. Era Cira.

Y merecía morir.

Oscuridad.

No había aire.

No le quedaba tiempo.

No lo iba a permitir.

Por Dios que no. No iba a morir en ese túnel. Que sean los cobardes los que se rindan. Ella iba a luchar hasta liberarse.

Había roto todas las cadenas que la habían retenido antes y no estaba dispuesta a caer en manos de la muerte.

¿Temblaba el suelo?

Faltaba el aire.

Se cayó de rodillas.

¡No!

Se esforzó y siguió avanzando. ¿En qué dirección? Estaba demasiado oscuro...

Giró a la derecha.

No, eso era un callejón sin salida. Por aquí.

Él estaba en el túnel detrás de ella. Alto, misterioso, pero sabía quién era, ¡maldito sea!

—Apártate de mi camino. ¿Crees que voy a confiar en ti?

—No hay tiempo para hacer otra cosa. —Le tendió su mano—. Ven conmigo. Te enseñaré el camino.

Ella no volvería a darle la mano. Nunca confiaría en él para...

Se tambaleó huyendo por el túnel.

—¡Vuelve!

—Lo tienes claro. —Su voz era sólo un susurro de una garganta dolorosamente seca.

Corre.

Deprisa.

Vive.

Pero ¿cómo iba a sobrevivir si no había aire?

—¡Venga, Jane, despierta!

La estaban zarandeando. Otra vez Eve; empezaba a despertarse lentamente. Eve asustada. Eve intentando salvarla del sueño que no era sueño. ¿Es que no sabía que ella tenía que quedarse allí? Era su deber...

—¡Jane!

El tono era exigente y Jane abrió lentamente los ojos. Eve tenía el rostro tenso de tanta preocupación.

—Hola —murmuró, Jane—. Lo siento...

—Eso no basta. —La voz de Eve era tan alarmante como su expresión—. Ya estoy harta de esto. —Se levantó y se dirigió hacia la puerta—. Ponte la bata y salgamos al porche. Hemos de hablar.

—Sólo es una pesadilla, Eve. Estoy bien.

—Sé lo que son las pesadillas y no tienen nada de bueno. No cuando se repiten cada noche. Sal al porche. —No esperó a que Jane respondiera.

Jane se sentó lentamente y sacudió la cabeza para despejarse. Todavía se sentía pesada y un poco mareada y lo último que necesitaba era enfrentarse a Eve con la cabeza embotada. Se fue al cuarto de baño y se salpicó la cara con agua fría.

Eso estaba mejor.

Salvo por sus pulmones que todavía estaban contraídos y ardiendo por la falta de aire.

Eso desaparecería enseguida, al igual que el pánico.

Respiró profundo, cogió la bata de la cama y se la fue poniendo mientras se dirigía hacia el porche.

Eve estaba sentada en el balancín.

—Al menos ahora estás despierta. —Le dio una taza de chocolate caliente—. Bébetelo. Hace frío aquí afuera.

—Podemos ir adentro.

—No quiero despertar a Joe. Puede pensar que estoy exagerando tu problema. Caray, puede que ni siquiera lo considere un problema. Él se inclina por tener paciencia y por dejar que te lo trabajes tú sola.

—Quizá tenga razón. —Jane se bebió el chocolate y luego se sentó en el primer escalón del porche—. Yo no creo que sea un problema.

—Pues, yo sí. Y de ti depende convencerme de que estoy equivocada. —Levantó la taza y se la acercó a los labios—. Cuéntame qué demonios sueñas.

Jane puso mala cara.

—Frío, frío, Eve. No se trata de que padezca algún profundo trauma psicológico relacionado contigo o con Joe o incluso con la forma en que me he criado.

—¿Cómo puedo estar segura de eso? ¿Cómo lo sabes tú? Los sueños no siempre son claros y se pueden interpretar de muchas formas.

—Sí, por algunos psiquiatras que cobran doscientos dólares la hora para adivinar a dedo.

—A mí tampoco me gustan mucho los psicoanalistas, pero quiero estar segura de que no te he fallado.

Jane sonrió.

—¡Por el amor de Dios! Tú no me has fallado, Eve. Siempre has sido dulce y comprensiva, y eso no es fácil con una cabezota como yo. —Bebió otro sorbo de chocolate caliente—. Pero debía haber supuesto que te culparías por algo que nada tiene que ver contigo.

—Entonces, demuéstrame que no tiene que ver conmigo. Háblame de ese maldito sueño.

—¿Cómo sabes que siempre es el mismo?

—No lo es.

Jane guardó silencio por un momento.

—Sí.

—Al fin. —Eve se recostó en el balancín—. Más.

—Bueno, es y no es. Siempre empieza de la misma manera, pero en cada sueño es como si diera un paso más. —Miró al lago—. Y a veces... no es... no sé si es realmente un sueño. —Se humedeció los labios—. Sé que parece una locura pero estoy *allí*, Eve.

—¿Dónde?

—En un túnel, en una cueva o algo parecido e intento encontrar el final, la salida, pero no sé dónde está. Y no tengo mucho tiempo. Me falta el aire y cada vez hace más calor. Sigo corriendo pero no estoy segura de hallar la salida.

—¿El infierno?

Jane negó con la cabeza.

—Eso encajaría, ¿verdad? Calor, falta de aire y una caza sin tregua. Pero es un túnel real y no estoy muerta, estoy viva y luchando para seguir estándolo.

—No me extraña. Siempre has sido una luchadora.

—Sí, es verdad. —Mantuvo la mirada hacia el lago—. Pero en el sueño, cuando recuerdo haber luchado... es diferente. No son mis recuerdos, mis batallas, sino los de ella. —Sacudió la cabeza confundida—. Quiero decir míos, pero no son míos. Estoy loca...

—No estás loca. Sólo necesitas entender todo esto.

—Sí y el loquero me dirá que estoy intentando huir de la realidad poniéndome en la piel de otra. Basura. Me gusta mi realidad.

—Pero, no te gustan esas pesadillas.

—No son tan malas. Puedo vivir con ellas.

—Bueno, eso no es cierto. Quizá si tomarás algún sedante, dormirías demasiado profundo como para tener...

Jane sacudió enérgicamente la cabeza.

—¡No!

—A mí tampoco me gusta tomar fármacos, pero podría...

—No me da miedo tomar un sedante. Sólo que no puedo... tengo que terminarlo.

—¿El qué?

—Tengo que llegar al final del túnel. Ella... yo moriré si no salgo de ahí.

—¿Te das cuenta de lo irracional que suena eso?

—No me *importa*. He de hacerlo. —Se dio cuenta de que Eve estaba a punto de protestar y se apresuró—. Mira, no sé qué es lo que me está pasando pero creo... no, *sé* que hay una razón para esto. Es algo que me cuesta de aceptar porque no creo mucho en lo que no puedo ver o tocar. —Intentó sonreír—. Creo en ti y en Joe y en lo que tenemos juntos. Es bueno y real. Pero lo que sucede en el túnel también lo es. Y si no sigo intentando ayudarla, puede que se pierda.

—Has vuelto a decir «ella».

—¿De veras? —No se había dado cuenta—. Bueno, ¿qué piensas, Eve?

—No sé qué pensar. —Frunció el entrecejo—. Si no eres tú, dime quién crees que es esa mujer. ¿Crees que puede ser alguna conexión telepática con alguien que está en apuros? He oído cosas de este tipo.

—No en personas como yo. No soy una mentalista.

—Todo es posible.

Jane sonrió.

—Sabía que intentarías hallar una forma de creerme, aunque pareciera que estoy chiflada. Por eso te lo he contado.

—Después de habértelo sonsacado.

—Tenía que hacerte trabajar un poco. —Su sonrisa se desvaneció—. No tengo ninguna respuesta, Eve. Tengo muchas preguntas y todas me asustan.

—¿Cuándo dices que empezaste a tener estas pesadillas?

—Hace dos meses.

—Aproximadamente en las mismas fechas que Aldo apareció en la región del Sureste.

—Pero yo no lo sabía. Por lo tanto, no puede haber sido el desencadenante. —Volvió a sonreír—. Venga sigue. Dime todas las posibilidades de nuevo. Me gusta esa línea. —Se terminó su taza de chocolate caliente—. Puesto que no tengo ninguna respuesta, es muy reconfortante. —Se levantó—. No te preocupes por esto, Eve. Quizá desaparecerá por sí solo. —Cruzó el porche y le dio un rápido abrazo—. Y por si te sirve de consuelo, en el sueño no me persigue ningún asesino en serie. Ésa no es la razón por la que corro.

—Bueno, me alegro de que estés sola. Ya tenemos bastantes problemas como para que ese bastardo también te persiga en tus sueños.

De pronto dudó.

—Bueno, no estoy exactamente sola. Hay alguien detrás de mí. Un hombre. Estoy enfadada con él, pero no le tengo miedo.

—¿Quién es?

Jane sacudió la cabeza.

—Está en la sombra. —Se encogió de hombros y sonrió—. Bueno, ahora ya sabes lo mismo que yo. Y probablemente todo sean bobadas fruto de mi malograda infancia. Pero no voy a dejar que ningún loquero me diga eso. Así que olvidémonos del asunto y vayamos a la cama.

—No voy a olvidarlo.

—Ya sé que no lo harás. —Jane sintió una oleada de calidez cuando la miró—. Durante estos años has intentado devolver a sus hogares a todos esos seres perdidos, y no quieres ni tan siquiera imaginar que yo pudiera unirme a sus filas. Yo no estoy perdida, Eve. Hay una salida en ese túnel. Sólo que no sé adónde va ella... voy.

—Cuando tengas otro sueño avísame y lo revisaremos. Dos cabezas son mejor que una. No me voy a reír de nada de lo que me digas. He descubierto que a veces los sueños son la salvación.

—Ya lo sé.

De pronto, Eve se puso tensa al notar algo extraño en el tono de Jane.

—¿Jane?

¡Dios mío!, no pretendía haber dicho eso, pensó Jane. Tenía que retractarse y mentirle. No, jamás le había mentido a Eve y no iba a hacerlo ahora.

—Te... he oído.

—¿Qué?

—Estabas sentada afuera junto al lago y no sabías que yo estaba detrás de ti.

—¿Y?

—Bonnie. Estabas hablando con Bonnie.

Eve se quedó callada durante un largo momento.

—¿En mi sueño?

—Eso creo. Estabas apoyada contra un árbol no lo sé. Sólo sé que estabas hablando con alguien que no estaba allí —se dio cuenta de la consternación en el rostro de Eve y añadió enseguida—: eso fue hace unos tres años. Sabía que no querrías hablar de ello, y por eso nunca... —Debería haber tenido la boca cerrada—. Deja de mirarme de ese modo. Está bien. Tienes derecho a... está bien.

—Tres años. —La miró maravillada—. Y jamás lo has mencionado.

—¿Qué iba a decir? Estabas sufriendo. Por eso hablabas con tu hija muerta. Era asunto tuyo.

—¿Y nunca se te ocurrió pensar que podía estar un poco... descentrada?

—Tú, no. —Se arrodilló delante de ella y puso su cabeza en su falda—. Y si lo estuvieras, seguiría queriendo ser como tú. Todo el mundo debería estar loco —le susurró.

—¡Señor!, espero que no. —Eve acarició suavemente el pelo de Jane—. ¿No tienes preguntas?

—Ya te he dicho que es asunto tuyo. Siento haberlo mencionado. No quería... No quiero que eso cambie nada entre nosotras. No podría soportarlo.

—Sí cambiará las cosas.

Jane levantó enseguida la cabeza.

—¿Te sentirás incómoda conmigo? Por favor, no...

—¡Chus! —Eve le puso los dedos en sus labios para interrumpir el flujo de sus palabras—. No me siento incómoda. Me siento más cerca de ti.

—¿Por qué?

Eve se rió entre dientes.

—Porque crees que estoy un poco loca, pero sigues queriéndome. Porque no me has dicho ni una palabra en tres años, porque pensabas que podrías herirme. Creo que eso es muy especial, Jane.

—No, no lo es —dijo Jane con voz desigual—. Tú eres muy especial. Eres buena y amable y tengo mucha suerte de estar viviendo contigo. Siempre lo he sabido. —Se puso de pie—. Entonces, ¿todo está bien? ¿No estás enfadada conmigo?

—No estoy enfadada contigo. —Hizo un gesto de sufrimiento—. Cuando me recupere del trauma, creo que hasta será bueno compartir a Bonnie con alguien.

—¿Joe no lo sabe?

Eve movió la cabeza negativamente.

—Es difícil.

—Nunca se lo diré a nadie. Ni siquiera a Joe.

—Ya sé que no lo harás.

Apartó la mirada de Eve.

—Tengo una pregunta. Si no quieres contestarla, no pasa nada.

—Hazla.

—¿Es Bonnie... es un sueño como los que yo tengo?

—Prefiero pensar que es un sueño. Ella me dice que es un fantasma de verdad y que yo lo estoy negando. —Sonrió—. A veces la creo. Por lo tanto, no tengo derecho a cuestionar tu experiencia, Jane.

—Tienes derecho a hacer lo que te plazca. —Jane se dirigió hacia la puerta mosquitera—. Y me pelearé con quienquiera que me contradiga. Buenas noches, Eve.

—Buenas noches, Jane. Duerme bien.

—Lo intentaré. —Giró la cabeza y le sonrió—. Y si no lo consigo, vendré corriendo.

—Ya sabes que siempre estaré a tu lado.

Jane todavía sentía la calidez que esas palabras habían despertado en ella mientras llegaba a su habitación. Sí, Eve siempre estaría con ella para consolarla y apoyarla. Nunca había podido confiar en nadie antes de conocer a Eve, y tras las confidencias de esta noche, se sentía más cerca que nunca de ella.

Ahora tenía que irse a la cama y dormir con la esperanza de que no volvería a ese otro lugar. Todavía no. Cada sueño era cada vez más intenso. Era como una cinta para andar cuya velocidad iba en aumento. Necesitaba recuperar las fuerzas antes de volver a enfrentarse a él.

—Ya voy —murmuró mientras se tapaba en la cama—. Sólo necesito descansar un poco. No te voy a abandonar, Cira...

Capítulo 5

Estaba demasiado oscuro y no habían encendido la luz del porche. Aldo bajó los prismáticos profundamente decepcionado. Cuando las dos mujeres habían salido al porche, pensó que podría verlas con claridad, pero sólo habían sido un par de sombras borrosas.

No obstante, sabía que una de ellas era Jane MacGuire. Podía sentir su exquisita fortaleza, su extraordinaria fuerza, la poesía propia de ella. Cuando se arrodilló delante de la otra mujer y le puso la cabeza en la falda, había sido un gesto muy característico y familiar. Podía conmover el corazón con un gesto, controlar a quienes tuviera alrededor con una sonrisa o con una lágrima, pensó amargamente.

Ahora estaba haciendo lo mismo con esa mujer, que debía ser Eve Duncan. La mujer todavía la seguía con la mirada y Aldo casi podía sentir el amor que irradiaba entre ellas. No le sorprendió cuando descubrió que Jane vivía con la escultora forense que había hecho la reconstrucción de Caroline Halliburton. Era una señal más de que el círculo se estaba cerrando.

Ni siquiera el coche patrulla que había aparcado en la carretera le había intimidado. Se podía mover por esos bosques tan silenciosamente como un animal salvaje. Y esos policías en la puerta vigilando no eran más que un indicativo de que ella sabía que él estaba cerca y que tenía miedo.

Como debía ser.

Joe estaba estirado sin moverse en la oscuridad del dormitorio cuando Eve se introdujo en la cama, pero pudo notar que no dormía.

—Jane ha tenido otra pesadilla —dijo mientras se tapaba con la manta—. He tenido que hablar con ella.

—¿Y?

—Corre por un túnel, no puede respirar, hay alguien en el túnel con ella, pero no le tiene miedo. —Se abrazó a él y le puso la cabeza en su hombro—. Parece una pesadilla típica, pero con Jane nada es típico. Tendremos que estar pendientes de ella.

—De eso no cabe la menor duda —dijo Joe tajante—. Especialmente bajo estas circunstancias. Y si es tan típico como me has dicho, no creo que hubierais estado las dos ahí fuera en el porche tanto rato.

Eve guardó silencio por un momento.

—Me ha dicho que a veces no está segura de que sea un sueño.

—No, eso no es típico.

—Y asusta un poco.

—No, sólo hay que hacerle frente. —Joe acarició suavemente su cabello en la zona de la sien—. Tú también has tenido tus sueños con Bonnie y ambos luchamos para que lo superaras.

—Oh, sí, Eve recordaba esos primeros años después del secuestro de Bonnie, cuando él había sido su puntal en su angustioso torbellino de desesperación. Pero no había compartido con él estos últimos años de sueños sanadores con Bonnie. Eran demasiado extraños. ¿Cómo interpretaría él esas visiones?

—¿Eve?

—¿Y si ella tiene razón, Joe? A veces me pregunto... ¿Cómo sabemos qué es real y qué es un sueño?

—Lo sé. —La besó suavemente en la frente—. No te pongas filosófica. ¿Quieres saber lo que es la realidad? Pregúntale a un policía cabezota como yo. Nosotros la vivimos y la respiramos.

—Es verdad.

Él debió sentir un ligero alejamiento mental porque su brazo se tenso a su alrededor.

—Vale, no soy la persona más sensible del mundo. Pero estoy contigo y con Jane para lo que haga falta. Acepta lo que puedo darte.

—Eres sensible, Joe.

Se rió entre dientes.

—Sí, seguro. La única razón por la que soy sensible contigo es porque te quiero tanto que no puedes respirar sin que yo me entere. Por otra parte, soy un hijo de puta duro y quiero seguir siéndolo. Ser duro no es malo. No si sirve para que tú y Jane estéis a salvo.

Así era Joe, pensó ella. Leal, inteligente y siempre negando cualquier indicio de lo que él consideraba debilidad. ¡Dios mío! ¡Cómo le quería! Se giró y le besó.

—No, ser duro no es malo —susurró ella. Pero sabía que no se lo iba a decir esta noche.

Todavía no, Bonnie...

—Ya estoy en camino —dijo Bartlett—. Ahora estoy haciendo trasbordo en Kennedy. No pude coger un vuelo directo, pero se supone que llegaré a Atlanta en un par de horas. A menos que la policía me detenga.

—Creo que todavía estás a salvo —dijo Trevor—. Habrían impedido que entraras en el país si Quinn hubiera podido relacionarte conmigo.

—Eso es tranquilizador. ¿Dónde hemos de encontrarnos?

—En el vestíbulo del Best Western Hotel en el lago Lanier. No te registres. Nos marcharemos enseguida.

—¿Y adónde vamos?

—A la casa de Quinn en el lago. Bueno, no a su casa. He estado durmiendo en el bosque estas dos últimas noches.

—¿Por qué? Que yo recuerde, te alquilé un bonito y confortable alojamiento al norte de la ciudad. Estaba muy orgulloso de lo bien que había podido falsificar todos los documentos.

—He de estar cerca de ella. Aldo acabará apareciendo tarde o temprano. —Se calló un momento—. Puede que ya esté aquí. Pero todavía no le he encontrado. Quinn tiene mucho terreno y Aldo conoce bien los bosques.

—Tú también. Pero, a decir verdad todavía no he descubierto nada en lo que no seas bueno. Es muy desalentador. Por supuesto, no eres tan bueno al aire libre como en un casino. Me atrevería a decir que no tienes tantas posibilidades. Pero ¿yo qué sé? Otras veces también me has demostrado que estaba equivocado. Sin embargo, te puedo asegurar que no deseo pasar una temporada en ningún húmedo y terroso bosque salvaje.

—Te acostumbrarás.

—Cuentos. Te veré a las nueve en el hotel si no te atrapan merodeando por ahí. —Bartlett colgó.

Trevor apretó la tecla de colgar y miró al lago. Jane estaba en la cabaña. Aunque era media tarde y debería estar en el instituto, la tenían en casa, para protegerla.

O al menos eso creían ellos. No había seguridad cuando se trataba de Aldo. Era implacable y su paciencia inagotable.

Así de paciente debía ser Trevor. ¡Jesús, qué difícil era! Nunca había estado tan cerca antes. Bueno, debía tener paciencia. Jane MacGuire era un rayo brillante al que Aldo no podría resistirse y sólo tenía que esperar hasta que ese bastardo se aventurara a acercarse a la llama.

Aldo querrá matar a Jane con todo el ceremonial. Nada de rifles de largo alcance. Y si estaba en lo cierto, él tendría tiempo para atraparle antes de que pudiera asesinarla.

La probabilidades no eran tan buenas.

Bueno, Bartlett estaba equivocado. Las probabilidades siempre eran proporcionales al esfuerzo realizado para resultar vencedor. Había tenido que erradicar toda emoción y utilizar el intelecto y la lógica. Había tenido que olvidar ese momento en que había mirado a Jane y había visto el espíritu y la vitalidad que irradiaba su rostro. Ella no debía importarle como persona, sólo como medio para alcanzar su meta. Había cometido un error. No podía permitirse cometer otro.

O Jane MacGuire moriría en unos días.

—No cabe duda de que lo que encontraron en el cuerpo de Caroline Halliburton eran cenizas volcánicas —dijo Christy cuando Joe descolgó el teléfono—. Estamos intentando averiguar de cuál. Pero todavía no hemos tenido suerte.

—¿No puede ayudarnos Scotland Yard?

—Tampoco llegaron a ninguna conclusión con las cenizas que hallaron en los cuerpos de las otras víctimas.

—Eso es lo que dijo Trevor. ¿Cómo podía saberlo si no es de Scotland Yard?

—Ésta es la pregunta.

—Sí. —Y tenía que aceptar la probabilidad. Al infierno con su instinto. Su formación debía indicarle lo que tenía que pensar en este caso—. ¿Alguna noticia de Trevor?

—Aún no. No había nada sobre Mark Trevor en sus bases de datos y se tarda mucho en emparejar un dibujo robot con una foto. Tampoco había nada sobre sus huellas. Las enviaron a la Interpol. En cuanto sepa algo te lo comunicaré.

—Más te vale.

—¿Cómo está Jane?

—Inquieta, impaciente. Indiscutiblemente, mucho mejor que Eve y yo. No le gusta sentirse encerrada.

—Es típico de Jane —dijo Christy sonriendo—. Pero no es estúpida, Joe. No va a hacer ninguna tontería.

—Una escolta policial visible suele ser una medida disuasoria bastante eficaz, Joe.

—Suele. —Se fue a la ventana y observó a Jane mientras caminaba junto al lago. Mac y Brian iban varios metros detrás de ella, pero a la vista, y Toby retozaba a su alrededor—. No me gusta tener que contar con ello. Llámame en cuanto tengas alguna noticia.

—¿Alguna noticia? —preguntó Eve cuando Joe colgó.

—Cenizas volcánicas. No conocen su procedencia. —Se giró para mirarla—. No se sabe nada de Trevor.

—¡Maldita sea! —Eve fue a la ventana junto a él—. ¿De qué sirve tanta tecnología si no se puede obtener la información cuando se necesita?

—Trevor me impresionó porque me pareció muy inteligente. Puede que no tenga antecedentes penales.

—Sí, es inteligente. Pero se equivocó con nosotros. Y si cometió un error, puede cometer otros. —Frunció el entrecejo—. Y nadie es una isla hoy en día y en esta era. ¿Qué hay de sus huellas? Aunque no tenga antecedentes penales, debe haber ido a la escuela, debe tener un permiso de conducir. Algo...

—Estamos en ello. —Joe le pasó el brazo por la cintura, mirando a Jane, que acababa de sentarse en un tronco junto al lago—. Sólo es cuestión de tiempo.

Tenía que esconderse, pensó Aldo. Ya era de día y puede que hubiera más policías peinando los bosques, aparte de los dos que la vigilaba. Joder. Pronto se ocultaría, pero quería aprovechar ese momento. Era la primera vez que podía verla claramente.

Miró con avidez a la muchacha que estaba sentada sobre el tronco junto al lago. No parecía tener miedo y era verdaderamente exquisita. Tan segura con su fuerza y su juventud. Los jóvenes siempre pensaban que eran inmortales, pero ella debería saberlo mejor. ¿No recordaba nada?

Ha de recordar algo. Daba muestras de su habitual arrogancia. No admitía que tenía miedo porque lo consideraba una derrota. Pero pronto lo admitiría. Cuando le mirara a los ojos conocería el terror.

Sólo era cuestión de tiempo.

¿Estaba allí fuera?

Jane miró en dirección al bosque al otro lado del lago. No veía nada, pero sentía... algo. Era raro pensar que un hombre te estaba acechando, deseando matarte sólo porque no le gustaba tu cara. Era una locura y debería tener más miedo.

Sentía algo más que miedo. Tenía una enorme curiosidad, excitación y rabia. La idea de la presa y el cazador la intrigaba. ¿Qué haría ella si fuera la cazadora? ¿Y si intentara cambiar los papeles?

No es que ella fuera a hacer algo parecido, pensó sintiéndose culpable. Eve y Joe tendrían un gran disgusto y ella no iba a causarles ninguna preocupación. Eve ya estaba demasiado preocupada después de la conversación de la pasada noche. Entendía a Jane más que a ninguna otra persona, pero a pesar de haberle dicho que no tenía derecho a juzgarla, la había preocupado. No, no haría nada por voluntad propia que pudiera causarle más ansiedad a Eve.

Pero las palabras clave eran *voluntad propia*. No tendría la culpa si era atraída hacia el remolino que estaba provocando Aldo. Y no podían esperar que ella no luchara, ¿verdad?

Jane cogió una piedra y la lanzó al lago haciendo que se deslizara por la superficie.

¿Lo has visto Aldo? ¿Me estás observando, Aldo?

Sí, la estaba observando. Podía *notarlo*. Estaba cerca y seguía acercándose. Pronto tendría que enfrentarse con él cara a cara.

Era sólo cuestión de tiempo.

—Hemos conseguido un informe sobre Mark Trevor —dijo Christy cuando llamó por la noche—. La Interpol ha dado con él.

Joe le hizo señas a Eve para que descolgara el supletorio.

—¿Algún antecedente penal?

—No exactamente.

—¿Qué quieres decir con «no exactamente»? Tiene antecedentes o no los tiene.

—Estaba en su lista de sospechosos por su actividad en el casino de Montecarlo. Entre sus muchos talentos, es un magnífico contador de cartas; limpió varios casinos de la Riviera antes de que se dieran cuenta y le prohibieran la entrada. Puesto que ser contador de cartas es una habilidad, no una actividad delictiva, no pudieron imputarle nada, pero la policía local lo vigilaba. Es muy probable que alguno de los casinos hubiera puesto precio a su cabeza.

—¿Ningún otro cargo?

—No, por el momento. Pero debe haberse cambiado de identidad al cambiar de país. El nombre que usaba en Montecarlo era Hugh Trent.

—¿Ciudadano británico?

—No, los británicos no pueden creer que no hayan podido encontrar nada en sus archivos. Están muy frustrados porque lo consideran una ofensa a su profesionalidad.

—Parecía británico.

—El casino de Montecarlo pensaba que era francés. En Alemania pensaban que era alemán. Es evidente que habla varios idiomas con fluidez. En todos los informes se refleja que tiene una buena educación, que es brillante y escurridizo.

—¿Y no tiene algún antecedente de violencia?

—No he dicho nada de eso. Cuando el casino de Zurich estaba buscando a Trevor para recuperar parte de su dinero, tropezaron con uno de sus contactos, Jack Cornell, que dijo que había luchado junto a él cuando eran mercenarios en Colombia. Eso fue hace unos diez años, cuando Trevor era poco más que un adolescente, pero era un hijo de puta letal.

—Y puede que todavía lo sea. El ejército puede suponer un magnífico campo de entrenamiento.

—Tú deberías saberlo. Estuviste en las fuerzas especiales de la marina, ¿verdad?

—Sí. —Se calló un momento—. Y adolescente o no, podía haberse dejado seducir por el lado oscuro.

—¿El lado oscuro? Venga ya. Pareces de la *Guerra de las galaxias*.

—¿Lo parezco? Esta frase me llamó la atención cuando la oí por primera vez. La violencia puede crear adicción si no le pones remedio enseguida.

—Quizá lo hizo. Jugar a las cartas es un ejercicio mental.

—Pero muy peligroso si lo practicas a la escala que lo hace Trevor. Es como caminar por una cuerda floja. A los asesinos en serie también les gusta correr riesgos. ¿Han obtenido alguna información personal de Cornell?

—No demasiado. Cornell dijo que Trevor era callado y que nunca hablada de sí mismo. Siempre estaba leyendo o jugando con esos rompecabezas del tipo Rubik. Era un as con esas cosas. Pero mencionó que había estado en Johannesburgo.

—Bueno, por fin algo concreto. ¿Y le siguió la Interpol?

—Negativo. No tenían ninguna razón para hacerlo. No había delito y Trevor había desaparecido de su campo de acción. Ya tienen suficiente trabajo como para ir a buscar trabajo extra.

—Bueno, ahora ha vuelto a escena con una venganza. Están tanteando el terreno, pero puede que tardemos en conseguir algo. Te enviaré una copia del fax que hemos recibido de

Scotland Yard y me pondré en contacto contigo en cuanto tenga más noticias. —Colgó.

—No es mucho. —Eve colgó el supletorio—. Ni siquiera saben su nacionalidad.

—Es más de lo que sabíamos antes.

—Sabemos que es brillante y misterioso y que ha sido entrenado para matar. No es muy alentador.

El pitido anunciaba la recepción de un fax.

—¿Vamos a dejar que Jane se entere del turbio pasado de Trevor? —preguntó Joe.

—Demonios, pues claro. Le diremos todo lo que podamos que pueda servir para que deje de identificarse con él. Un mercenario no es un modelo de rol. —Eve fue al fax y cogió las dos hojas—. Además se enfadaría si intentáramos ocultarle algo. No la culpo. Yo haría lo mismo.

Joe asintió con la cabeza.

—Las dos os parecéis mucho. —Sonrió—. Pero no creo que vaya a condenarle al instante por esa información.

—¿Por qué no?

—Porque yo no lo he hecho. —Abrió la puerta mosquitera—. Y también se parece mucho a mí.

Las luces de la cabaña se apagaron.

Pronto estaría durmiendo, pensó Aldo. Estaría estirada e indefensa en su cama; no se daría cuenta de lo cerca que estaba de ella. Quizá podría trepar hasta su ventana y...

No, de ese modo quizá podría matarla, pero no como debía hacerse. No iba a tener una muerte rápida y compasiva. Había dispensado a sus imitaciones la ceremonia habitual y no se iba a privar de ese placer con la verdadera Cira.

¿Así qué, a observar y a esperar?

No, no podía soportarlo. Esta vez no. No con ella. Tenía que hallar la forma de atraerla hacia él y de poner fin a la espera. Hacer que se arrodillara como había hecho con las otras mujeres. La sumisión era algo que ella no podía soportar y era la venganza perfecta.

Sí, eso era lo que tenía que hacer. Hacer que ella fuera hacia él.

—Has de venir aquí. No seas tonta —le decía la voz del hombre que tenía detrás mientras corría por el túnel.

¿De quién era esa voz?, se preguntaba confusa. Eso es, era del hombre que había salido de la bruma y que estaba en la bifurcación del túnel. Pero no le conocía...

No, eso no era cierto. Jane no le conocía, pero ella sí. Antonio. Su nombre surgió de ninguna parte y con él llegaron todos los recuerdos, la amargura y, de nuevo, la rabia.

—Sería tonta si te creyera. No volveré a cometer el mismo error. Sé lo que quieres.

—Sí, lo quiero. Pero también te quiero viva. No es momento de luchar.

Al menos era sincero.

O inteligente. Antonio siempre era inteligente. Era la cualidad que le había atraído de él. Inteligente, interesado y despiadado. Pero ella tenía esas mismas cualidades y no podía reprochárselas.

Hasta que las puso en su contra.

—¿Por qué crees que te he seguido? —Su voz reflejaba rabia—. Conozco el camino. Podía haberte dejado morir.

—O dejar que me perdiera en esta cueva para luego decirme que no me enseñarás el camino hasta que te dé lo que quieres. ¿Crees que no sé que siempre aprovechas todas las oportunidades, Antonio?

—Por supuesto, que sí. Porque somos iguales. Por eso me elegiste como amante. No confiabas en mí, pero me conocías. Me mirabas y era como verte reflejada en un espejo. Podías ver todas las cicatrices y sentir el odio y las ansias que te guían.

—No te hubiera traicionado.

—Cometí un error. He sido pobre demasiado tiempo. No me di cuenta de que tú eras más importante que...

—¡Mentiroso! —Calor. Cada vez hacía más calor, los pulmones le dolían y se le bloqueaban.

—Sí, soy un mentiroso, un estafador y he sido un ladrón. Pero ahora no te estoy mintiendo. Deja que te ayude.

—Lárgate. Ya me las arreglaré sola. Como lo he hecho siempre.

—Entonces, muérete, ¡maldita sea! —Su tono era duro—. Pero morirás sola. Yo voy a vivir, a ser más rico que un emperador y a hacer que la tierra tiemble cuando mueva la mano. ¿Por qué me voy a preocupar si te quemas, Cira?

—No te he pedido que te preocupes si...

Ya no estaba allí. Su sombra había desaparecido de la abertura del túnel.

Sola.

Tenía que sacarse esa desesperación. Siempre había estado sola. Ahora no era diferente. Tenía razón en haber dependido sólo de ella misma. Él la había engañado una vez y estaba claro que ahora era más ambicioso que nunca. Aunque conociera la salida, puede que la hubiera entregado a Julio al final del túnel.

Pero él quería vivir y no la había seguido por el túnel. Había tomado el camino de la izquierda. Si era cierto que conocía la salida, entonces sería absurdo por su parte seguir su camino. Ella no tenía idea de cómo salir de allí. Le seguiría por el otro camino. No tenía por qué darse cuenta de que le estaba siguiendo. Iba a utilizarle como él la había utilizado a ella.

Se giró y empezó a retroceder hacia la otra rama del túnel. La tierra estaba cada vez más caliente bajo la suela de sus sandalias y las rocas de la derecha empezaban a resplandecer levemente en la oscuridad. Aceleró el paso al sentir una oleada de miedo.

No le quedaba mucho tiempo...

Al abrir los ojos estaba jadeando.

Hacía calor. No podía respirar

No, eso era Cira.

Ella no estaba en el túnel. Estaba en la cama, en la cabaña. Hizo varias respiraciones largas y profundas, sin moverse de la cama. A los pocos minutos se calmaron los latidos del corazón y se sentó en la cama. Estaba acostumbrada a este efecto secundario, pero siempre era nuevo y aterrador. Aunque esta vez no había sido tan horrible como de costumbre. Había tenido pánico, pero también esperanza. Cira creía haber hallado una forma de cambiar el destino para su conveniencia, como era habitual. Siempre estaba más contenta cuando podía emprender alguna acción.

¿Y cómo estaba ella tan segura de eso? ¿Quién podía saberlo? Quizás estaba repitiendo las palabras de Antonio y Cira era su reflejo. Era raro saber el nombre de Cira sin comprender cómo lo sabía. Quizá Cira fuera algún tipo de manifestación de una doble personalidad.

No, ella no aceptaba ese tipo de explicaciones. No estaba loca y no tenía ningún *alter ego* corriendo por su cabeza. Por lo tanto sólo eran sueños extraños. No le hacían ningún daño; Cira le resultaba fascinante. Cada sueño era como leer más páginas de una novela y descubrir cosas nuevas en cada frase. Aunque esa historia a veces era demasiado excitante y se despertaba aterrada, eso formaba parte del juego.

Al menos esta vez no había gritado ni gemido, porque de lo contrario Eve o Joe habrían ido corriendo a su habitación. Puso los pies en el suelo y se levantó para ir al baño a beber un vaso de agua. Miró el reloj que tenía en la mesita de noche. Eran casi las tres de la madrugada y al cabo de unas pocas horas Eve se levantaría para empezar a trabajar. Esta vez no había sido necesario que se levantara a consolarla, pensó mientras se dirigía al baño. Se bebería el vaso de agua y se iría a la sala de estar a abrazar a Toby en el sofá hasta quedarse lo bastante atontada como para volver a la cama.

De pronto se asustó.

Algo andaba mal.

Se giró para mirar la cama de Toby que estaba al lado de la suya.

—¿Toby?

Capítulo 6

El collar rojo de Toby estaba en el primer escalón del porche.

Jane se arrodilló lentamente para recogerlo y vio que había una hoja de papel enganchada a él.

Oyó un aullido, en el momento en que se incorporaba.

El pánico se apoderó de ella.

—¡Toby! Toby, ven aquí.

Otro aullido. Más lejos. Al otro lado del lago.

Empezó a bajar los peldaños del porche y se detuvo.

Le estaban tendiendo una trampa. No podía estar más claro. Iba a llamar a Eve y a Joe.

Desplegó lentamente la nota que dejaron en el collar.

Ven sola y el perro vivirá.

La implicación era evidente. Si no iba sola, Toby moriría. Si llamaba a los policías del coche patrulla o a Joe y a Eve y les hacía buscar en el bosque, su Toby no llegaría al día siguiente. Una sensación de agonía se apoderó de ella sólo con pensarlo.

—¿Va todo bien, señorita MacGuire?

Levantó la mirada para ver a Mac Gunther dirigiéndose hacia ella desde el coche patrulla.

No, no iba bien, quería decirle gritando. Toby...

Se puso detrás la mano con la que sostenía el collar. Forzó una sonrisa.

—Bien, Mac. Sólo he salido a tomar el aire. No podía dormir.

—No me extraña. —Le sonrió comprensivamente—. Pero avísenos cuando quiera salir al porche: nos ha dado un buen susto.

—Lo siento. No lo he tenido en cuenta. —Se dio la vuelta y subió los escalones—. Ahora mismo vuelvo a la cama. Buenas noches.

—Buenas noches.

Observó cómo se daba la vuelta y regresaba al coche patrulla mientras abría la puerta mosquitera. Iba a dejar pasar un rato antes de escabullirse.

Oyó aullar a Toby cuando cerró la puerta.

—No —susurró cerrando los ojos de dolor—. Maldito hijo de puta, para. Ahora voy.

El aullido atravesaba la noche como un cuchillo.

Bartlett se sobresaltó.

—¡Jesús! ¿Qué es eso? ¿Un lobo?

Trevor empezó a soltar palabrotas.

—¡Hijo de puta! —Se apartó del árbol—. Tiene a su perro.

—¿Qué?

—Me juego cualquier cosa. Es su perro, Toby. Llevo aquí tres noches y nunca he oído aullar a su perro.

—Eso no significa... ¿Adónde vas?

—Voy a seguir el sonido —dijo Trevor tajante mientras se deslizaba por los arbustos—. Voy a hacer lo mismo que ella.

—¿Quieres que vaya contigo?

—No, maldita sea. Ve al coche y espera a que te llame. Haces demasiado ruido cuando vas por el bosque. Si te oye arrasando el bosque, Aldo matará al perro y luego Jane MacGuire nos matará a los dos. Adora a ese perro.

El perro volvió a aullar.

—Esto podría ser el final —le dijo Bartlett—. Si puedes atrapar al perro antes que a la chica, puede que también puedas atrapar a Aldo.

—Ya lo sé. —Y también que si no llegaba a tiempo, Jane MacGuire sería asesinada o secuestrada. Era un tipo de final. Pero no era el escenario que él hubiera planeado si hubiera podido elegir.

Bueno, no había tenido muchas opciones desde que había comenzado toda esa macabra charada. Tenía que jugar la mano que le estaban dando. No podía pensar en la chica. Tenía que olvidarse de ella. Ésta era la vez que iba a estar más cerca de Aldo desde Brighton. Sólo tenía que pensar en lo que iba a hacerle cuando le pusiera las manos encima.

Toby volvió a aullar.

Ella se estaba acercando.

El último aullido de Toby había sonado mucho más cerca.

Se detuvo en su búsqueda y cerró los ojos, esperando a que volviera a aullar.

Si podía estar segura de su localización, no sería tan vulnerable. Conocía bien esos bosques. Ella y Toby habían corrido y jugado durante años por todos sus rincones. En el momento en que pudiera averiguar su localización, podría visualizarla y hallar el modo de llegar allí sin caer en la trampa de Aldo.

—Venga, Toby —susurró ella—. Dime dónde estás.

Volvió a aullar.

Hacia el sur. Faltarían al menos unos cien metros. Concéntrate. No pienses en que Aldo le está haciendo aullar. Está vivo. Ahora, mantenlo vivo. Unos cien metros al sur. Sólo había un claro rodeado de pinos.

¿Dónde mejor que un claro para vigilar a Toby? Para llegar hasta él tendría que ir por los árboles donde Aldo la estaría esperando. Al pensar eso su mano se aferró inconscientemente al cuchillo de cocina que había cogido del cajón de los cubiertos. ¿Sería capaz de usarlo? El mero hecho de pensar en apuñalar a alguien le hacía estremecerse.

Pero eso no estremecía a ese bastardo. Ya había matado antes y ahora iba a por ella.

Y estaba hiriendo a Toby.

¡Demonios! Claro que utilizaría ese cuchillo si era necesario.

Muy bien, ¿había algún otro camino para eludir a Aldo?

No, salvo que diera la vuelta y entrara al lago por el único sitio donde los pinos eran más finos y escasos. Desde allí podría ver a cualquiera que la estuviera esperando y, si iba con cuidado, él no la vería gateando por la orilla.

¿Había otro camino?

Toby volvió a aullar.

Si había otro plan, no tenía tiempo para descubrirlo. Tenía que rescatar a Toby.

Llegó ágilmente hasta la orilla del lago, se sacó los zapatos y vadeó en el agua fría.

¡Jane!

Eve dio un brinco en la cama, el corazón le latía con fuerza.

Joe abrió los ojos, totalmente alerta, como siempre que se despertaba.

—¿Qué pasa?

—Jane.

—¿Está teniendo otro sueño? ¿Has oído algo?

—No he oído... o quizás sí. —Se destapó—. Voy a mirar en su dormitorio.

Joe se recostó sobre un codo y la observó mientras se ponía la bata y se dirigía hacia la puerta.

—No he oído que nos llamara... —Se detuvo un momento y ladeó la cabeza para escuchar—. Ve a mirar. —Se sentó en la cama poniendo los pies en el suelo—. Ahora.

Eve corría por el pasillo.

La cama estaba vacía.

Jane no estaba.

Corrió al baño.

—¡Jane!

El camisón de Jane estaba tirado en el suelo.

—¿Se ha marchado? —Joe estaba detrás de ella. Ya se había puesto los tejanos y tenía un suéter de lana en las manos.

Ella asintió con la cabeza sin decir nada.

—La tiene. Ha entrado y se la ha llevado.

—No lo creo. Tendría que ser bastante estúpido para intentar esquivar a Mac y a Brian. —Se pasó el suéter por la cabeza—. Vístete, nos vemos fuera.

Eve no discutió.

—¿Adónde vas?

—Al coche patrulla. Puede que la hayan visto. —Joe iba por el pasillo—. O que hayan visto a Toby.

—¿Toby?

—No he oído que Jane le llamara, pero he oído aullar a Toby

El terror le heló la sangre.

—¡Oh, Dios!

—Quizá me he equivocado. —Joe abrió la puerta mosquitera—. Toby no suele...

Y entonces oyeron el aullido.

El perro estaba atado en un borde del claro. Tenía atadas las cuatro patas y la pata trasera izquierda sangraba por varios sitios.

Trevor murmuró un taco. ¡Señor! ¡Cómo odiaba a los bastardos que se aprovechaban de los indefensos! Los niños y los animales deberían estar exentos de la crueldad en el mundo.

Sí, claro. Nadie se libraba. Ya debería saberlo. Tenía que controlar su ira. ¿Dónde estaba Aldo?

Tenía que estar en alguna parte, no demasiado lejos de Toby, para poder hacer aullar a ese pobre animal.

Trevor ajustó sus prismáticos infrarrojos y estudió los árboles cercanos.

Nada.

Su mirada se dirigió hacia la izquierda

Nad...

Quizá.

¡Sí!

Una sombra borrosa, pero sin duda humana.

Aldo.

Se desplazaba silenciosamente por los matorrales.

* * *

El viento frío azotaba la ropa mojada de Jane y la hizo temblar. Apenas se la distinguía mientras reptaba a través de los escasos árboles hacia el claro. Cuidado. La luna llena que a ella le permitía ver, también permitiría ver a su agresor. Hasta ahora su memoria no le había fallado. El claro tenía que estar justo enfrente.

Y, de pronto, lo vio

¡Toby!

Las lágrimas cayeron por sus mejillas al ver la pierna sangrante de Toby.

Herido. Ese hijo de puta le había herido.

E iba a volver a hacerlo.

Alguien se acercaba al claro. Estaba demasiado oscuro para distinguir nada, salvo que era un cuerpo grande y robusto, de estatura media y pelo largo hasta la altura del hombro que podría ser rojizo.

Pero nada tenía de borroso el brillo del cuchillo que tenía en su mano.

Aldo se arrodilló al lado de Toby.

—¡No!

Jane ni siquiera se dio cuenta de que estaba corriendo hacia él hasta que casi le había alcanzado.

—¡No le *toques*!

Él se giró sobre sus rodillas.

—¡Estás aquí! —Su voz era casi exultante—. Sabía que... —De pronto gritó cuando el cuchillo que llevaba Jane se hundió en su hombro—. ¡Cabrón!

El cuchillo de Aldo apuntó hacia arriba.

Una mano la agarró por el hombro desde atrás, apartándola de ese cuchillo letal.

—¡Por el amor de Dios, sal de aquí! ¡Ahora!

—¿Trevor?

Se oyó un crujido entre los matorrales. Voces. Una docena de linternas atravesaban la oscuridad de los árboles que rodeaban el claro.

Aldo se cabreó y se puso en pie.

—¡Puta! Te he dicho que no vinieras con nadie. ¿Pensabas que no le iba a matar? —Su cuchillo bajó para hundirse en Toby.

—¡No! —Ella saltó sobre él, pero Trevor ya estaba allí preparado, para derribar a Aldo tirándole al suelo y rodando hacia el lado para proteger a Toby.

—¡Alto! Bajad vuestras armas. —Era la voz de Joe, que venía corriendo desde el bosque hacia donde se encontraban ellos.

Aldo renegaba mientras luchaba por sacarse a Trevor de encima. En un instante se puso de pie y corrió para refugiarse bajo los árboles.

—¿Estás bien, Jane? —le preguntó Joe. Jane asintió con la cabeza—. Eve y Gunther estarán aquí en un minuto. Quédate aquí, Trevor. —Salió a la caza de Aldo con cuatro policías detrás y apuntando.

Jane se arrodilló, mirando a Toby con ansiedad. El cuchillo de Aldo no había alcanzado su objetivo comprobó con alivio.

—No pasa nada pequeño. Todo va a ir bien. —Gateó un poco más hacia él y empezó a cortar las cuerdas que le retenían—. Nadie volverá a hacerte daño.

—No tenía que haberse interpuesto entre nosotros —dijo Trevor frustrado mientras se ponía en pie—. ¿Por qué no me ha dejado unos minutos más? Le hubiera atrapado.

—Iba a herir a Toby. —Jane no le miró—. Nadie hace daño a mi perro. —Pero alguien se lo *había* hecho, pensó desconsolada mientras le miraba las heridas de la pata. Parecían superficiales, pero una de ellas todavía sangraba—. Dame algo para vendarle la pata. Todo lo que llevo encima está empapado.

—No tengo tiempo para primeros auxilios caninos. He de largarme de aquí antes de que regrese Quinn. No tengo intención de acabar en la cárcel mientras Aldo anda por ahí suelto.

—Cuando me hayas dado algo para poder vendar la pata de Toby. —Ella le miró—. Sácate el jersey.

La miró incrédulo y se empezó a reír.

—Se nota que te estás helando. Tú lo necesitas más que él. —Se sacó el jersey y se lo lanzó—. ¿Alguna cosa más?

—No. —Se giró hacia Toby—. Si vas hacia el sur cruzando la colina, encontrarás un colector que te conducirá a la autopista. Les diré que te has ido hacia el norte. Puede que eso te dé suficiente tiempo para huir. —Le vendó la pata a Toby con la manga del jersey—. Vete.

—Me voy. —Se detuvo un momento mientras se giraba para irse—. ¿Puedo preguntarte por qué me estás ayudando?

—Yo tampoco quiero que vayas a la cárcel. —Le acarició la cabeza a Toby—. No estoy segura de que Joe pueda atrapar a Aldo; nadie ha podido atraparle en todos estos años. Si Aldo escapa, quiero que el mundo entero le busque. Puede que seas todo lo que Eve sospecha que eres, pero quieres atraparle. Esta noche me he dado cuenta y sabes cosas...

Toby giró la cabeza y le lamió la mano, casi le parte el corazón.

—Pobrecito...

Miró a Trevor y añadió furiosa:

—Voy a atraparle, Trevor. No va a herir a ningún animal ni a ninguna mujer. Ahora lárgate de aquí para que puedas ayudarme.

Trevor sonrió y asintió con la cabeza.

—Desde luego. —Corrió hacia el sur a través de los árboles.

Jane todavía podía oír a Joe y a los policías caminando por el bosque mientras hacía compresión sobre la herida de Toby. Puede que le atraparan. ¡Señor!, eso esperaba. Cualquiera que fuera capaz de torturar a un animal indefenso era un monstruo despiadado. En cierto modo imaginaba la maldad de Aldo, pero había sido necesaria esa crueldad para que se diera cuenta de su verdadero alcance.

—Deja que le eche un vistazo.

Giró la cabeza para ver a Eve que estaba de pie a unos pasos de ella.

—Ese bastardo no le ha cortado ninguna arteria. Creo que se pondrá bien.

—Yo no estaba segura de que tú estuvieras bien. —Eve se giró hacia Gunther que venía corriendo detrás de ella—. Todo bien, Mac. Ve con Joe y los demás.

Asintió con la cabeza y salió corriendo.

Eve se arrodilló al lado de Jane y miró la pata de Toby.

—Cuando vi que levantaba ese cuchillo, casi me da un infarto. Y cuando vi que no te había matado, me entraron ganas de hacerlo yo misma. —Le temblaban las manos mientras apretaba más el vendaje—. ¿Por qué no nos has avisado? ¡Maldita sea! No nos vuelvas a excluir como lo has hecho hoy.

—Me dejó una nota diciendo que mataría a Toby. Es mi perro. He sido estúpida. Debería haberle tenido dentro de casa. Jamás se me hubiera ocurrido que le haría algo. Es culpa mía. Yo soy responsable de él.

—Y tú eres responsabilidad nuestra. ¿Cómo crees que nos habríamos sentido si te hubiera matado?

—Fatal. —Miró a Eve—. Pero tú habrías hecho lo mismo.

Eve apartó la mirada.

—Quizá. ¿Fue Trevor quien redujo a Aldo? Estaba muy oscuro, pero creo que le reconocí.

Eve se puso tensa.

—¿Y Joe?

—Probablemente. Y debe haberse dado cuenta de que te estaba ayudando.

—Salvó a Toby.

—Pero, ha huido.

—Sabía que Joe le habría arrestado.

—Como es su obligación.

—Salvó a Toby —repitió Jane—. Y nos será mucho más útil fuera de la cárcel.

—¿Cómo lo sabes?

—Quiere atrapar a Aldo. —Acarició la cola de Toby—. Y a mí no me importa que haya falsificado documentos, se haya hecho pasar por policía y todas esas cosas. Si puede encontrarle, eso es lo único que importa.

—Eso quizá sea discutible si Joe atrapa a Aldo esta noche.

—No creo que lo consiga.

—¿Por qué?

Se encogió de hombros.

—Es una intuición. No creo que haya llegado su momento.

—Espero que estés equivocada.

—Yo también.

—¿Dónde está Trevor? —Joe venía hacia ellas con una expresión de decepción—. ¿En qué dirección se ha ido ese bastardo?

—¿Y Aldo? —preguntó Eve.

—Le hemos perdido por el momento. Tenía una lancha amarrada debajo de los árboles. He dado aviso a toda la zona. Puede que todavía le atrapemos. —Miró a Toby—. ¿Cómo está?

—Hemos de llevarle al veterinario enseguida, pero creo que se pondrá bien.

Miró a Jane.

—¿En qué dirección se ha marchado Trevor?

Dudó un momento. No había pensado en lo difícil que era mentirle a Joe.

—Norte.

Notó la atónita mirada de Eve. Vale, debe haber visto a Trevor dirigirse hacia el colector. Miró a Eve a los ojos.

—Hacia el norte —repitió.

Ella esperó.

Eve se quedó en silencio y luego miró a Toby.

—Necesitaré a un par de hombres para que me ayuden a ponerlo en unas angarillas para llevarlo al veterinario.

Jane se sintió aliviada y culpable al mismo tiempo. Era detestable mentir a alguien que quieres, pero ahora también había arrastrado a Eve.

—Le diré a Mac que se ocupe de ello. —Joe se marchó—. Voy a estar ocupado. —Se dirigió a los policías que estaban en un extremo del claro.

—Gracias —susurró Jane.

—No me las des. —Eve le lanzó una fría mirada—. Lo he hecho porque estoy de acuerdo contigo y no quería poner a Joe en un compromiso haciéndole partícipe de la mentira. —Giró la cabeza y miró a Joe sonriendo—. Además, puede que ni siquiera sirva de nada. Está dividiendo las fuerzas; también ha enviado a unos hombres hacia el sur. Deberías haber supuesto que Joe es demasiado inteligente como para no leer tus pensamientos. Puede que tengamos que dar explicaciones.

Jane suspiró con resignación; miró a Joe que estaba gesticulando hacia el sur con su habitual contundencia.

—Bueno, he hecho todo lo que he podido. Trevor está solo.

—Estoy segura de que no espera que nadie le proteja.

—Yo no he sido quien le ha protegido, sino él a mí. Puede que le necesite.

—No hables así. Sé que estás disgustada por lo de Toby, pero deja Aldo a Joe y al cuerpo de policía. Tú estás fuera de esto, Jane.

—Eso díselo a Aldo. Él no piensa lo mismo. —Acarició suavemente a Toby en la cabeza—. Sé que no lo estoy. Sólo he de esperar a la próxima vez.

—¿La próxima vez?

—Volverá. Siempre volverá. Hasta que alguno de nosotros muera.

—¿Cómo puedes estar tan segura? Este intento puede haberle disuadido.

—¿Por qué estoy tan segura? —preguntó Jane. Esas palabras habían salido de sus labios y mente con absoluta certeza.

El círculo. Inevitable, siempre estaba presente, siempre se repetía.

Pero no se lo podía decir a Eve. ¿Por qué iba a entenderlo Eve cuando ella no podía?

—Un presentimiento. —Eso era tan cierto como cualquier otra explicación. Cambió de tema—. Vi su rostro. No claramente, y sólo un instante. Pero creo que podré hacer un retrato para Joe.

—Bien. Pero habría preferido tener a Trevor. —Eve levantó la cabeza—. Aquí viene Mac con unas angarillas para Toby. Tengo ganas de teneros a los dos en casa.

Estaba sangrando.

Aldo notaba la sangre que brotaba de su hombro, pero no podía pararse para ocuparse de su herida. Tenía que llegar a la orilla donde había ocultado su coche y salir de allí antes de que Quinn le cazara. Tampoco le dolía. Sentía demasiada rabia y frustración como para notar el dolor.

Esa maldita puta. Le había clavado sus garras y además había sobrevivido para poder verle huyendo como un zorro en una cacería. Ni siquiera había podido castigarla matando a su perro.

Gracias a Trevor.

Trevor arremetió contra él y se había interpuesto. Trevor se había puesto delante de Cira y había impedido que castigara a esa puta.

Puta. Sí, eso es lo que era. Se las había arreglado para utilizar sus artimañas con Trevor y ahora él se había convertido en uno más de sus esclavos. ¿Por qué razón si no habría Trevor intentado salvar al perro cuando podía haber acabado con él?

Zorra. Puta. Probablemente ahora se estaría riendo de él.

No por mucho tiempo, Cira. Casi te atrapo. No eres un blanco tan difícil.

La próxima vez.

—¡Deprisa! —le dijo Trevor a Bartlett mientras saltaba al coche—. Salgamos de aquí.

—Deduzco que nos están persiguiendo. —Bartlett apretó el acelerador en dirección hacia la autopista—. ¿Qué hay de Aldo?

—Quinn y el cuerpo de policía de Atlanta. —Trevor miró por el retrovisor—. Todavía no viene nadie —murmuró—. Quizá le dio una pista falsa.

—¿La chica?

Trevor asintió.

—No estaba seguro. Es impredecible. También podía haberme dicho de venir por este camino y mandar a los coches de policía para que me estuvieran esperando.

—Quizá te esté agradecida por haber salvado a su perro.

Sonrió.

—Y quizás esté tan cabreada que no va a permitir que Aldo siga jodiéndola. Eso es lo más probable.

—¿Es eso lo que te dijo?

—Más o menos.

No, eso era justamente lo que le había dicho. Cada mirada, cada palabra furiosa que había pronunciado la había pronunciado con determinación.

—Estaba bastante furiosa por lo de su perro.

—Lo entiendo —dijo Bartlett—. Temible, ese Aldo.

—Eres un maestro de las descripciones breves y mesuradas.

—Y según parece, bastante más competente que tú. Estabas seguro de que esta vez le atraparías. —Le lanzó una mirada sarcástica—. No te preocupes. Todo hombre libra su propia Waterloo.

—¡Cállate! —Trevor cerró los ojos—. Sácame de aquí, necesito dormir y pensar algo. Un paso adelante y dos atrás. Ha sido una noche infernal.

—Puede que no esté todo perdido. Puede que Quinn haya atrapado a Aldo.

—Entonces, mañana nos enteraremos cuando veamos las noticias. Por ahora seguiremos suponiendo que ese bastardo ha huido.

—¿Vamos a la cabaña?

—Es tan segura como cualquier otro lugar. Más seguro que quedarse aquí en la ciudad. Es probable que Quinn haya dado una orden de búsqueda en toda la zona.

—Seguro. Sería mucho más inteligente largarnos de aquí.

—No puedo. Aldo no se va a mover de la zona mientras Jane MacGuire esté aquí. —Apretó los labios con fuerza—. Y eso significa que yo también me he de quedar.

—Ni rastro de ninguno de ellos —dijo Christy—. Hemos registrado cada palmo de tu propiedad y de momento el aviso no ha dado resultado.

—¡Mierda!

—Sólo han pasado dos días. ¿Cómo está Jane?

—Más fresca que una lechuga.

—¿Y Toby?

—Le dieron unos cuantos puntos, pero se pondrá bien. Ahora está estupendamente, echado en su colchón en el dormitorio de Jane, recibiendo caricias en la barriga y comiendo pavo.

—¿Ha terminado Jane el retrato robot de Aldo?

—Entraré a preguntárselo. Lleva mucho tiempo trabajando en ello.

—Si sólo pudo verle con esa poca luz, le ha de resultar muy difícil recordar sus rasgos.

—Todo lo relacionado con este caso es difícil. Jane tiene una memoria que dejaría en ridículo a un elefante.

—¿Crees que puede haber llegado a un punto muerto?

—No veo razón para ello. Pero, yo qué sé. Últimamente, ha hecho cosas que me han desconcertado. Y, por favor, no vuelvas a decirme lo de los adolescentes. Adiós, Christy. —Colgó el teléfono.

—No me he quedado estancada —dijo Jane desde atrás.

Joe se giró y la vio en la entrada con el retrato en la mano.

—Te ha llevado mucho tiempo —le dijo con un tono serio.

Jane cruzó el porche y se sentó a su lado en el primer escalón desde arriba.

—He tenido que ir con mucho cuidado. Ha sido divertido... cuando le estaba dibujando, lo tenía hasta demasiado claro. Veía cada rasgo como si le tuviera delante. Pero sólo le he visto unos segundos y no entendía cómo podía estar tan segura. —Se encogió de hombros—. Da igual, tenía miedo de equivocarme, por lo que he hecho muchas pruebas.

—¿Y ahora estás segura?

Abrió su libreta de dibujo.

—Aldo.

Rostro cuadrado, frente alta y nariz romana. Tenía el pelo largo pero con algunas entradas. Los ojos profundos y oscuros y miraban fuera del dibujo con una expresión de infinita animadversión.

—Sé que prefieres que los retratos sean inexpresivos, porque nadie va por ahí con cara de Jack el Destripador. Lo he intentado. De verdad, que lo he intentado. Lo he hecho tres veces, pero siempre me salía igual. Creo que es porque sé que cuando estemos juntos tendrá esta expresión.

Joe no apartaba la vista del retrato.

—¿Y te asusta?

—A veces.

—Entonces, ¿por qué demonios fuiste tras él cuando deberías haber recurrido a mí? —Levantó la cabeza y su mirada era tan dura como su tono—. ¿Y por qué me mentiste sobre Trevor?

—Me pareció que era lo correcto en ese momento. —Sonrió un poco compungida—. Y no me sirvió de nada. Me calaste al momento.

—A Eve y a ti os conozco lo suficiente como para que podáis engañarme. Pero me costó mucho creer que pretendíais enredarme de ese modo.

—Y te ha dolido.

—Mucho, maldita sea.

Ella le puso tímidamente la mano en su brazo.

—No pretendíamos engañarte. No fue culpa de Eve.

—No tienes por qué defenderla. Quien calla otorga.

—Ella no quería que tuvieras que elegir.

—Estoy acostumbrado a tomar mis propias decisiones.

Es mucho mejor que no tener la oportunidad de hacerlo. —Volvió a mirarse el retrato—. Sé que Eve y tú estáis tan unidas que casi sois gemelas, pero pensaba que yo también formaba parte de esa relación.

—Por supuesto. —Tenía la voz entrecortada—. Cuando te conocí, me costó mucho acostumbrarme... no he conocido a mi padre. No he tenido hermanos. Nunca había confiado en nadie. No, de verdad. Con Eve fue fácil. Éramos muy parecidas. Tú eras distinto. Me costó un tiempo, pero llegaste a... gustarme. Sabía que nunca me fallarías.

—Entonces, ¿por qué no acudiste a mí cuando descubriste lo que ese bastardo le estaba haciendo a Toby?

—Toby es mi responsabilidad. Tenía que tomar una decisión.

—Tienes diecisiete años.

Ella asintió.

—Pero ¿no crees que algunas personas nacemos viejas?

—¿Te refieres a almas viejas?

Ella se encogió de hombros.

—No sé de esas cosas. Todo esto suena un poco descabellado. Pero no recuerdo haberme sentido niña jamás.

Y él no recordaba haberla visto actuar como tal. Lo más parecido a eso era cuando la veía cruzar las colinas con Toby.

—Eso es bastante triste.

—No, no lo es. Las cosas son así. Apuesto a que Eve siente lo mismo.

Joe esbozó una ligera sonrisa.

—¡Ah, tu modelo de rol!

—No podía haber encontrado otro mejor

Su sonrisa se desvaneció.

—No, es cierto. —Puso su mano encima de la de Jane que todavía estaba sobre su brazo—. Pero ambas podríais ser más confiadas.

—Lo intentaré —le dijo apretándole la mano—. Pero tú haz lo mismo con Eve. Creo que te ayudará saber que ella está de tu parte.

—Con un montón de reservas.

Ella movió la cabeza.

—¿Te has preguntado alguna vez por qué llevas con Eve todos estos años?

—No, porque la quiero.

—Pero debe haber sido difícil amar a alguien como ella. Ella te dirá lo asustada que está.

Joe la miró fijamente.

—¿Qué intentas decirme?

—Sólo creo que no soportas las cosas fáciles. Te matan de aburrimiento.

—Estás loca.

—Amas a Eve. Te caigo bien. Con esto termino mi alegato. —Se levantó—. Siento haberte mentido. Intentaré no volver a hacerlo. Buenas, noches, Joe.

—Buenas noches.

Jane se detuvo en la puerta.

—¿Sabes algo de Trevor?

—No sé si debería hablar de él contigo. Todavía estoy enfadado —respondió refunfuñando—. Ni palabra de su arresto. Christy me ha dicho esta mañana que puede que pronto llegue un informe de Johannesburgo. Ha aparecido algo en su base de datos.

—¿Me dejarás verlo?

—Quizá.

—La ignorancia es peligrosa, Joe. ¿No es eso lo que siempre me has dicho?

—Deberías haber pensado en eso cuando no nos dijiste nada.

—Joe.

Guardó silencio durante un momento.

—Vale. —Se levantó y bajó los peldaños—. Voy a dar una vuelta. Tengo que relajarme un poco. Dile a Eve que no tardaré.

Jane miró al bosque.

—Ten cuidado.

—No soy yo quien ha de tenerlo, le dijo la sartén al cazo. —Se detuvo—. El bosque está plagado de agentes, Jane. Hoy nadie va a atreverse a hacerte nada.

—Probablemente tengas razón. —Jane apartó la mirada de la línea de los árboles. Pero mientras se giraba y abría la puerta mosquitera volvió a decirle «¡Ten cuidado!»

Capítulo 7

—¡Bingo! —dijo Christy cuando Joe descolgó el teléfono a la mañana siguiente—. Tenemos información sobre Trevor.

—Cuéntame.

—Nació en Johannesburgo hace treinta años y se llama Trevor Montel, no Mark Trevor. Sus padres eran hacendados que fueron asesinados por las guerrillas cuando él tenía diez años. Le metieron en un orfanato y siempre tuvo algún que otro problema hasta que huyó cuando tenía dieciséis. Los informes de los profesores eran muy controvertidos. Unos querían meterle en la cárcel para siempre, mientras que otros querían darle una beca y enviarle a Oxford.

—¿Por qué?

—Porque es brillante. Era una especie de niño prodigio. Una de las mentes más agudas que habían visto los profesores. Matemáticas, química, literatura. Destacaba en todas las asignaturas. Sus puntuaciones superaban todas las previsiones. Estamos hablando de un genio.

—De ahí lo del conteo de cartas.

—Ésa es su profesión más conocida. Ya sabes lo de sus años como mercenario; luego hay varios años de los que no tenemos información sobre él. Después empezó con el circuito de los casinos; también se sabe que se ha dedicado al contrabando y que ha traficado con antigüedades. Una vez le arrestaron en Singapur por intentar robar en ese país una valiosa vasija de la dinastía Tang. Les persuadió de que él no tenía nada que ver con eso, pero quedó bajo sospecha. Parece ser que tenemos muchas sospechas y ningún hecho respecto a Trevor. O bien ha andado con pies de plomo o es tan inteligente como dicen.

—Inteligente. Nada tuvo de cauteloso el modo en que llegó a mi casa. Hemos de encontrar la conexión entre Trevor y Aldo. ¿Nos ha dado alguna pista el retrato de Aldo?

—Todavía no. Es una pena que no consiguieras sus huellas.

—Imposible. Hasta las borró del collar del perro. ¿Qué hay de las cenizas volcánicas?

—Hemos estrechado el círculo a tres lugares: Krakatoa en Indonesia, Vesubio en Italia o La Soufriere en la isla de Montserrat del Caribe.

—Cielo. Eso no es lo que yo llamo estrechar el círculo. Estamos hablando de lugares que están en las antípodas entre ellos.

—Están trabajando en refinar las pruebas. Según el laboratorio no va a ser tan difícil. Todo volcán tiene su propia firma tefra.

—¿Tefra?

—Material piroclástico granulado fino.

—O sea, cenizas.

—Sí, estoy empezando a hablar como los muchachos del laboratorio, ¿verdad? ¡Qué Dios me ayude! Resumiendo, las partículas granuladas tienen su propia firma. Generalmente, se puede localizar el volcán del que han sido extraídas. De hecho, los científicos pueden decir de qué orificio del volcán se ha sacado la tefra.

—Entonces, ¿cuál es el problema?

—Indicios mezclados. Están perplejos.

—Estupendo.

—Les estoy presionando. Lo conseguirán. —Se detuvo—. Sé que esto puede parecerte eterno, Joe. Si estuviera en tu lugar odiaría cada minuto de retraso. Sólo quiero que sepas que en el cuerpo todos te apoyamos y que estamos trabajando sin cesar.

—Lo sé. Gracias, Christy.

Cuando colgó se fue a la ventana y vio a Jane sentada junto al lago. Toby estaba echado a sus pies. El sol brillaba, el cielo estaba azul, el lago transparente y tranquilo. La escena debería ser tranquilizadora.

Pero no lo era.

—Está esperando. —Eve se había acercado para estar junto al lado de la ventana. Su mirada estaba puesta en Jane—. En estos dos últimos días ha pasado muchas horas junto al lago. Dice que está disfrutando del sol. Pero le está esperando.

Joe asintió con la cabeza. También había percibido una ligera tensión en el cuerpo de Jane, un aire casi visible de expectación.

—¿Aldo?

—O Trevor. —Eve se encogió de hombros—. Quizás a ambos. Puesto que ella no admitirá que está esperando a nadie, no es probable que lo averigüemos. No sé cómo puede pensar que se le van a acercar. —Añadió con un tono de preocupación—. Si lo consiguen, estrangularé personalmente a los hombres que estén de guardia ese día.

—Tendrás que ponerte a la cola —dijo Joe. Apartó la mirada de Jane—. Ha llamado Christy para darme más información sobre Trevor. Ahora te pongo al día.

—Vale. —Pero la mirada de Eve seguía puesta en Jane—. Sé cómo se siente —susurró—. Yo también les estoy esperando.

Charlotte, Carolina del Norte

No era perfecta, pero tendría que contentarse.

Aldo patrullaba lentamente detrás de ella observando cómo caminaba por la calle y el movimiento de sus caderas con su minifalda y su chaqueta ribeteada en piel. Sabía que la habitación de su hotel se encontraba a cinco manzanas porque la había visto llevar a dos de sus clientes esa tarde. Esperó hasta que ella estuvo lo suficientemente lejos como para que resultara más razonable para los dos ir en coche que andando. Una vez en el coche siempre era mucho más fácil.

Aceleró y se acercó a la acera para ponerse a su lado y bajó la ventanilla.

—Una noche fría, ¿verdad? —dijo él sonriendo—. Pero creo que tú podrías calentar a cualquier hombre. ¿Cómo te llamas?

Se acercó a él y apoyó los codos en la ventanilla.

—Janis.

A esa distancia pudo darse cuenta de que era menos perfecta de lo que había pensado. Sólo tenía un aire al original. Su piel estaba marcada por el acné, los ojos estaban demasiado juntos y los pómulos no eran tan definidos como los de Jane MacGuire.

Pero podría arreglárselas con esa mujer aunque en circunstancias normales se habría preguntado si la molestia valía la pena. Ahora que la búsqueda había concluido no tenía por qué ser tan selectivo. Sacó el billete de cien dólares que había pegado en la visera del coche.

—¿Tienes algún sitio adonde ir?

A ella se le abrieron los ojos.

—En la calle Quinta. —Abrió la puerta del coche—. Puedo hacer que te lo pases bien, pero nada de perversiones. Ni látigos ni cuerdas.

—Ni látigos ni cuerdas. Lo prometo. —Puso el seguro en cuanto ella entró en el coche—. Janis es un nombre muy bonito, pero ¿te importa si te llamo Cira?

Joe colgó el teléfono y se giró hacia Eve.

—Han encontrado a una mujer en una cuneta de la carretera en las afueras de Charlotte, Carolina del Norte. Sin rostro. El mismo *modus operandi* como las otras víctimas de Aldo.

—¿Charlotte? Eso está lejísimos de aquí. ¿Se ha marchado? ¿Debo sentirme aliviada?

—No, podría ser un imitador. —Cogió su chaqueta—. De todos modos voy a ir para asegurarme. Te llamaré desde Charlotte. No dejes que Jane salga de la cabaña. Les diré a los muchachos que están de guardia que me marcho y que estén más alertas.

—Pero ¿podría significar que hubiera decidido que Jane no merecía el riesgo?

—Quizá, pero no cuentes con ello.

Eve observó cómo bajaba corriendo los escalones. No, no podía contar con nada, pero tampoco podía evitar sentirse un poco aliviada. Charlotte estaba a miles de kilómetros de distancia y en otro estado. Quizás ese bastardo estaba dando muestras de tener algo de juicio y se había dado cuenta de que no dejarían que tocara a Jane. ¡Señor, eso sería fantástico! Era terrible sentir ese alivio a costa del infortunio de otro.

Sonó el teléfono.

—¿Diga?

No hubo respuesta.

La persona que estaba al otro lado del aparato colgó.

Alguien que se equivoca pensó mientras colgaba el auricular. La gente les llamaba continuamente. Era de mala educación colgar sin decir nada, pero era bastante corriente. También podía ser una de esas llamadas de televenta generadas por un ordenador que hubiera resultado fallida.

No tenía por qué ser Aldo.

Estaba en Charlotte o en alguna parte de esa zona. Había perdido interés por Jane y se había largado.

Aquí no. Ruego a Dios, que aquí no.

—Es posible —dijo Joe cuando llamó esa tarde desde Charlotte—. Las mismas características que en los demás casos. Cenizas junto al cuerpo. Mujer joven. Sin rostro. No lleva muerta ni cuarenta y ocho horas. Atuendo muy provocativo. Signos de relación sexual. Podría tratarse de una prostituta. El cuerpo de policía de Charlestton ha encargado a la brigada antivicio que hiciera averiguaciones sobre las prostitutas de la zona.

—¿Regresas esta noche?

—Probablemente, no. Voy a trabajar en el ordenador y a revisar los archivos de fotos de la brigada antivicio para ver qué puedo descubrir; puede que sea más rápido que ir por ahí preguntando a putas y chulos.

Eve se estremeció.

—Para comprobar si hay alguna que se parezca a Jane.

—Es para estrechar el círculo. Ningún imitador sabría que las mujeres tienen rasgos parecidos. ¿Cómo está Jane?

—Bien. Igual.

—¿Y tú?

—Impaciente hasta la saciedad.

—Yo también. Déjame trabajar para ver si puedo regresar a casa cuanto antes. —Hizo una pausa—. Te echo en falta. Ésta es la primera vez en todos estos años que estoy lejos de ti durante más de unas horas. —No esperó a que Eve contestara—. En cuanto averigüe algo te lo diré. —Colgó.

Ella pulsó lentamente la tecla de colgar. También le echaba de menos. Hacía sólo nueve o diez horas que se había marchado y sentía el mismo vacío. ¡Jesús!, a veces también había estado esas mismas horas fuera resolviendo casos sin salir de la ciudad. Era una estupidez sentirse así.

—¿Era Joe? —Jane estaba de pie en la puerta—. ¿Es un imitador?

—No está seguro. Podría ser él. Creen que la víctima podría ser una prostituta. Joe se ha quedado para revisar los archivos de fotos. —Se fue a la cocina—. Voy a abrir una lata de sopa de tomate para cenar. ¿Quieres hacer unos sándwiches de queso calientes?

—Claro que sí. —Jane arrugó la nariz—. Está buscando mi cara. ¿No es cierto? Es deprimente pensar que hay tanta gente que se parece a mí. Supongo que a todos nos gusta pensar que somos únicos. —Abrió la nevera y sacó el queso—. Quizá debería plantearme lo de la cirugía estética.

—Ni lo sueñes. Tu cara es única. Todos somos únicos. ¿Quién puede saberlo mejor que yo? ¿Sabes cuántas caras he reconstruido?

—Prefiero no adivinarlo. —Empezó a hacer los sándwiches de queso—. Sabes que no he llegado a ver la reconstrucción de Caroline Halliburton, sólo la foto. Debiste pensar que se parecía a mí.

—Sí. Pero hay diferencias. Tu labio superior es más grueso. Tus cejas están más arqueadas. —La estudió un poco—. Y nadie tiene una sonrisa como la tuya.

Jane se rió.

—Pero nunca haces tus reconstrucciones con una sonrisa.

—Justamente. —Puso la sopa en un cazo—. Por lo tanto, eres única.

—Y tú también. —La sonrisa de Jane se fue desvaneciendo mientras sacudía la cabeza—. Estaba bromeando cuando he dicho lo de la cirugía estética.

—Lo sé. —Apagó el fuego—. Pero ha de ser molesto pensar que eres una de...

Sonó el teléfono.

—Ya lo cojo yo. —Jane se apartó de la cocina.

—¡No! —Eve se apresuró a coger el teléfono—. Yo responderé. Tú vigila los sándwiches.

—Muy bien. —Jane frunció ligeramente el entrecejo arqueándosele las cejas—. Lo que tú digas.

—¿Diga?

—¿Susie?

Era la voz de una mujer. Eve se sintió aliviada.

—No, se ha equivocado de número.

—No puede ser. Ésta es la tercera vez que lo intento. Debe haber un cruce de líneas. He tenido todo tipo de problemas de conexión para llamar a mi hija, Susie. A veces, ni siquiera consigo establecer la llamada. —La mujer suspiró—. Debo tener algún mal karma con el teléfono. Siento haberla molestado.

—No se preocupe. Espero que consiga hablar con ella. —Eve colgó y volvió a la cocina—. Se había equivocado.

—Por el modo en que has saltado para descolgar he supuesto que pensabas que volvía a ser Joe. No le pasa nada, ¿verdad?

—Tiene ganas de volver a casa. Por lo demás está bien.

Y ella también. Esa otra llamada también debía haber sido una equivocación como había imaginado. Su rostro se iluminó con una sonrisa.

—¿Ya están esos sándwiches? Estoy muerta de hambre.

Janis Decker

Casi se la salta.

Joe se inclinó hacia la pantalla del ordenador para ver mejor la foto. Sólo guardaba una leve semejanza con Jane, pero puede que para Aldo bastara. Veintinueve años. Arrestada por prostitución en tres ocasiones durante los últimos cinco años.

—¿Has encontrado algo? —El detective Hal Probst del cuerpo de policía de Charlestton estaba mirando por encima de su hombro.

—Quizás. —Apretó la tecla para imprimir el informe—. ¿Puedes pedir a los chicos de la brigada antivicio que hagan circular esto? A ver si descubren si alguien sabe algo de ella. Sería conveniente comprobar sus huellas con las de la víctima.

—De acuerdo. Ahora mismo les iré a decir que se pongan a ello. —Probst sacó la hoja de la impresora—. Cuanto antes empecemos a actuar tanto mejor. Este caso es demasiado sangriento para nuestros delicados políticos. Van a estar todo el tiempo detrás de nosotros. Ojalá ese tipo se hubiera quedado en Atlanta.

—Puede que no sea ella. —Se frotó los ojos—. Cuatro horas delante de la pantalla del ordenador puede que me hagan ver doble.

Probst ladeó la cabeza, estudiando la foto de archivo.

—Se parece un poco a la reconstrucción que apareció en la prensa.

—Hago hincapié en lo de «un poco». —Joe se recostó en la silla—. Si es nuestro hombre, esta vez no ha sido tan selectivo. ¿Cuánto tardarás en saber los resultados de las huellas dactilares?

—En unas horas. Tardaré más en conseguir un informe de la brigada antivicio, pero... —Sonó el móvil de Probst—. Probst. —Escuchó—. Muy bien, estoy en ello. —Miró a Joe mientras colgaba—. Puede que tengamos otras huellas que cotejar. Tenemos un informe del cuerpo de policía de Richmond. Unos excursionistas han encontrado el cuerpo de otra mujer cerca de un lago que está a las afueras de la ciudad.

Joe se puso tenso.

—¿El mismo *modus operandi*?

Probst asintió con la cabeza.

—De momento, lo único que sabemos es que no tiene rostro.

—Richmond, Virginia —repitió Eve—. Eso no está lejos de Washington. Se está desplazando costa arriba. Y alejando de Atlanta —añadió aliviada—: ¿Cuándo fue asesinada?

—En las últimas veinticuatro horas.

—He de seguirle la pista. Hay indicios de que está empezando a ponerse nervioso. No fue cuidadoso al elegir a Janis Decker y nos ha dejado unas huellas para trabajar. Los hombres nerviosos cometen errores. Suelen tropezar y si estás en el lugar apropiado les atrapas. —Se calló un momento—. A menos que prefieras que vuelva a casa. Si estás nerviosa, sólo tienes que decírmelo.

—Pues claro que estoy nerviosa. Eso no significa que tengas que volver corriendo. Yo puedo cuidar de Jane —añadió furiosa—: Tú encárgate de atrapar a ese bastardo.

—Lo haré. Te llamaré en cuanto sepa más detalles al llegar a Richmond.

Inspiró profundo al colgar el teléfono. Primero Charlotte y ahora Richmond. Cada una de esas ciudades era como dar un paso gigante para alejarse de Atlanta y de Jane. Salió al porche y se sentó en el balancín al lado de Jane.

—Hermosa noche.

—Estás de buen humor.

—No debería estarlo. Ha habido otro asesinato en Richmond. El mismo *modus operandi*. Joe se dirige hacia allí. Cree que Aldo empieza a ser imprudente.

—Espero que tenga razón. —La mirada de Jane se perdió en el lago—. Está totalmente desquiciado, ¿sabes? Esa noche me di perfecta cuenta. Sé que la mayoría de los asesinos en serie tienen alguna tuerca floja, pero guardan algún instinto de supervivencia. No creo que ese sea el caso de Aldo.

—Entonces, será más fácil atraparle.

—He dicho desquiciado, no estúpido. —Le dio una palmadita a Eve en la mano—. Pero Joe le atrapará de todos modos. No va a dejar que ese cabrón se salga con...

Sonó el teléfono.

—Maldita sea, ahora que empezaba a sentirme bien —renegó Eve—. ¿Qué te juegas que es la señora que intenta hablar con Susie?

—Nada —respondió Jane sonriendo—. ¿Cuántas veces ha llamado?

—Cuatro veces esta tarde. —Suspiró—. No debería ponerme tan nerviosa. Estoy segura de que no es culpa suya, siempre ha sido muy amable.

—Quédate ahí. Ya lo cojo yo. —Jane se levantó de un salto y se fue hacia la puerta—. Enseguida vuelvo.

Eve se recostó. Era estupendo estar ahí sentada con el aire fresco acariciando su rostro con la luna llena de otoño brillando sobre el lago. Le traía viejos recuerdos de otras noches cuando ella, Joe y Jane se sentaban allí para hablar y reírse antes de irse a la cama. Jamás había considerado insignificantes esos momentos, pero quizá no los había valorado lo suficiente. ¡Señor, cuánto deseaba que volvieran esos tiempos! Cerró los ojos y se puso a escuchar los sonidos de la noche.

Oyó que Jane regresaba a los pocos minutos y abrió los ojos para ver cómo se sentaba a su lado en el balancín.

—¿La madre de Susie?

—¿Quién si no?

Capítulo 8

Tranquila. Camina sin prisas, se dijo Jane.

Eve estaba trabajando en su nueva reconstrucción esta mañana, pero eso no significaba que no estuviera mirándola por la ventana. Las primeras fases de una reconstrucción no exigían tanta atención como las últimas y Eve se sentía muy protectora con Jane, como una leona defendiendo a su cachorro. Jane se dirigía a paso tranquilo hacia la espesa techumbre formada por los árboles a unos pocos metros del tronco donde solía sentarse, se sentó en el suelo y apoyó la cabeza contra un roble. Cuando levantó la cabeza hacia el sol comprobó que estaba en el ángulo de visión de Mac y Brian, los muchachos del coche patrulla y de Eve en la cabaña. Tenía que hacerlo todo deliberadamente pero que pareciera natural.

Se sentía tan natural como si estuviera sentada encima de una granada.

—Habla rápido —dijo entre dientes intentando no mover los labios—. Te daré unos minutos antes de empezar a gritar.

—Vas de farol —dijo Trevor con una risa ahogada desde los espesos matorrales que Jane tenía detrás—. No me habrías dicho que fuera por el colector si hubieras querido que me atraparan. Quieres jugar con ventaja. Lo entiendo.

Estoy seguro de que serías una extraordinaria jugadora de póquer.

—No me gusta el póquer.

—No importa. El concepto es el mismo. Pero deberías aprender. Yo te enseñaré.

—No quiero que me enseñes nada. Y no sabes nada de mí.

—Sí, sí que sé. Aunque no hubiera tenido la oportunidad de estudiarte a fondo, te conocería. Con algunas personas simplemente sientes una conexión.

Ella no podía negar esa verdad, puesto que había sentido lo mismo cuando conoció a Trevor.

—¿Por qué me llamaste?

—Por la misma razón que no le has dicho a Eve que era yo quién había llamado. He pensado que ya era hora de que nos viéramos. Era demasiado peligroso esperar más. Él aparecerá en cualquier momento.

—Ha asesinado a una mujer en Charlotte y a otra en Richmond. Eve piensa que puede que me haya tachado de su lista.

—No, no lo piensa. Es demasiado desconfiada. Es sólo una esperanza. Él no va a tacharte de su lista. Ha utilizado los asesinatos para alejar a Quinn y convencer a la policía de Atlanta que ya no necesitas tanta vigilancia.

—Joe no me ha dejado sin protección.

—Yo he llegado hasta ti.

—Porque yo lo he permitido. ¿Cuánto le has pagado a esa mujer para que hiciera esas llamadas?

—No mucho. Sólo tenía que seguir llamando hasta que respondieras tú en lugar de Eve. Le dije que era una historia de amor como la de Romeo y Julieta y ella tenía un corazón romántico. Siempre es más conveniente confiar en las emociones que en las amenazas.

—¿Y qué quieres de mí?

—Quiero que hables con Quinn y le digas que quiero hacer un trato. Si me deja ayudarle a atrapar a Aldo, me entregaré cuando todo haya terminado.

—¿Por qué lo haces a través de mí? Un estafador como tú debería poder pactar sus propios tratos.

—Estoy de acuerdo. Va contra mis principios confiar en otra persona. Pero el tiempo es esencial y Quinn tiene la tendencia a oponerse a todo lo que yo digo. Tú eres inteligente y puedes prepararme el terreno. Yo haré el resto.

—Joe no hace tratos.

—Pruébalo. Éste no es un caso habitual. Tiene un interés especial en que sigas viva. Estoy seguro de que estará dispuesto a arriesgarse a perder a un pez pequeño como yo para atrapar a uno gordo como Aldo.

—No está seguro de que seas un pez pequeño. Puede que seas una barracuda.

—Aunque lo fuera, lo que es seguro es que no voy por ahí asesinando a mujeres indefensas o torturando perros. Pero por si estoy equivocado, ¿tienes teléfono móvil?

—Sí. Eve me regaló uno para mi cumpleaños.

—Ya tienes mi número de móvil. Guárdatelo en la agenda de tu móvil para que puedas hacer una marcación rápida si lo necesitas. No estaré demasiado lejos de ti.

—¿Me estás ofreciendo tu protección? No quiero tu protección. Quiero información. Eso es lo que siempre he querido de ti.

—Y si te digo lo que quieres saber, te alejarás de mí y me excluirás. No te lo voy a permitir.

—Y si no vas a decirme lo que quiero saber, ¿qué me impide gritar para hacer que te arresten?

—No te he dicho que no fuera a darte información. Te diré lo suficiente para ayudarte, pero no pasa que mi presencia te resulte innecesaria. —Guardó silencio durante un momento—. Pero como señal de buena fe, dejaré que ahora me hagas dos preguntas.

—¿Quieres una pregunta? Dime por qué Aldo está asesinando a todas esas mujeres que se parecen a mí.

Dudó un momento.

—Si te contara eso ahora iría en mi contra. Pregunta otra cosa.

—Bueno, te has cargado esta pregunta. Muy bien, si quieres atrapar a Aldo, ¿por qué no cooperaste con Joe en lugar de intentar engañarle?

—Quinn quiere pescar a Aldo y ponerme a mí entre rejas.

—¿Y tú?

—Yo lo que quiero es estar treinta minutos a solas con Aldo.

—¿Y luego se lo entregarás a Joe?

Guardó silencio.

—Quinn lo tendrá... al final.

—Muerto. —Su intención no podía ser más clara, pero no le sorprendió—. Quieres matarle.

—Tiene que morir. No puedo arriesgarme a que lo dejen libre. Quinn, tampoco. Volvería a ir a por ti. Nunca se detendrá.

—Y tú estás muy preocupado por mí. —Su tono de voz era de escepticismo—. Chorradas.

—No deseo que te asesinen.

—Pero sería estúpida si no me diera cuenta de que quieres utilizarme para atrapar a Aldo. Me consideras prescindible, ¿no es cierto?

No respondió enseguida.

—Te he hecho vigilar durante semanas. Me han tenido informado sobre todos tus movimientos. Sé lo especial que eres Jane.

Su voz era suave y persuasiva, casi seductora y estaba teniendo un extraño efecto hipnótico sobre ella. Aunque no podía verle, era como si lo tuviera delante. Podía notar la intensidad, el carisma, la inteligencia que eran más atractivas para ella que su agraciado rostro.

—Deja de engatusarme. ¿Cuánto puedes saber sobre mí por un informe?

—Lo suficiente. Habría venido yo mismo a vigilarte, pero no me atreví. Tenía que conservar mi objetividad. Sabía que no tendría ninguna oportunidad.

Notó calor en sus mejillas y nada tenía que ver con el sol. ¡Señor, era muy bueno! Estaba jugando con sus emociones como un director de orquesta, conmoviéndola, excitándola, haciéndole creer cada palabra. Tenía que terminar con eso.

—No me has respondido. Me consideras prescindible.

No respondió en seguida.

—Lamento profundamente todo lo que te pasa.

Eso era lo que necesitaba. Esa respuesta supuso una fría dosis de realidad que le ayudó a controlar su respuesta respecto a él.

—No lo suficiente como para interrumpir tus planes, venir aquí y ayudar a Joe.

—A Joe le ayudará trabajar conmigo. Nadie puede ayudarle más. Conozco muy bien a Aldo. A veces hasta creo que puedo leer la mente de ese cabrón. He estado a punto de atraparle un par de veces. La otra noche le habría pillado si no hubiera tenido que preocuparme por tu maldito perro. —Se calló—. Ahora he de marcharme. Estos bosques están plagados de compañeros de Joe. Me he arriesgado mucho viniendo aquí.

—Espera. Me has dicho que podía hacerte dos preguntas.

—Ya has hecho más de dos.

—En realidad no. Estaban relacionadas.

Trevor se rió entre dientes.

—Ya te estás quejando. Debería haberlo supuesto. Muy bien, pregunta.

—Las cenizas. Joe dijo que el laboratorio no podía identificar su origen. ¿Sabes de dónde son?

—Sí. Pero creo que debería guardarme esa información para tener un as en la manga.

Jane emitió un sonido de fastidio.

—Eludes todas las preguntas que te hago. Quizá vayas de farol. Quizá no tengas nada que ofrecernos.

Durante un momento no dijo nada.

—Vesubio. ¿Satisfecha?

A Jane le dio un brinco el corazón.

—Entonces, ¿Aldo es italiano?

—Las cenizas son del Vesubio —repitió.

—El laboratorio dijo que podían ser de la isla Montserrat o de Indonesia.

—Aldo ha mezclado cenizas de los tres volcanes para despistar a los investigadores, pero la mayoría de los fragmentos son del Vesubio. Llámame cuando hayas hablado con Quinn.

—Dijo que a veces los científicos podían saber hasta de qué orificio habían salido. ¿Conoces esa localización?

No respondió.

Se había marchado.

Esperó unos segundos y se levantó. Sentía una gran excitación mientras regresaba a la cabaña. Tenía que hablar con Eve y luego llamar a Joe. Estaba claro por qué Trevor había elegido acercarse a Joe a través de ella. Sabía que ella intentaría convencerle. Tenía razón. Era la primera vez en varios días que sentía que empezarían a pasar cosas, que podría salir y hacer algo, cumplir algún objetivo. Lo único que tenía que hacer era sacar a escena a Trevor y empezaría la reacción en cadena.

Vesubio...

—¿Vesubio? —repitió Joe—. Podría ser otro farol. Podría estar poniéndonos una zanahoria delante de las narices para hacernos pensar que sabe más de lo que en realidad sabe.

—Supongamos que nos está diciendo la verdad y que la Interpol indaga la posibilidad de que Aldo realmente comenzara su carrera en Italia —dijo Eve—. Eso no nos haría ningún mal.

—Por supuesto que sí. Nos haría perder un tiempo del que no disponemos. Ese bastardo va por ahí asesinando mujeres y nosotros no podemos echarle el guante.

—¿No hay pistas en el asesinato de Richmond?

—Cenizas.

—Entonces, es él —susurró Eve—. Quizá Trevor esté equivocado. Quizá se haya olvidado de Jane.

—Y quizá tenga razón. La capitana ya está empezando a decir que deberíamos reducir la vigilancia de Jane puesto que parece que la amenaza ha disminuido.

—Has de elegir.

—Ya lo sé, maldita sea. —Se calló un momento—. Dile a Jane que se ponga.

Eve se acercó a Jane, que estaba sentada en el sofá al otro lado de la sala. Ella asintió con la cabeza y descolgó el supletorio.

—No creo que Trevor esté mintiendo, Joe. No te habría dicho nada de su propuesta si así lo creyera.

—Ha demostrado ser un experto en el arte del engaño.

—Pensé que valía la pena probar. Ahora deja de refunfuñar y dime lo que piensas hacer.

—No hago tratos con delincuentes.

—Eso es lo que le dije, pero él me respondió que puede que esta vez hicieras una excepción para atrapar a Aldo. Como es lógico, esperaba que yo te persuadiera. —Se calló un momento—. Eso es lo que iba a hacer, pero al final he pensado que mejor lo dejo en tus manos.

—¡Qué magnánima!

—Pero, por si te sirve de algo, creo que Trevor puede ser un elemento clave para dar con Aldo. Y creo que tú piensas lo mismo.

Joe guardó silencio unos segundos.

—¿Y tú que vas a hacer si yo no acepto el trato? ¿Si Trevor te vuelve a llamar, saldrás corriendo a reunirte con él?

—No correría, pero pensaría en ello.

—Y luego te irías.

Jane tardó unos segundos en responder.

—Aldo hirió a Toby. Le hizo *daño* y fue culpa mía.

—¡Por el amor de Dios!

—Lo siento si te enfadas, pero no voy a volver a mentirte.

—Sí que me enfado. Estoy furioso y frustrado y me gustaría darle un puñetazo a alguien.

—¿Qué vas a hacer Joe? —preguntó Eve con tono tranquilo.

—Ya te lo diré cuando lo haga. —Colgó.

Jane hizo una mueca mientras dejaba el auricular en su sitio.

—¿Qué posibilidades crees que hay de que acepte pactar con Trevor?

Eve también colgó.

—¿Cómo quieres que lo sepa? Ya me has oído. Depende de él, pero tú has hecho lo que has podido para persuadirle.

Jane abrió los ojos con expresión de sorpresa.

—¿Qué quieres decir? Ya me has oído. Lo he dejado en sus manos.

—Supuestamente, pero le has planteado la amenaza de peligro contra tu vida de una forma muy astuta. Has apretado todas las teclas correctas. —Sus miradas se encontraron—. Le has manejado con la habilidad de Henry Kisinger. Me has dejado alucinada.

—Yo nunca «manejaría» a Joe —dijo Jane genuinamente compungida—. Pensaba que ya sabías eso, Eve.

—Quizá no intencionadamente, pero mientras hablabas con él estudiaba tu cara y era casi como si estuviera observando a una persona desconocida. —Se encogió de hombros cansinamente—. Quizá sean imaginaciones mías. Has dicho todas las palabras adecuadas. Quizás estoy viendo cosas que no son. —Se levantó—. Me voy a la cama. Si vuelve a llamar Joe, ya te diré lo que ha decidido.

—Gracias. —Jane todavía la miraba con preocupación—. Nunca le haría eso a Joe. A mí tampoco me gusta que intenten persuadirme. Sólo estaba siendo sincera.

—Entonces, olvida todo lo que te he dicho. Estoy muy cansada y estresada en estos momentos; probablemente estoy viendo monitos verdes. —Eve se dirigió hacia su dormitorio—. Buenas noches, Jane.

Era casi como si estuviera observando a una persona desconocida.

Jane se estremeció mientras se dirigía al porche después de que Eve se hubiera ido a la cama. Su conversación con Joe, las palabras que había elegido habían sido totalmente inconscientes. Era como si llevara puesto el piloto automático.

Sin embargo, mientras las pronunciaba sabía que eran las palabras justas para llevarle a su terreno. Era como si hubiera hecho eso toda su vida. Le había parecido totalmente natural y no se había dado cuenta hasta que Eve se lo había dicho. Su primer instinto fue negarlo, pero ahora no estaba segura de que no hubiera intentado manipular a Joe. ¿Y qué tipo de persona le había hecho actuar así? Toby movió la cola y le tocó la pierna con su pata.

Ella se agachó y le acarició la cabeza.

—Vale, vale pequeño.

Se sentía mal y estaba intentando consolarse. Necesitaba ese consuelo. Ella odiaba las mentiras y las artimañas y últimamente había caído en ambas cosas.

¡Jesús!, además le habían surgido con mucha facilidad...

Debía aceptar que era imperfecta y capaz de manipular, así que tenía que estar atenta. Ella controlaba sus propias acciones y tenía que ir con cuidado para no herir a Eve o a Joe. Le daba miedo reconocer que no se había dado cuenta de lo que estaba haciendo.

Olvídalo. No volverá a suceder.

Maldito Aldo por ponerla en esa situación en la que tenía que admitir que era capaz de enredar hasta las personas que tanto amaba para conducirlas adonde ella quería.

Annapolis, Maryland

La barra estaba abarrotada, pero eso era bueno para él. Reducía las posibilidades de que alguien recordara a un hombre sentado a la barra. Se aseguró de que su maquillaje y su ropa no llamaran la atención; la clave siempre era confundirse entre la gente.

Aunque era algo difícil mezclarse entre unos clientes cuya mayoría eran cadetes de Annapolis, pensó Aldo. Tenía que asegurarse de que nadie le viera observando a la joven que jugaba a los dardos al otro lado del local. Aunque no era difícil observarla cuando ella hacía todo lo posible por llamar la atención. Con su uniforme de cadete y su pelo corto, Carrie Brockman era masculina y ruidosa. Se reía, silbaba y hacía bromas con los otros jugadores. Era extrovertida y bulliciosa.

No era como Cira, a la que le bastaba entrar silenciosamente en una habitación para que todos los ojos se fijaran en ella.

Era casi sacrílego que esa mujer poseyera sólo algunos rasgos de Cira y ninguno de su carisma.

No era como Jane MacGuire.

No tenía que pensar en Jane MacGuire. No tenía que compararla con esa mujer o no podría hacer lo que tenía que hacer. El acto que cometió con la mujer de Richmond le había hecho sentirse un tramposo y eso no podía volver a suceder.

—¿Otra copa?

Era el barman.

—Sí, por favor. —Aldo hizo una mueca—. La necesito para poder mirar a estos críos. Cada vez que vengo aquí a ver a mi hijo regreso a casa sintiéndome cien años más viejo. ¿Cómo lo hacen?

El barman se rió.

—Juventud. —Le sirvió otro Bourbon—. ¿No es justo, verdad? —Se dio la vuelta y se dirigió a un cadete que le estaba haciendo señas desde el otro extremo de la barra.

Pero la juventud no tenía por qué ser burda e ignorante. Podía estar llena de gracia, pasión y elegancia.

Como Cira.

Se estremeció de desagrado al oír a Carrie Brockman reírse escandalosamente al otro lado de la barra. Le gustó esa sensación.

Sí, quería sentir ese asco. Eso haría que su muerte fuera mucho más satisfactoria.

Richmond, Virginia, 04:43

La llamada despertó a Joe de un sueño profundo.

—Has dicho que querías saber cualquier novedad sobre el asunto —dijo Christy—. Una joven cadete ha sido hallada muerta en un área de servicio a las afueras de Baltimore, hace tres horas. Ningún intento de ocultar su identidad, salvo por el rostro. Comprobaron las huellas dactilares y descubrieron que eran las de Carrie Ann Brockman, veintidós años, cadete en Annapolis.

—¡Mierda!

—Cada vez es más atrevido. No lleva más de ocho horas muerta y prácticamente no ha intentado ocultarla en los matorrales del área. La ha tirado de cualquier manera, ha dejado las cenizas y se ha largado. Es arrogante como el demonio. ¿Se está burlando de nosotros?

—Quizá.

—Si se está volviendo tan descuidado, pronto le atraparás. ¿Te vas a Baltimore?

Otra ciudad, otro paso, que le llevaban cada vez más lejos de casa.

Tienes que elegir, le había dicho Eve.

Arriesgarse a que Trevor le estuviera diciendo la verdad u optar por la posibilidad de que Aldo fuera tan estúpido como para caer en sus manos. De cualquier modo podían engañarle.

De modo que mejor confiar en el instinto.

—No. —Saltó de la cama—. Estate al corriente de lo que sucede en Baltimore. Yo me vuelvo a Atlanta.

—Me ha dicho que prepare un encuentro con Trevor. —Jane colgó lentamente el teléfono—. Vuelve a casa, Eve.

—Gracias a Dios. —Estudió la expresión de Jane—. No te veo contenta. ¿Por qué no? Eso es lo que querías.

—Lo sé. —Se mordió el labio inferior—. Sigo creyendo que es lo mejor. Sólo que... siento como si hubiera puesto algo en movimiento que me asusta.

—Deberías haberlo pensado antes cuando Trevor te utilizó para traer a Joe.

Jane se puso tensa.

—Él no me utilizó. Yo no dejo que... —Sonrió—. Me estás tomando el pelo, ¿verdad? Pues no lo vas a conseguir. No utilicé a Joe intencionadamente.

—Si creyera eso, te estaría diciendo algo más fuerte de lo que te he dicho. —Se dio la vuelta—. ¿Cuándo y dónde será el encuentro?

—Joe no quiere que sea más tarde de mañana, aquí en el bosque, al otro lado del lago. Le he dicho que quería ir con él.

—Yo también.

Ella asintió con la cabeza.

—Mac y Brian no nos seguirán siempre que vayamos juntas con Joe. —Ella sonrió—. Me dijo que tuviéramos claro que la tregua con Trevor terminaría en cuanto atraparan a Aldo. Y me ha dicho que le vería en el infierno antes de entregarle a un prisionero.

—No podías esperar ninguna otra reacción. Puede que Trevor no acepte el trato.

—Creo que sí lo hará. Suele pedir más de lo que sabe que va a obtener. Toma lo que puede y luego se las ingenia para conseguir el resto.

—¿De verdad? —Eve ladeó la cabeza—. «Suele». ¿Cómo caray sabes lo que suele hacer?

—No lo sé. Quiero decir... —Había hablado sin pensar, su mente estaba en el encuentro de mañana—. Por supuesto que no lo sé. ¿Cómo podría saberlo? Pero todos tenemos impresiones y él, sin duda alguna, provoca una fuerte impresión.

—Así es —dijo Eve—. Y es evidente que a ti te ha impresionado especialmente.

—Pero eso puede ser bueno. Siempre es bueno tener una idea del carácter de las personas con las que has de tratar.

—Siempre que no te equivoques.

Jane asintió.

—Por supuesto. —Pero no se equivocaba. No respecto a Trevor. Toda ella irradiaba esa convicción—. No obstante, Joe no confiará en mi intuición. A él le bastan sus propias opiniones.

—Me lo vas a decir a mí —dijo Eve tajante—. Y no se lo va a poner fácil a Trevor.

—Trevor estuvo en Roma hace cuatro años —dijo Christy cuando Joe respondió al teléfono mientras conducía de regreso a casa desde el aeropuerto esa misma noche—. Es sospechoso de robar unas antigüedades que se habían encontrado cerca de un acueducto en el norte de Italia. No hubo arresto.

—¿Alguna conexión con Aldo?

—De momento, no. —Christy hizo una breve pausa—. Me alegro de que vuelvas a casa, Joe. Es mejor.

Se quedó paralizado.

—¿Por qué es mejor?

—Tú perteneces aquí.

—¿Y tú no puedes hablar? ¿La capitana quiere decírmelo personalmente? Deja que lo adivine. La capitana está retirando la mayor parte del despliegue policial para proteger a Jane. Consideran que no es necesario, puesto que es evidente que Aldo se ha trasladado. ¿Cuándo retiran a los muchachos?

—Mañana.

—¿A todos?

—Te dejan a ti, a Mac y a Brian.

—Mejor eso que nada. Lo estaba esperando. —Y Trevor le había dicho a Jane que Aldo lo había planeado para que así fuera—. Gracias por ponerme al corriente Christy.

—Como te he dicho, es mejor que vuelvas a casa.

—Estoy de acuerdo.

—Te llamaré en cuanto tenga noticias de la policía italiana para averiguar qué estaba haciendo Trevor en Roma.

—Hazlo. —Colgó.

Y mañana le haría la misma pregunta a Trevor, pensó preocupado.

—¿Dónde demonios está? —dijo Joe con cara de pocos amigos mientras su mirada escudriñaba el bosque que rodeaba el claro—. Llega treinta minutos tarde.

—Vendrá —dijo Jane—. Me lo prometió.

—Y la promesa de Trevor probablemente valga menos que el aire que emplea para hacerla.

—Estoy herido. —Trevor salió del bosque—. Al fin y al cabo un hombre vale lo que vale su palabra. Al menos eso es lo que dicen los filósofos. Personalmente, creo que es una visión...

—Llegas tarde —dijo Joe tajante.

—Tuve que dar un pequeño rodeo. Sólo me estaba asegurando de que al final no hubieras pensado que vale más pájaro en mano... —dijo haciendo una mueca de dolor—. Me parece que hoy es mi día de frases hechas. Lo siento. —Se giró hacia Eve y Jane—. No es que no confiara en vosotras, pero Quinn es más brusco e impredecible. Es un buen elemento, como yo.

—No me parezco a ti en nada.

—Siento no estar de acuerdo. —Sonrió—. Pero yo tengo la ventaja de haber estudiado tu carácter. Por eso pensé que podrías estar dispuesto a cooperar. —Levantó la mano en cuanto Joe empezó a hablar—. ¡Ah!, Jane me ha dicho que no estabas dispuesto a servirme en bandeja la cabeza de Aldo. Al menos, no por el momento. Apuesto a que cambiarás de opinión antes de que termine este asunto. Eres muy protector con tu familia.

—Información —dijo Joe.

—Necesito ciertas garantías —dijo Trevor.

—Y yo necesito respuestas. Habla.

—No voy a ser un insensato. Me gustaría cooperar activamente en encontrar a Aldo y alojarme en vuestra cabaña, pero sé que no me queréis bajo vuestro techo. De modo que lo que te pido es que me dejes estar cerca de Jane y que me avises si Aldo se le acerca. —Apretó los labios—. Probablemente lo sabré, pero no quiero correr ese riesgo.

Joe guardó silencio.

—No está pidiendo demasiado, Joe —dijo Jane en voz baja—. Menos de lo que yo esperaba.

—Decidiré yo. Tú ya sé de qué lado estás.

—¿Qué de qué lado estoy? —preguntó Jane—. Dímelo tú. Quiero vivir y quiero a Aldo. Si piensas que eso implica estar sólo de tu bando, te equivocas.

Joe miró a Eve.

Ella se encogió de hombros.

—Es tu trabajo lo que está en juego. Yo aceptaré cualquier decisión que tomes.

—Eso es una prioridad.

Ella sonrió.

—Hasta que decidas que es una decisión equivocada.

Parte de su aire funesto desapareció.

—Eso es mejor. Temía que estuvieras enferma. —Se volvió hacia Trevor—. Trato hecho, y si por alguna razón cambio de opinión, te avisaré. Es lo único que puedo prometerte.

—Con eso basta —dijo Trevor—. No esperaba mucho más.

Eve miró a Jane de reojo.

—¿Pide la luna y se conforma con lo que pueda conseguir? ¿Es tu forma habitual de actuar?

Trevor sonrió.

—Nunca se gana si no se apuesta fuerte. —Se volvió hacia Joe—. Pregunta.

—¿Dónde está Aldo?

—No lo sé. Pero si lo supiera estaría siguiéndole la pista. Si su última víctima ha sido en Baltimore, supongo que irá más hacia el norte para cometer su siguiente asesinato. Querrá hacernos creer que se aleja de Jane

—¿Tan seguro estás de que volverá? ¿Por qué?

La mirada de Trevor se dirigió hacia Jane.

—Porque ella es perfecta —dijo suavemente—. Y él lo sabe. La ha encontrado.

—Quizá sólo sea tu opinión. Esas otras mujeres se parecían...

—¿Encontrado a quién? —Jane se adelantó para estar cara a cara con Trevor—. ¿A quién cree haber encontrado? ¿Y por qué quiere matarla?

Trevor sonrió.

—Eso ya me lo has preguntado antes. De hecho, esperaba que fuera la primera pregunta de Quinn.

—Dímelo.

—Está buscando a una mujer que piensa que puso a su padre en su contra y que fue la única responsable de su muerte.

—¿Lo hizo?

—Quizá.

—Por lo tanto, la odia.

—Y la desea. A veces los sentimientos se confunden cuando se está desquiciado.

—¿La desea hasta tal punto que intenta destruir su imagen cuando la encuentra? —Joe sacudió la cabeza—. Es un carnicero.

Trevor asintió con la cabeza.

—Pero tuvo relaciones sexuales con las primeras víctimas. Probablemente, tuviera esperanzas de haberla encontrado y pensaba que el sexo sería la humillación final. Pero luego se dio cuenta de que el mundo es muy grande y que había muchas mujeres que se parecían a ella. Se siente con la obligación de asesinarlas, de destruir su parecido, pero no le apetece tener sexo con ellas, puesto que no son la verdadera; sólo lo hace para cumplir su deber.

—Deber —repitió Jane—. ¿Por qué?

—Porque se parecen a ella y no les puede permitir que se escapen —dijo Trevor—. No puede soportar que ninguna mujer que se le parezca siga viva. Han de morir.

Jane movió la cabeza.

—Eso no tiene sentido. Esas mujeres... Son de todas las clases sociales. Si las ha seguido, si las ha cazado es porque sabía algo de ellas. Debía saber que no podían ser la mujer que sedujo a su padre.

—Según su forma de pensar existe una probabilidad.

—Tonterías. Y si Aldo es tan inteligente como para seguir a todas esas mujeres con su rostro, mi rostro, ¿por qué no investigó? —dijo Jane haciendo gestos con una mano—. ¿Por qué no fue a la policía o contrató a un detective privado para encontrar a la verdadera culpable?

—Habría sido muy difícil.

—No tanto como asesinar a once mujeres por si eran la que él estaba buscando.

—Sí, lo habría sido.

—¿Por qué? —Jane estaba temblando cuando se dio cuenta. No quería que le respondiera. ¿Qué demonios le pasaba?

Él la miró directamente a los ojos.

—No temas. Yo cuidaré de ti.

—No necesito que cuides de mí. Sólo dime por qué no podría encontrarla.

—Porque Cira lleva muerta unos dos mil años.

Sintió como si le hubieran dado un puñetazo en el estómago. Al principio, sólo había entendido el nombre que él había mencionado.

—Cira... —susurró ella—. ¿Su nombre es Cira?

Joe emitió un gruñido de hastío.

—¿Un cadáver de dos mil años? ¿Adónde demonios quieres ir a parar, Trevor?

—Espera, Joe —dijo Eve, mirando a Jane—. Déjale hablar.

—Está asustando a Jane, maldita sea.

—Ya me doy cuenta. Déjale hablar.

Jane apenas les oía.

—¿Cira? —Cerró los puños—. ¿Está usted buscando a Cira?

—¿Cira qué? —preguntó Joe.

—Nadie conocía su apellido. —Trevor no apartaba la mirada de Jane—. Ella sólo era Cira. Cira la magnífica, Cira la divina, Cira la hechicera.

—Corta el rollo —dijo Eve tajante—. Estamos perdiendo la paciencia. ¿Cómo podía una muerta de dos mil años haber asesinado al padre de Aldo?

—Lo siento. —Trevor apartó la mirada de Jane y sonrió a Eve—. De hecho, Cira no fue la culpable. Su padre se murió cuando intentó sellar el túnel con una explosión.

—¿Túnel? —repitió Eve.

Trevor asintió.

—Ese bastardo egoísta lo quería todo para él. Quiso sellar la entrada, pero no era muy hábil con los explosivos y falleció en la explosión.

—¿Dónde sucedió eso?

—En el norte de Italia —dijo Joe—. Hace cuatro años ¿verdad?

—Caliente —dijo Trevor—. Debes haber estado muy ocupado si me has seguido la pista hasta tan atrás. Fue hace cuatro años y se suponía que el trabajo se iba a realizar en el norte de Italia. Pero surgió algo más interesante.

—¿Aldo?

—No, Aldo estaba en la sombra por aquel entonces. Guido, el padre de Aldo.

—¿Cuál era su nombre completo?

Trevor dudó antes de responder.

—Guido Manza.

Joe soltó un taco.

—Maldito seas, ¿has sabido el apellido de Aldo todo este tiempo y nunca se lo has dicho a la policía? Algunas de esas mujeres todavía podrían estar vivas.

—No me enteré de lo que estaba haciendo ese bastardo hasta que abandonó Italia y se fue a Inglaterra. Pensaba que sólo estaba huyendo de mí hasta que vi la foto de la mujer que había asesinado en Brighton en el *Times*. En cuanto vi el parecido me di cuenta de la conexión y empecé a seguirle la pista.

—¿Por qué iba a huir de ti?

No respondió.

—¿De qué le hubiera servido un nombre a Scotland Yard? Utilizaba una identidad falsa y no había modo de utilizar a sus amigos o familiares para atraparle. Aldo era un solitario.

—Descripciones. Podían haber puesto fotos suyas en los periódicos.

—Aldo quería ser actor. Estudió vestuario y maquillaje en Roma antes de que su padre le desterrara a la excavación. Ésta es una de las razones por la que era tan difícil seguirle el rastro cuando empezó a asesinar. Es un experto del disfraz. Es experto en bastantes cosas. Es realmente brillante.

—Todo esto son excusas.

—No te estoy dando razones. —Se encogió de hombros—. Pero tienes razón. Según tu punto de vista lo he hecho todo mal.

—Porque querías atrapar a Aldo tú mismo —dijo Jane.

—Por supuesto. Ya te lo he dicho. Ha de morir.

La realidad de esas palabras escalofrió a Jane. Tenía razón: había dicho antes esas palabras, pero en este momento parecían más reales. Más aterradoras. Antes le había entusiasmado, sentía que era un reto, se sentía segura. Antes no se sentía segura. Se notaba abatida, como si el mundo entero estuviera dando vueltas.

—¿Por qué? —preguntó Joe.

—¿Qué? —La mirada de Trevor volvió a posarse en el rostro de Jane—. ¡Ah!, porque se lo merece. ¿Por qué si no? —Se dio la vuelta—. Ella ya ha tenido bastante. Llevadla a la cabaña. Ya me pondré en contacto con vosotros más tarde.

—Quiero saber...

—Ya ha tenido bastante —repitió Trevor girando la cabeza—. Tendréis vuestras respuestas pero no hasta que ella sea capaz de asimilarlas.

—Estoy bien —dijo Jane. Se sentía un poco estúpida. Tenía que dominarse.

—Sí, lo sé —dijo Trevor—. Pero no es urgente. Necesitas tiempo para digerir lo que te he dicho.

—No me has dicho nada. Ese túnel, ¿dónde está?

Trevor se alejaba.

—Más tarde.

—¿Dónde está? Dímelo *ahora*.

—No te enfades. No tengo intención de guardar secretos. Bueno, quizás algunos. Pero no éste. —Ya había llegado a los árboles—. Herculano.

Capítulo 9

Cira.

Muerta hacía más de dos mil años.

Herculano.

—Ve a estirarte. —La mirada preocupada de Eve se dirigió al rostro de Jane—. Estás blanca como el papel. Quizá Trevor tenía razón al decir que te lleváramos a casa.

—Dejad de preocuparos. No me pasa nada. —Sonrió de manera fantasmagórica—. Y Joe piensa que no tiene razón. —Miró a Joe, que no había dejado de hablar con el cuerpo desde que habían llegado a la cabaña, dándole a Christy la información que Trevor le había dado sobre Guido Manza.

—No soporta los retrasos. No le gusta que le tomen el pelo y que primero le pongan la alfombra y que luego se la quiten de debajo de los pies. Le gusta que todo esté expuesto con claridad. —Ella puso mala cara—. Y no puedes decir que lo que nos dijo Trevor estaba claro.

—Estaba lo suficientemente claro para alterarte a ti. —Eve hizo una pausa—. Casi entras en estado de *shock* cuando mencionó ese nombre —repitió ella lentamente «Cira. Y el túnel eran demasiadas coincidencias...».

—No quiero hablar de ello. —Jane se dio la vuelta y se alejó con rapidez. Tenía que salir de ahí cuanto antes. Estaba aguantando el tipo en un acto de fuerza mayor—. Quizás esté un poco cansada. Me iré a descansar hasta la hora de cenar.

—No puedes huir de mí, Jane. Dejaré que me lo digas más tarde, pero no te calles lo que quiera que te esté preocupando.

—Lo sé. —Se fue hacia el pasillo—. Pero a mí también me ayudaría saber qué es lo que me preocupa. En estos momentos estoy confundida.

—No eres la única. Trevor ha lanzado una bomba y se ha marchado. No me extraña que Joe esté enfadado.

—Herculano... —Frunció el entrecejo—. Me suena, pero ¿dónde caray está Herculano?

—En Italia —dijo Eve—. Fue destruida por una erupción del Vesubio a la vez que Pompeya.

—Qué raro. —Jane abrió la puerta de su dormitorio—. Estoy segura de que Trevor no nos dejará mucho tiempo con esta incógnita. Hablaremos luego. —Se apoyó en la puerta mientras la cerraba. ¡Señor!, tenía las piernas como un flan. No soportaba sentirse tan débil.

Y no había razón para ello. Puede que fuera una coincidencia.

Sí, seguro. Cira era un nombre muy común.

Si no, ¿qué otra explicación había? ¿Estaba soñando con una mujer que había muerto hacía dos mil años? Inmediatamente rechazó ese pensamiento. No había nada de antiguo en los procesos de pensamiento de la Cira que ella conocía. Jamás se había cuestionado que Cira no fuera una mujer actual. Cada pensamiento, cada intuición, Jane los conocía perfectamente.

¿Quizá demasiado bien?

Eso es cuestionarse cada recuerdo e impulso. Ésa era la forma de volverse loca. Ni siquiera conocía la historia de la mujer a la que Trevor llamaba Cira. ¿Quién sabe? A lo mejor ella había captado algunas vibraciones extrañas de Aldo que se habían filtrado en sus sueños.

Pero Aldo no había aparecido en su vida hasta varias semanas después de que hubieran empezado los sueños.

A lo mejor era médium y no lo sabía. Había oído hablar de la transmisión telepática.

En realidad estaba captando algo, pensó con desagrado. Lo próximo que vería serían alienígenas o esos pequeños monitos verdes que había mencionado Eve. Tenía que haber una explicación, y ya fuera extraña o pragmática, tendrían que enfrentarse a ella y manejarla de algún modo, entonces, todo se arreglaría.

Y eso es lo que habría hecho Cira.

No, eso es lo que Jane haría. Cira era un sueño y nada tenía que ver con la realidad. Ya se estaba empezando a sentir mejor, más fuerte. Lo único que necesitaba era un poco más de tiempo para superar el *shock* y darse cuenta de que todo estaba bajo control.

Se puso en pie y se fue al baño. No se iba a acurrucar en la cama y «descansar». Se lavó la cara y encendió el ordenador para ver si podía hallar alguna referencia histórica sobre Cira de Herculano. Era muy probable que encontrara información, quizás una línea o dos que hubiera leído, olvidado y luego la hubiera procesado en sus sueños. Si eso no funcionaba, llamaría a la biblioteca municipal y preguntaría si sabían algo sobre el tema o podían indicarle dónde buscar. Antes de que Trevor hubiera lanzado ese bombazo, ella había aceptado esos sueños con curiosidad y fascinación, pero ya no podía seguir haciéndolo. Si existía algún fragmento de realidad que tuviera relación con Cira tenía que descubrirlo y saber de qué forma estaba relacionado con ella.

Dos horas después se reclinó en su silla y miró al ordenador con frustración. Los bibliotecarios tampoco habían podido acceder a ningún documento que hiciera referencia a Cira. Muy bien, no te sulfures. Tenía que haber una respuesta. Sólo tenía que descubrirla.

Y la única fuente de información sobre Cira parecía ser Trevor, ¡maldito sea!

Cira *y* Aldo.

Intentaba sofocar su impaciencia. Mantenerse ocupada. Ve a preparar la cena. Siempre había notado que si te concentrabas en hacer bien las cosas pequeñas, las grandes también acababan poniéndose en su lugar.

Llámame, Trevor, estoy preparada para ti.

Calor.

El humo empezaba a salir de las rocas.

Antonio estaba delante, se movía con rapidez.

Más deprisa. Evita toser. Él no debía darse cuenta de que ella le estaba siguiendo.

¡Ya no estaba!

No, debe haber desaparecido de mi vista en alguna curva del túnel.

No podía perderle. Había llegado hasta allí y ya no había marcha atrás.

Empezó a correr.

No le pierdas. No le pierdas.

Giró la esquina.

—¿No podemos hacer el resto del camino juntos? —La silueta de Antonio resaltaba entre las rocas resplandecientes.

Ella derrapó antes de detenerse.

—Sabías que te estaba siguiendo.

—Sabía que era muy probable. Eres inteligente y no quieres morir. —Le extendió la mano—. Segunda oportunidad, Cira. Para mí y para ti. Ambos sabemos que las segundas oportunidades no se producen muy a menudo. Podemos hacer que esto funcione. —Hizo una mueca de preocupación—. Si salimos de aquí a tiempo.

—No quiero una segunda oportunidad contigo.

—Me amaste una vez. Puedo hacer que vuelvas a amarme.

—Tú no puedes obligarme a hacer nada. Soy yo quien elije. Siempre.

—Eso es lo que yo he dicho siempre. Pero estoy dispuesto a ceder... un poco. Por ti. —Tosió—. Cada vez hay más humo. No me voy a quedar aquí suplicando. No vale la pena morir por ninguna mujer, pero puede que valga la pena vivir por ti.

—Lo que quieres es el oro y no puedes sacarlo de aquí sin negociar con Julio.

—Quizá no sea bajo las circunstancias habituales, pero el mundo se acaba esta noche. Puede que Julio también acabe con él o que podamos huir a un lugar donde no nos encuentre nunca.

—Y donde tú puedas ser emperador —dijo ella sarcásticamente.

—¿Por qué no? Sería un emperador magnífico.

—¿Tal vez en algún pueblo primitivo queriendo huir de Julio?

—No sería primitivo por mucho tiempo si los dos estuviéramos allí.

Estaba ejerciendo ese encanto que era lo que le había atraído de él en un principio y la fuerza de su personalidad era casi insoportable. No debía dejarse seducir por él. Era demasiado peligroso.

Pero también era hermoso como un dios y poseía un encanto perverso e irresistible que hacía parecer que valiera la pena el riesgo.

—No me des toda tu confianza —le dijo—. Ve paso a paso. Sólo deja que te saque de aquí.

Ella miró su mano extendida. Podía tomar su mano como una vez había tomado su cuerpo.

No, nunca volvería a hacer esa tontería.

—Paso a paso —dijo él con suavidad.

—Si querías sacarme de aquí ¿por qué no has dejado que simplemente te siguiera?

—Porque nos necesitaremos mutuamente antes de llegar al final. —Él se sobresaltó cuando un estruendo sacudió la tierra—. Decídete, Cira.

—Te he dicho que...

La tierra se abrió bajo sus pies y ¡ella se quedó mirando al infierno!

Estaba cayendo, muriendo...

—¡Antonio!

Jane se incorporó de golpe en la cama; el corazón le latía apresuradamente, con tal fuerza que pensó que se le iba a salir del pecho.

Fuego.

Fuego líquido y fundido.

Estaba cayendo...

No, no se estaba cayendo. Respiró profundo un par de veces. Ya estaba mejor. Apoyó los pies en el suelo y se levantó.

Toby también se incorporó mirándola con sorpresa.

—Sí, ha vuelto a suceder. No es divertido, ¿verdad? —murmuró. Miró el reloj. Las tres y treinta siete de la madrugada, pero no podía volver a dormir. Cira ya se había encargado de eso. O su extraña mente o lo que fuera.

—Vamos al porche. Necesito aire fresco.

Noche asfixiante. Calor. La tierra explotando bajo sus pies.

Cogió la bata y el móvil que había puesto en la mesilla de noche antes de acostarse.

—No hagas ruido. Es muy tarde. No vamos a despertar a Eve y a Joe.

La cola de Toby golpeaba felizmente el suelo de madera y el sonido era todo menos silencioso.

—Levántate, tonto.

Se levantó y el sonido terminó, pero seguía moviendo la cola. Cruzó el pasillo y llegó a la puerta.

El aire fresco le daba en las mejillas mientras se sentaba en el primer escalón del porche. Podía ver el leve reflejo del coche patrulla en la carretera y saludó a Mac y a Brian. La saludaron con los faros y volvieron a apagarlos.

¡Señor!, ¡qué agradable era el aire! Llenó sus pulmones y la limpia y tranquilizante sensación casi la dejó embriagada de placer.

Noche asfixiante...

Toby gimió mientras se sentaba a su lado.

—Está bien —murmuró ella acariciándole la cabeza—. Sólo ha sido un sueño. Nada malo...

Entonces, ¿por qué estaba tan aterrorizada?

El mundo termina esta noche.

No su mundo. Olvídalo. Probablemente el sueño se debiera a la impresión que le habían provocado las palabras de Trevor y no se basara en...

Sonó su móvil.

Lo miró pero sin sorpresas. ¿Por qué si no lo había cogido? Era Trevor, por supuesto.

—¿Estás sola? —le preguntó.

—Sí, si no contamos a Toby.

—No me atrevería a no contar con él. —Calló un momento—. ¿Cómo estás?

—Bien. Estaba bien cuando te marchaste. No necesitas utilizarme de excusa para huir.

—Jane.

No estaba siendo sincera y los dos lo sabían.

—Vale, me dejaste de piedra.

—Lo sé y me sorprendió. No era la reacción que yo esperaba.

—¿Qué esperabas?

—Curiosidad. Interés. Quizás algo de entusiasmo.

Y ésa era justamente la respuesta que debería haber experimentado, si no hubiera mencionado a Cira. La había juzgado correctamente.

—Entonces, es evidente que no me conoces tan bien como piensas. Lo único que conseguiste dejándonos así ayer por la tarde fue irritar a Joe y darle la oportunidad de llamar y de intentar comprobar lo que nos dijiste sobre Guido Manza.

—¿Y lo ha hecho?

—Todavía no. No debería hacerlo de ese modo. Ayúdale, ¡maldita sea! Has hecho un trato.

—Todavía no estabas preparada. Y eres tú quien me importa.

—Ahora sí lo estoy.

Guardó silencio un momento.

—Sí, creo que lo estás. Me gustaría poder verte la cara, para estar seguro.

—Puedes estarlo. ¿Quién es Cira?

—Era una actriz del teatro de Herculano durante los años anteriores a la erupción del Vesubio, que destruyó tanto Herculano como Pompeya en...

—Entonces, ¿por qué cree Aldo que Cira mató a su padre?

—El túnel que Guido voló conducía a la biblioteca de Julio Precebio cerca de su villa a las afueras de Herculano. Contenía varios cartuchos de bronce que guardaban manuscritos, joyas y estatuas que se habían salvado de la lava la noche en que fue destruida Herculano. Julio era un ciudadano rico y estaba perdidamente enamorado de Cira. Gran parte de los manuscritos estaban dedicados a alabar sus talentos.

—¿Cómo actriz?

—Y en otras artes más íntimas. Según parece ser amante de Cira era un gran honor entre la elite de Herculano. Ella elegía a quién metía en su lecho. Nació esclava y se las arregló para conseguir su libertad. Luego empezó a ascender por la escala social. Algunos la llamaban prostituta, pero ella...

—No tenían derecho a llamarla así —dijo ella furiosa—. Tenía que sobrevivir y a veces los hombres sólo entienden lo que pueden usar y poseer. Has dicho que había sido esclava. ¿Cómo se podía esperar que...? ¿Imaginas lo duro que debió ser para ella sobrevivir?

—No. —Hizo una pausa—. ¿Tú sí?

—Puedo imaginármelo. Palizas y hambre y... —Se calló al darse cuenta de que su reacción era demasiado exagerada—. Lo siento. Siempre he odiado a las personas que condenan primero e intentan comprender después. O quizá nunca.

—Te lo estás tomando de una forma muy personal.

—Tengo razón. Supongo que esa mujer tenía mi cara. No puede ser más personal que eso.

Trevor asintió.

—*Touché*. Y, sí, se parecía a ti. El parecido es asombroso.

—¿Cómo lo sabes?

—En la biblioteca había varias esculturas de Cira. Era evidente que Julio había encargado a los mejores artistas de su tiempo que le hicieran retratos.

—¿Y tú las viste? Sólo mencionaste la presencia de Aldo y de su padre en aquel túnel. ¿Tú estabas en la biblioteca?

—Sí.

—Eso es muy escueto. No me voy a enfadar, Trevor, pero no quiero que me digas las cosas a medias. Quiero conocer toda la historia.

Trevor se rió.

—Lo quieres todo. Tienes algo más que una semejanza física con Cira. Ella también lo quería todo.

—¿Cómo lo sabes?

—Leí algunos manuscritos. Estuve varado en el yacimiento durante semanas y tenía que hacer algo mientras esperaba a que encontraran el oro de sus sueños.

—¿El oro?

—Julio había mencionado un arcón lleno de oro que le había regalado a Cira para que se quedara con él unas semanas más. Se suponía que estaba escondido en una habitación de uno de los túneles y sólo él y Cira sabían dónde. Ella encontró otro amante e iba a abandonarle y él estaba desesperado.

Es el oro lo que quieres.

No recuerdes las palabras que Cira le había dicho a Antonio. Concéntrate en el presente: Trevor, Aldo.

—Esos manuscritos debían estar escritos en latín. ¿Cómo los tradujiste?

—Estaba motivado. Además, contaba con los servicios de un erudito que había contratado Guido cuando descubrió la biblioteca. De hecho, fui yo quien le puso en contacto con Pietro Tatligno. Pietro era muy inteligente y tenía el entusiasmo de un niño. Estaba más interesado en el hallazgo histórico que en el dinero que Guido le había prometido. Los manuscritos se habían conservado en sus cartuchos de bronce. Pero Pietro tuvo que ir con sumo cuidado al abrirlos y traducirlos para no dañarlos. Hizo que Guido pagara una fortuna para comprar el sofisticado equipo que se requería para su conservación.

—Pero a ti no te importaba el increíble descubrimiento histórico.

—Me gusta el dinero. Me gustan las antigüedades, pero al final me he dado cuenta de que hasta los museos las utilizan para hacer trueques. Además, no creo que a Cira le hubiera gustado que sus posesiones estuvieran expuestas al público.

—¡Caramba!, ¡qué creencia más conveniente!

—Pero cierta. Yo mismo empecé a tener una relación muy personal con Cira durante esas semanas. Todos la tuvimos. Puede que ni siquiera Guido pretendiera traicionarme cuando me llevó al yacimiento. Tanto él como su hijo se obsesionaron y no querían compartir.

—¿El oro?

—No, en realidad no. No tardé en descubrir qué era lo que más les obsesionaba. Guido estaba totalmente obsesionado por encontrar los restos de Cira. De joven había descubierto una estatua de Cira en las ruinas del teatro y dedicó el resto de su vida a intentar encontrarla.

—¿Salió alguna noticia en la prensa?

—No, ya te lo dije, estaba completamente obsesionado. Hablaba de ella como si estuviera viva, incluso antes de encontrar los manuscritos. Créeme, no quería que nadie descubriera nada sobre Cira antes que él.

Jane se sintió decepcionada. Por un momento había pensado que había hallado una forma de saber algo sobre Cira.

—¿Y Aldo también estaba obsesionado con ella?

—De un modo distinto. Empezó a quedarse muy callado cuando su padre hablaba de ella, pero siempre estaba leyendo. Para él, ella también estaba viva. Pero no quería que así fuera; quería matarla y enterrarla para siempre.

—¿Por qué?

—Para que el tormento finalizara algún día.

—¿Tormento?

—Imagínate a Aldo a los cinco años cuando su padre descubrió el busto de Cira. Su padre era todo su mundo y ese mundo se había enfocado por completo en una mujer muerta, pasando por alto las necesidades de Aldo; eso debió ser devastador. Lo bastante como para perturbarle.

—Entonces, ¿por qué ayudaba a su padre a descubrirla?

—Estaba totalmente dominado por él. Y quizá también quería encontrar el oro.

—¿Lo encontraste tú?

—No, pero eso no significa que no esté allí. Apenas había empezado a abrirse camino picando piedra, y ya había decidido que no quería compartir. Tenía que ir con mucho cuidado. Las paredes de los túneles estaban debilitadas por las explosiones volcánicas y sólo podían avanzar unos pocos metros al día sin arriesgarse a un derrumbamiento.

—¿Y entre tanto tú estabas sentado leyendo los manuscritos?

—El trabajo físico no formaba parte del trato.

—¿En qué consistía tu trabajo?

—Yo estaba en Milán trabajando en otro proyecto cuando Manza contactó conmigo.

—Contrabando.

—Bueno, sí. Es igual. Manza me dijo que había localizado un antiguo yacimiento que nos proporcionaría millones. Él encontraría las antigüedades y yo me encargaría de sacarlas de contrabando del país y de buscar compradores. Él trabajaba en una excavación cercana a Herculano y descubrió unas cartas antiguas que le condujeron a la finca de Julio situada a las afueras de la ciudad. No mencionó el busto de Cira. Yo era bastante escéptico. Se han hecho excavaciones en Herculano desde mil setecientos cincuenta. Estaba seguro de que ya se habían encontrado todos los yacimientos.

—Pero fuiste de todos modos.

—Estaba interesado. Manza llevaba muchos años trabajando en los yacimientos de Herculano. Aldo había pasado la mitad de su infancia recorriendo esos túneles que se habían excavado durante siglos debajo de la ciudad. Cabía la posibilidad de que Manza hubiera encontrado un tesoro. De todos modos, pensé que no arriesgaba nada. Me equivoqué. Terminé en el hospital durante dos meses.

—¿Por qué?

—Guido decidió volar el túnel con todas las personas implicadas dentro. Planeó sellar la entrada y regresar más adelante cuando ya no quedara nadie con quien compartir el botín o nadie que supiera que había encontrado los restos de Cira.

—¿Y tú estabas en el túnel?

—Pietro, yo y seis trabajadores que había contratado en Córcega. Yo fui el único que consiguió salir de ese agujero. Pero sólo porque estaba saliendo en el momento de la explosión. Me rompí una pierna y tardé tres días en llegar a la superficie. Encontré muerto a Guido en la entrada de la cueva.

—¿No sobrevivió nadie más?

—Estaban en una zona más profunda del túnel. La carga explosiva prácticamente los redujo a pedacitos y quedaron allí enterrados. No quería destruir la biblioteca, por lo que allí colocó menos explosivos.

Se estremeció.

—Todas esas muertes...

—Aldo evidentemente heredó sus tendencias homicidas. Aunque nunca había oído nada acerca de que Guido fuera peligroso. Había sido profesor de arqueología en Florencia antes de empezar a negociar con antigüedades.

—¿Y dónde estaba Aldo cuando saliste del túnel?

—Se había marchado. Era evidente que había intentado sacar a su padre de los escombros: le había cubierto con una manta y se había largado de allí.

—No fue un adiós muy cariñoso.

—Sí, le quería. A su extraña y retorcida manera. Desde el momento en que apareció por el yacimiento me pareció bastante evidente que Aldo tenía alguna tuerca floja. Estaba totalmente absorto y siempre murmuraba cosas sobre el destino y la reencarnación, además de estar metido en historias bastante psicóticas. También era repugnante, sádico y amedrentaba a los trabajadores siempre que tenía oportunidad. Pero cuando su padre estaba delante bastaba con que éste levantara una ceja para ponerse firme.

—¿Y estás seguro de que culpaba a Cira de la muerte de su padre?

—Peor aún: la culpaba de la vida que había tenido gracias a ella. Su padre y él habían sacado un busto de Cira de la biblioteca y lo habían cargado en su camión. Desapareció. Pero encontré cerca del cadáver de su padre la estatua que Guido había descubierto cuando Aldo era un muchacho. La había colocado sobre una roca encima de su cabeza y la había partido por la mitad con un hacha.

—¿No pudo ser la explosión?

—No, porque los rasgos del busto los había arrancado con un martillo.

—Al igual que arrancó el rostro de las mujeres que asesinó —susurró ella.

—En aquellos momentos no pensé mucho en ningún simbolismo. Estaba furioso y lo único que quería era ponerle las manos encima a Aldo. Con Guido era demasiado tarde, pero no con Aldo. No conocía a ninguno de los otros trabajadores, pero me gustaba Pietro. Era un buen chico y no merecía morir. Pero cuando llegué a la ciudad más próxima, tenía la pierna infectada y estaba demasiado preocupado intentando que no me la amputaran como para preocuparme de otra cosa.

—¿Dijiste en el hospital lo que había sucedido?

—¡Demonios!, no. Habría terminado en la cárcel y tengo un gran instinto de supervivencia. Cuando salí, regresé, enterré a Guido, camuflé el yacimiento y me puse a buscar a Aldo.

—Pero no le encontraste.

—Ya te he dicho que era inteligente. Se hizo invisible y desapareció. Cada vez que me acercaba a él se esfumaba. Era totalmente frustrante. Hasta que vi la foto de la víctima, Peggy Knowles, de Brighton.

—Cira.

—Tenía sentido. Tanto su padre como él estaban obsesionados con ella y esa desfiguración simbólica del busto era una pista bastante clara. Él culpaba a Cira de la muerte de su padre y de su miserable infancia. Quizá la conmoción de la muerte de su padre le acabó de trastornar y le hizo pensar en ella como si estuviera viva, al igual que su padre. Quizás el primer asesinato fue en Roma porque accidentalmente tropezara con una mujer que se pareciera a Cira. Entonces, cuando se dio cuenta de que había otras, empezó a buscarlas.

—¿Crees que cree en... la reencarnación?

—¿Quién sabe? Está loco. Creo que en su cabeza reina una gran confusión. Sabemos que está escudriñando el mundo en busca de alguien que se parezca a ella y ha hecho de ello la misión de su vida. Puesto que Cira murió hace dos mil años, la respuesta que parece más lógica es su creencia en la reencarnación. ¿Qué es lo que fue primero, el huevo o la gallina?

—¿Y piensa que soy su reencarnación? —Jane hizo un sonido de hastío—. De ninguna manera. No soy la copia de nadie. Ya es bastante funesto parecerse a esta Cira. Interiormente, soy yo.

—¿No crees en la posibilidad de la reencarnación? Hay millones de personas que sí creen en ella.

—Pues, buena suerte. Yo sólo acepto reconocimiento o culpa por lo que yo hago. No voy a ir por ahí lamentándome y diciendo que todo se debe a una mujer que vivió hace dos mil años.

—Eres muy categórica.

—Porque lo digo en serio. Estoy harta de oír que Aldo me busca por mi rostro. Soy más que un rostro.

—A mí no tienes que convencerme. Lo supe desde el momento en que te vi. —Se calló unos segundos—. Y Aldo no va en tu busca sólo porque te pareces a Cira. Probablemente, también cree que tienes su alma.

—Entonces, se dará cuenta de que está equivocado. Yo no soy como ella. En realidad, no. —Apretó el teléfono con la mano—. No sé lo que está pasando, pero soy yo quien ha de hacerle frente, no Cira.

—Nosotros le haremos frente —corrigió—. Estamos juntos en esto.

Estaba equivocado. Las palabras eran consoladoras, pero ella tenía el presentimiento de que al final no sería así. Había estado sola toda su vida. ¿Por qué ahora iba a ser diferente?

No, no era cierto. ¿Por qué se le había pasado eso por la cabeza? Era Cira la que había estado siempre sola. Ella, Jane, tenía a Eve y a Joe. Había sido aterrador tener ese momento de confusión. Debía ser toda esa estúpida charla sobre Cira y la reencarnación.

—No pienses que no voy a gritar alto y claro. Ahora háblame de Aldo. Lo único que me has dicho es que es repugnante, sádico y que estudiaba para ser actor cuando su padre le reclamó en Herculano. Es una extraña profesión para una bestia como él.

—No tan rara para alguien que no está en sus cabales. Doble personalidad, paranoia... Podía ser quienquiera que le apeteciera en el momento de subir al escenario.

—Has dicho que era brillante. ¿En qué?

—Informática. Llevó toda la investigación de su padre. Ésa era una de las razones por las que él quería que estuviera en el yacimiento. Le tenía explorando todos los mapas que aparecían en Internet para comprobar si alguno de los túneles excavados en Herculano podía estar conectado con la casa de Julio.

—¿Encontró alguno?

Trevor movió la cabeza negativamente.

—Guido estaba contrariado. Estaba convencido de que él le facilitaría la excavación. Pero no hubo suerte. Y transmitió su decepción a Aldo de una forma bastante evidente. Le tachó de idiota y le hizo buscar una y otra vez para asegurarse de que no se estaba equivocando. Estaba claro que era así cómo le había tratado toda su vida. Si Aldo no hubiera sido tan cabrón, me habría dado pena.

—A mí no. —Su mente estaba barruntando otra cosa—. No entiendo cómo ha podido Aldo ir de un país a otro sin que le atraparan. ¿Tenía dinero?

—Cuando se marchó de Herculano, no. Pero tenía uno de los bustos de Cira que había sacado de la biblioteca. Se lo vendió a un coleccionista privado de Londres. Así es como encontré su pista en Inglaterra. Tuve noticias de él a través de uno de mis informadores. El busto tenía un valor incalculable, incluso en el mercado negro, y con lo que debió sacar seguro que tiene lo bastante como para comprar todos los documentos falsos que necesite y vivir sin trabajar durante muchos años.

—De modo que utilizó a Cira para asesinar a todas esas mujeres.

—Podría decirse que sí. ¿Quieres saber algo más?

—Tengo una pregunta más. —Retorció los labios—. ¿Estás más enfadado con Aldo porque ha matado a todas esas personas o porque intentó estafarte el oro?

Se quedó un momento en silencio.

—Interesante pregunta. —Pero no la contestó.

—Tengo que advertirte que contaré a Eve y a Joe todo lo que me has dicho. Y eso significa que probablemente envíen investigadores al yacimiento de Herculano. Otra persona encontrará el arcón de oro en esos túneles.

—No lo encontrarán. Esos túneles están muy bien escondidos. No los han descubierto en todos estos años; la explosión selló las entradas al túnel y yo hice el resto. Cubrí todos los indicios del yacimiento. Cuando todo esto haya terminado, todavía tendré mi oportunidad... si la quiero aprovechar.

—¡Oh!, creo que sí querrás.

—¡Vaya!, ¡qué cínica! ¿Crees que el espíritu mercenario domina mi vida? Quizá tengas razón y quizá no. ¿Se te ha ocurrido pensar que sabía que se lo dirías a Quinn y que estaba dispuesto a correr el riesgo? Por lo que podría tener más sed de venganza que avaricia. Mañana te llamaré y podrás decirme si Quinn tiene más preguntas. Que duermas bien, Jane.

Colgó antes de que ella pudiera responder.

¿Dormir bien? Como si eso fuera fácil, pensó ella al colgar. La cabeza le daba vueltas con la sobredosis de información que tenía que digerir, que la inundaba de miedo, pánico y desafío. No intentes absorberla. Deja que vaya entrando y no la fuerces. Paso a paso.

Recordaba que Antonio se lo había dicho. Le había dado su mano y le había dicho a Cira que confiara en él. Pero Cira no la había cogido. No había tenido tiempo antes de que la tierra se abriera a sus pies y viera la lava...

Olvida el sueño. Recuerda la realidad. Si es que lo que Trevor le había dicho era real y no mentiras. Él quería el oro.

No, Antonio quería el oro. Una vez más, sueño y realidad se mezclaban, fundiéndose convirtiéndose en uno por un momento.

Toby bostezó y restregó su cabeza sobre su falda.

—¡Vale!, vamos dentro. —Jane se levantó—. ¡Qué pesado eres! —Se detuvo un segundo y miró al bosque. ¿Estaría Trevor allí observándola? Había sido una extraña coincidencia que la hubiera llamado en el momento en que había salido al porche. Le había preguntado si estaba sola, pero puede que no quisiera que supiera que estaba tan cerca vigilándola. Sentía un poco de claustrofobia con todas esas restricciones y escrutinios, y él era muy perspicaz.

Estaba allí.

Levantó la mano haciendo un saludo de broma y entró en la casa.

Capítulo 10

Trevor sonrió compungido mientras observaba cómo Jane cerraba la puerta.

Debería haber supuesto que ella sabría que la estaba vigilando. Estaban en la misma onda y lo habían estado desde el momento en que entró en la cabaña.

O quizá desde antes. Al menos, en lo que a él respectaba. Lo había estudiado todo respecto a ella desde el momento en que Bartlett le trajo su foto del recorte de prensa. Era normal que hubiera sentido esa empatía.

¿Lo era?

Su sonrisa se esfumó. Por supuesto que era normal. Él no era un psicópata como Aldo. Cira también le había fascinado e intrigado, pero nada tenía que ver con lo que sentía por Jane. Ella era poco más que una niña y él no era un corruptor de menores.

Pero Cira sólo tenía diecisiete años cuando Herculano fue destruida. Había sido la amante de al menos tres hombres importantes de la ciudad y se había labrado una carrera que la hacía brillar como una estrella en la negrura de esa oscura era. Había acumulado décadas de experiencias en su corta existencia.

¡Por Dios!, Cira no era Jane MacGuire. Estaba en una era y cultura distinta. Así que, deja ya de hacer comparaciones y aparca el pensamiento de que Jane sea algo más que una posible víctima.

—¿Cómo se lo ha tomado?

Se giró hacia Bartlett que estaba de pie detrás de él.

—Todo lo bien que se podía esperar. Se sentirá mejor cuando haya tenido oportunidad de meditar sobre todo esto y pueda aceptarlo. Ya ha empezado a hacerlo.

—¿Y luego qué?

—Luego, haremos lo que hemos estado haciendo desde que viste su foto en el periódico. —Miró hacia la cabaña recordando su aspecto allí sentada en el escalón junto a su perro. Joven, delgada, vulnerable, pero irradiando una extraña fuerza—. Esperar.

Pittsburgh, Pensilvania

Tenía los guantes de látex ensangrentados.

Aldo se miró las manos con desagrado. No soportaba usar guantes, pero era mejor que tocar a esos seres indignos. Cuando tenía tiempo de hacer una buena selección nunca se cubría las manos. Le gustaba sentir el calor de la sangre sobre su piel. Pero, una vez más, no tenía mucho tiempo y esa mujer sólo guardaba una pequeña semejanza con Cira.

Estas matanzas no le proporcionaban ningún placer, pensó frustrado.

Envolvió a la mujer en una manta y observó cómo se filtraba la sangre a través de la lana. Bien. La sangre atraerá la atención de inmediato, pensó cuando lanzaba el cadáver detrás del restaurante Red Lobster donde la había encontrado. De lo contrario, habría utilizado una lona para envolverla.

Sintió una gran satisfacción cuando la puso en su furgoneta. La última. La pista ya estaba demasiado lejos de Jane MacGuire como para levantar sospechas. La policía siempre estaba dispuesta a lavarse las manos de sus errores. Probablemente, no engañaría a Joe Quinn y a Eve Duncan, pero estarían solos.

Ahora debía regresar a por Cira.

Joe se apartó del teléfono.

—Lea Elmore. Una camarera del Red Lobster de Pittsburgh. La han encontrado esta mañana en la parte trasera del restaurante. Sin rostro. Cenizas en la manta en la que estaba envuelta.

—¿Se parecía a Jane? —preguntó Eve.

Joe asintió.

—Según la foto de su documento de identidad se parece un poco más que las de Charlotte y Richmond.

Eve sacudió la cabeza en un gesto de desesperación.

—¿Cómo las encuentra desplazándose tan rápido? Lo entendería si pasara una cantidad razonable de tiempo entre los asesinatos, pero apenas han transcurrido cuarenta y ocho horas desde los anteriores. No es posible que simplemente tropiece con esas mujeres por azar. —Miró a Jane—. ¿Te dijo Trevor...?

—No —respondió Jane—. Te he contado todo lo que me dijo. Pero me parece que ha trabajado con muchas hipótesis intentando encajar el rompecabezas. Quizá ya lo ha averiguado. ¿Quieres que le llame? Me dijo que le llamáramos si Joe tenía preguntas.

—¿Joe? —preguntó Eve.

—Adelante, que llame. Aceptaré toda la ayuda que me puedan ofrecer. —La voz de Joe tenía un tono ausente mientras se movía por la sala de estar para mirar por la ventana—. Aunque no es una prioridad en estos momentos.

—¿Qué estás mirando? —Eve le siguió con la mirada.

—Nada —respondió apretando los labios—. Nada, ¡maldita sea!

—¿Qué...? —Su mirada siguió a la de Joe—. El coche patrulla se ha ido.

—Vale. —Sonó su móvil—. Apuesto a que es Mac Gunther para explicarme por qué. —Escuchó durante un momento—. Lo entiendo. No, no puedo permitir que hagas eso. Está bien, Mac. —Colgó—. La capitana ha sacado a Mac y a Brian de la vigilancia; se ha disculpado y me ha dicho que le gustaría volver cuando no esté de servicio y que está dispuesto a doblar su turno si le necesitamos.

—El cuerpo está haciendo exactamente lo que Trevor dijo que Aldo intentaría conseguir —dijo Eve farfullando—. Quiere que estemos solos y desprotegidos.

—Entonces, se ha equivocado —dijo Jane furiosa—. No estamos solos. Nos tenemos mutuamente. Deja de poner esa cara Eve. No se va a salir con la suya. —Se giró hacia Joe—. ¿Piensan en comisaría que Aldo se ha olvidado de mí?

Joe asintió con la cabeza.

—Este último asesinato se lo ha acabado de confirmar. —Miró a Eve—. Pero Jane tiene razón, no tenemos por qué estar solos. Puedo llamar a una empresa de seguridad privada y tener hombres ahí fuera. Sólo significa que tu departamento está fuera del caso.

—Entonces, hazlo —dijo Eve—. Ahora.

—Es lo que voy a hacer. —Volvió a mirar a la ventana—. Ha llegado la hora de que busquemos toda la ayuda que podamos conseguir. —Se calló un momento antes de separarse de la ventana y empezar a marcar un número de teléfono—. Llamaré a la empresa de Matt Singer. Son buenos. Jane, tú llama a Trevor y dile que venga aquí. ¿Ha dicho que quiere protegerte? Bueno, pues deja que se moje el culo en lugar de estar merodeando por los bosques como una maldita ardilla.

—¿Ardilla? —repitió Trevor cuando entró en la cabaña una hora después—. Francamente Quinn, al menos podías haberme comparado con un animal más interesante y letal. Un puma o un lobo hubieran sido mejor.

—O una mofeta —murmuró Jane—. Las mofetas son interesantes.

Trevor le lanzó una mirada de reproche.

—He venido aquí a riesgo de que me maten o mutilen y lo único que obtengo son insultos. —Se volvió hacia Joe—. Por lo que me ha dicho Jane, entiendo que tus compañeros del cuerpo de policía te han retirado su ayuda.

—Eso ya lo esperaba —dijo Joe—. Se basan en las estadísticas y, si Aldo sigue el perfil del asesino en serie, es poco probable que vuelva.

—¿Debería sentirme halagado por que estés prestando más atención a mis advertencias que a las estadísticas?

—No, sólo le presto atención a mantener a Jane con vida y al cuerno con las estadísticas. —Le miró a los ojos—. Bueno, dime qué es lo que puedes hacer que justifique el hecho de que estés cerca de Jane.

La sonrisa de Trevor se esfumó.

—Por una parte mi mera presencia es un factor disuasorio menor. Aldo me conoce y será algo más cauteloso respecto a acercarse a ella.

—¿Sólo algo más cauteloso?

—Eso es lo que hay. A veces un momento de duda puede salvar una vida. Deberías saberlo —añadió crispado—. También me han dicho que has contratado más protección para Jane. Podrías dejarme la coordinación del equipo de seguridad. Sé algo de labores de reconocimiento y vigilancia.

—Eso tengo entendido.

—De ese modo no me tendrías tan cerca y no te molestaría demasiado. Además, eso te facilitaría trabajar más de cerca con tu departamento para seguirle la pista a Aldo. —Su tono era suave pero enérgico—. Y te garantizo que nadie se dormirá en su guardia si yo estoy al mando. ¿Cuándo han de llegar?

—En un par de horas.

—Entonces, he llegado a tiempo para domarlos ¿verdad?

Joe le estudió detenidamente y asintió lentamente con la cabeza.

—Pero recuerda que son ciudadanos, no mercenarios. No son tíos bragados.

—Seré bueno con ellos —dijo Trevor sonriendo—. Tanto como lo serías tú si les pillaras distraídos. Vosotros los SEAL* siempre estáis más dispuestos a razonar y a persuadir que a llevar a cabo una acción violenta.

—Eres un hijo de puta. —Jane pudo ver cómo le temblaban los labios—. Eso fue hace mucho tiempo.

Sea, Air, Land (US Navy military special forces team member). Es un cuerpo especial de la marina, pero no actúa sólo en el mar, el entrenamiento de los SEAL es especialmente duro. *(N. de la T.)*

—No tanto. —Se giró antes de dirigirse a la puerta—. Por cierto, voy a poner a un hombre mío ahí delante para vigilar la cabaña. Se llama John Bartlett e intentará no estorbar.

—Has dicho que Bartlett ya estaba en el caso. Pero ¿por qué debería aceptarle porque tú me lo digas? —preguntó Joe.

—No tienes por qué. Consulta a Scotland Yard sobre él. Descubrirás que tiene una motivación que habla por sí misma.

—¿Qué motivación?

—Su ex mujer era Ellen Carter. Fue una de las primeras mujeres que Aldo asesinó en Londres. No soportaba vivir con ella, pero todavía la amaba. Saber que la había asesinado quemándola viva le destrozó hasta tal punto que estuvo dispuesto a soportarme a mí para tener la oportunidad de encontrar a Aldo. —Giró la cabeza para mirar a Jane—. Él es quien descubrió tu foto en el periódico. Tenía un interés especial en ti, puesto que me trajo el recorte. Averiguó todo lo que pudo sobre ti, Quinn y Eve. No es exactamente un guardaespaldas, pero no dejaría que se te acercara si no creyera que es el mejor hombre para este trabajo. No permitirá que se le pase por alto nada sospechoso. Pero si no le quieres, envíamelo de nuevo a mí.

—Lo haré.

Pero no le oyó. Ya había abandonado la cabaña y estaba bajando los escalones.

—Ha estado haciendo todo lo posible para controlar la situación, ¿no es cierto? —preguntó Jane—. Tendrás que vigilarle.

Eve la miró sorprendida.

—Pensaba que querías que le trajéramos aquí.

—Así es. Y sigo pensando que ha sido una buena idea. —¿Cómo podía explicarles la dicotomía de sus sentimientos respecto a Trevor? Mientras una parte de ella se había divertido y admirado a Trevor mientras se estaba insinuando para entrar en el juego, ella todavía conservaba el instinto de interponerse entre él y Eve y Joe. Nunca había perdido la conciencia de la vulnerabilidad y el peligro que la acechaban desde el primer momento que le conoció—. Sólo vigílale.

—¿Señorita MacGuire? —El hombre que había llamado a la puerta sonrió—. Soy John Bartlett. Soy la persona que investigó sobre usted y su familia. Y luego tuve el honor de vigilarla para asegurarme de que estuviera a salvo. Siento como si ya la conociera.

—Supongo que así es. —Bartlett definitivamente no era como ella esperaba. Era rellenito, no mediría más de un metro setenta, mejillas sonrosadas, pelo castaño poco abundante y unos grandes ojos azules que la miraban con una especie de inocencia preocupada que le recordaban los de... alguien.

Su expresión se apagó con la sequedad del tono de Jane.

—Sé que he violado su intimidad. Sólo pretendía ayudar y ahora no quiero ser indiscreto. Intentaré no molestarla. Pero Trevor cree que puedo ayudar como guardaespaldas... —Hizo una mueca de apuro—. Bueno, no realmente como guardaespaldas. Eso implica cierto arte en la violencia del que yo carezco. Eso es el fuerte de Trevor y lo hace muy bien. Pero puedo ayudar de otras formas.

—¿De qué formas?

—Tengo un gran talento para la observación —añadió con entusiasmo—. Le prometo que no se me pasa nada ni nadie por alto.

Winnie-the-Pooh, se dio cuenta de pronto. Le recordaba a Winnie-the-Pooh. Esa misma mirada con los ojos muy abiertos y una adorable franqueza.

—Es muy reconfortante.

Él asintió con la cabeza.

—Es una de mis mejores cualidades. No es muy espectacular, pero reconfortante es suficiente. Tengo tres ex mujeres que podrían atestiguarlo. —De pronto su expresión volvió a ensombrecerse—. Dos ex mujeres. Ellen ya no está viva para poder recomendarme a nadie. —Empezó a darse la vuelta—. Sólo quería comunicarle que voy a estar por la labor.

—Espere.

Se giró para mirarla.

—¿Quiere una taza de café?

—No, gracias. —Su sonrisa iluminó su redondeado rostro con una especie de resplandor infantil—. Es usted muy amable pero tengo que ir a trabajar.

Ella también le sonrió mientras le observaba bajando los escalones.

—¿Ése era Bartlett? —preguntó Eve poniéndose a su lado.

—Eso creo —respondió moviendo la cabeza—. O quizás era Peter Pan o Winnie-the-Pooh.

—¿Qué?

—¿Por qué no vas a comprobarlo por ti misma? Llévale una taza de café. Está de servicio y no entrará —añadió solemnemente.

Eve observó a Bartlett mientras éste cogía una piedra y la lanzaba al lago haciéndola deslizar.

—Quizá lo haga. —Se dio la vuelta y se marchó a la cocina.

* * *

Jane no volvió a ver a Trevor durante el resto del día salvo a distancia. Parecía muy ocupado y resuelto cuando hablaba con Singer y sus hombres. A pesar de los temores de Joe, no veía ningún signo de que Trevor se estuviera excediendo en sus dotes de mando con el equipo de seguridad. No cabía la menor duda de que estaba al frente, pero parecía tratarles con respeto y humor.

Ya era noche oscura cuando regresó a la cabaña. Habló un momento con Bartlett antes de salir del SUV iba cargado con catálogos y paquetes.

—Te he traído el correo —dijo mientras subía los escalones del porche—. He mirado el buzón antes. ¿Siempre llega por la tarde?

Ella asintió con la cabeza.

—A eso de las cuatro. —Apartó el ordenador y extendió la mano para recibir el paquete—. Gracias. Pero no tenías por qué preocuparte.

—Sí, creo que sí. Tu buzón está a cinco kilómetros de distancia en la carretera principal. Quería asegurarme de que no hubiera sorpresas. Puesto que Aldo estaba acampado en el bosque, probablemente revisaría algunas veces tu buzón. Es lo que yo habría hecho. Nunca sabes qué puede serte útil cuando estás al acecho. —Se sentó junto a ella en el balancín—. Pero no me ha parecido ver nada de lo que preocuparse. La mayor parte es para Eve.

—Suele ser así. Eve es muy famosa y está muy solicitada. Y no le gustaría que miraras su correo.

—Como te he dicho no quiero sorpresas.

—¿Qué esperabas? ¿Encontrar una cobra en el buzón?

—No, eso no encajaría en los patrones de Aldo. Pero Julia Brandon fue asesinada con gas venenoso. Hay formas de hacer que un sobre sea letal.

Su mente pensó inmediatamente en los días posteriores al 11-S.

—¿Ántrax?

—O alguna otra cosa. Personalmente, no creo que se privara del placer de un asesinato con sus propias manos, pero no siempre es predecible.

—Parece que, de momento, estás haciendo un buen trabajo. Gas venenoso... Fue el único caso en que la víctima murió así, ¿no es cierto? Ahogamientos, incineraciones, estrangulamientos. Para ser un asesino en serie no parece ser muy coherente en sus métodos. Suelen tener preferencia por un arma, ¿no es así?

—Sí lo es. Cada una de esas muertes le ocurrió a algún ciudadano de Herculano durante la erupción. Está matando a Cira una y otra vez de todas las formas posibles en las que podía haber muerto esa noche.

—¡Dios mío!

No hay aire. Calor. Calor. Calor.

—¿Estás bien? —Trevor la miró atentamente.

—Pues, claro que sí. —Miró al lago—. ¿Cómo murió Cira?

—No lo sé. Todos los manuscritos de la biblioteca hablaban de la vida de Cira, no de su muerte.

—Entonces, a lo mejor no murió en Herculano. Hubo supervivientes, ¿verdad?

—Sí.

—Entonces, puede que ella fuera uno de ellos.

—Creo que se habría oído hablar de una mujer como Cira si hubiera sobrevivido al desastre.

—A lo mejor tenía una buena razón para desaparecer.

Trevor guardó silencio un momento.

—Eso denota cierta desesperación. Realmente deseas que hubiera sobrevivido ¿no es cierto? ¿Por qué?

—No seas absurdo. No estoy desesperada por nada. Sólo que ella no merecía morir en ese túnel.

—¿Túnel? —La miró asombrado—. ¿Por qué tenía que haber muerto en un túnel? Tenía una buena casa en Herculano.

—¿A sí? Puede que estuviera pensando en el oro escondido en el túnel. —Cambió de tema—. Acabo de recordar que Joe quería saber si habías averiguado cómo podía encontrar Aldo a todas esas mujeres parecidas a Cira. Dijiste que la foto de una apareció en los periódicos y supongo que puede que tropezara por casualidad con una o dos más, pero no con todas. Y en estas últimas semanas se ha movido tan rápido que no es posible que sus elecciones se debieran al azar.

Movió la cabeza negativamente.

—Me he concentrado más en atrapar a Aldo que en averiguar las razones y los detalles. Pero dile a Quinn que voy a intentar averiguarlo.

—Bien. No estarás solo. Puede que Joe lo averigüe antes que tú. No le gusta pedir ayuda.

—No lo ha hecho. Lo has hecho tú por él. ¿Ha venido Bartlett a presentarse?

—Sí, es muy poco corriente. ¿Cómo le conociste?

—Estaba a punto de dar marcha atrás después de ver la foto de Peggy Knowles y haber interrogado a todas las familias de las víctimas que iba encontrando. Bartlett estaba en la lista de Ellen Carter. Fingí ser de Scotland Yard. Soy muy bueno como actor y nadie había sospechado hasta entonces. Pero Bartlett es mucho más inteligente de lo que parece. Me siguió hasta mi hotel y me apuntó con una pistola.

—¿Bartlett?

Trevor sonrió.

—A mí también me sorprendió. Estaba aterrado, pero decidido. Le temblaba tanto la mano que pensé que más me valía hablar pronto antes de que se le disparara el arma por accidente e hiriera a uno de los dos.

—¿Por qué no llamó a la policía para denunciarte?

—Porque tampoco estaba contento con el modo en que estaban llevando la investigación. Él amaba a Ellen Carter.

—Me dijo que tenía tres ex mujeres.

—Ella era la segunda. Bartlett mantiene buena relación con sus mujeres incluso después de haberse divorciado.

—¿Por qué crees que se divorcian de él? Se le ve muy... dulce.

—Tiene la especialidad de elegir a las parejas incorrectas. No tiene problema en encontrar mujeres. Parece que las mujeres se derriten con él y se lo quieren llevar a su casa. ¿A ti no te ha pasado?

Jane asintió con la cabeza.

—Y Eve hoy le ha llevado comida y café. Y para eso ha tenido que dejar la reconstrucción en la que estaba trabajando.

—¿Lo ves?

—Bueno, es evidente que vosotras tampoco os habéis librado.

—Tienes razón. —Retorció los labios—. Es testarudo como una mala cosa y desde que se enteró de que iba detrás de Aldo no me ha dejado solo. Dejó su trabajo de contable y ha estado conmigo desde entonces.

—Me gusta.

—A todas las mujeres les gusta, ¡maldita sea!, a mí también me gusta. —La mirada de Trevor se dirigió a Bartlett—. Pero me vuelve loco. Probablemente tendré que atarlo, amordazarlo y arrastrarlo para sacarlo de ahí o se quedará en su puesto toda la noche. Estaba exultante de felicidad de poder hacer algo útil por ti.

—¡Qué dulce!

—Tú también te estás derritiendo. —Trevor dio un suspiró mientras se levantaba—. Voy a entrar las cartas.

—Yo lo haré.

Trevor miró su ordenador.

—Estás ocupada. ¿Qué estás haciendo?

—Deberes. Me gusta trabajar aquí en el porche.

Trevor hizo una mueca.

—Deberes. A veces se me olvida lo joven que eres. A lo mejor es debido a algún deseo inconsciente. —Se encaminó hacia la puerta—. Asegúrate de que nadie más recoge el correo.

—Díselo a Joe.

—Quinn está dispuesto a dejarme hacer el trabajo pesado. Sabe que no voy a hacer nada que interfiera en su trabajo. Poco a poco vamos llegando a un entendimiento. —Abrió la puerta mosquitera—. Es Eve quien me preocupa.

—¿Por qué no se derrite contigo como lo hace con Bartlett?

—Porque es una leona protegiendo a su cachorro. Lo que equivale a decir que es impredecible. —Trevor la miró por encima de su hombro—. ¿Vas a decirme por qué deseas tanto que Cira sobreviviera a ese volcán?

Era evidente que no le había engañado y no se iba a dejar engañar. Bueno, ella no iba a confiar en él.

—Puesto que según parece todo el mundo nos equipara, quizá sólo quiero que ella saliera airosa. Sería una buena señal.

—Sí, lo sería. —Estudió su expresión y movió la cabeza. Pero no creo que ésa sea...

—Piensa lo que quieras.

—Siempre lo hago. —Se calló un momento—. Pero he de saberlo. He de saberlo todo sobre ti. Será más seguro para ambos.

—¿Por qué?

—Él utilizará cada secreto, recuerdo y sentimiento para atraerte hacia él. Ya lo ha hecho una vez con Toby.

—Cometí un error. No volverá a repetirse. Y no voy a desnudar mi alma ante ti. Ya te has encargado de saber demasiadas cosas sobre mí por tu propia cuenta.

—Sí. —Una sonrisa repentina iluminó su rostro—. Ha sido un placer y sigue siéndolo. —Entró en la cabaña.

Jane tuvo que controlarse para apartar la mirada de esa puerta. ¡Dios mío!, ¡qué hermoso era! La mayor parte del tiempo que había estado a su lado sólo había sido consciente de su magnética personalidad y del recelo que le hacía sentir. Pero en el último momento se había dado cuenta de la maravillosa persona que realmente era Trevor.

¿Hermoso? A Trevor no le habría gustado. ¿De dónde había surgido esa palabra?

Hermoso como un dios.

Cira estaba pensando en Antonio cuando surgieron esas palabras en su mente. Antonio, inteligente, cínico y absolutamente carismático. Antonio, que la había seducido, deslumbrado y traicionado. Pero al final también había intentado salvarla ¿o era otro engaño?

¿Cuál era la diferencia? Estaba tratando el sueño como si fuera real. Y si se trataba de alguna conexión psíquica que tenía con Aldo; era evidente que ella la estaba perfilando y potenciando. Ella estaba dando vida a Cira con cada paso que daba y Aldo, sin duda, la veía como a una villana.

¿Y qué pasaba con Antonio?

Quizá necesitaba tener a un héroe que salvara a Cira. Aunque él era el prototipo del antihéroe.

Como Trevor.

Se puso tensa. La visión de Cira respecto a Antonio era muy semejante a la que ella tenía de Trevor. Y desde ese primer momento había sentido una extraña familiaridad. Incluso le había dicho a Eve que él le recordaba a alguien.

¿A Antonio?

Ni siquiera podía recordar el aspecto de Antonio. Cira le veía a él, no se veía ella. Cira sentía una tormenta de resentimiento, amargura, esperanza y amor.

¿Amor? ¿Todavía amaba Cira a Antonio?

¡Al demonio con esas historias! ¿Qué importancia tenía eso? Puede que nunca volviera a soñar con Cira. Habían pasado varias noches desde el sueño de que la tierra se abría bajo sus pies y veía el fuego fundido.

Pero desde que se enteró de la existencia del túnel de Herculano y de la mujer que había vivido y muerto allí, ya no era fuego fundido lo que veía, sino lava.

Trevor le había dicho que las cenizas eran del Vesubio y puede que su imaginación hubiera hecho el resto. ¿Cómo podía saber qué trucos utiliza la mente? Esos malditos sueños con Cira le habían arrebatado su confianza en sí misma. Al principio, tal como le había dicho a Eve, había podido ver a Cira y sus luchas con curiosidad y entusiasmo, como si estuviera leyendo una novela. Había sido interesante y esperaba con ansias el próximo capítulo para averiguar qué era lo que le iba a pasar. Ahora ya no era así. Después de lo que Trevor le había dicho, se debatía en la oscuridad, intentando hallar el camino. Estaba atrapada, cautiva y temía regresar al túnel.

—Aléjate, Cira —murmuró—. Ya tengo bastante con lo mío. No vuelvas.

Capítulo 11

Lava fundida abriéndose a sus pies.

—¡Salta! —Antonio extendió sus brazos—. Ahora, Cira. Yo te cogeré.

¿Saltar? La grieta era demasiado ancha y se hacía más grande cada segundo.

No había tiempo. No tenía opción. Saltó para cruzar la grieta. El calor le chamuscó las piernas aunque sus pies ya habían tocado el otro lado.

¡El fuego reptaba detrás de ella!

Él tiró de ella y la levantó en un solo movimiento.

—Ya te tengo. —Las manos de Antonio ya había asido sus antebrazos y empezaron a retroceder a trompicones.

Otro estruendo.

—Hemos de salir de este túnel. —Cira miró por encima de su hombro.

La grieta se estaba abriendo, ensanchando.

—Has dicho que conocías el camino —dijo Cira jadeando—. Demuéstramelo. Salgamos de aquí.

—Sólo tú podías ser tan testaruda para esperar a ver las puertas del infierno antes de decirme eso. —Antonio la cogió de la mano y empezaron a correr por el túnel—. La grieta parece que ha cruzado el túnel a través. No podemos volver atrás, pero al menos no nos sigue.

—Eso si no hace que se desplome el techo cuando intente devorar la otra pared.

Calor.

La lava que tenían a sus espaldas se estaba engullendo el poco aire que todavía quedaba en el túnel.

—Entonces, mejor que salgamos de este ramal del túnel antes de que eso suceda. Un poco más adelante hay un desvío que debería conducirnos al mar.

—O a Julio.

—Cállate. —Le apretó la mano con una tremenda fuerza—. No te estoy llevando a Julio. Si quisiera que murieras, habría aceptado el dinero que me ofreció hace dos semanas por tu rostro.

—¿Mi rostro?

—Cuando le dijiste que le abandonabas y que no ibas a devolverle el oro, me pidió que te matara.

—¿Qué tiene eso que ver con mi rostro?

—Me dijo que había encargado una docena de bustos de ese maravilloso rostro y que no quería que nadie más los poseyera. Ni siquiera tú. Quería que te matara, que sacara mi cuchillo y te arrancara el rostro para entregárselo a él.

Cira se mareó.

—Locura.

—Estoy de acuerdo. Y como me gusta tu cara, rechacé la oferta. Pero eso implicaba que debía dejar Herculano durante unos días. Era muy probable que también hubiera puesto precio a mi cabeza. Sabía que éramos amantes. Por eso pensó que yo tendría la oportunidad de matarte.

—Eso si hubieras podido burlar a Domenico —dijo ella furiosa—. Domenico te habría cortado la cabeza y me la habría servido en una bandeja de plata.

—Ésa fue la razón por la que Julio recurrió al soborno. Todo el mundo sabía lo bien protegida que estabas. ¿Dónde está Domenico? Debería estar aquí contigo.

—Le mandé a su casa, al campo.

—Porque no querías que Julio acabara con él. Para eso son los guardaespaldas, Cira.

—Me sirvió bien. No quería que... puedo cuidar de mí misma. ¿No deberíamos haber llegado al final del túnel?

—Hace una curva. Julio no quería que fuera demasiado fácil salir de su villa.

—¿Y cómo es que conoces la salida?

—Me lo tomé como un asunto personal. Pasé muchas noches en estos túneles mientras estábamos juntos. No hubiera sido muy inteligente robar el oro y no saber cómo huir.

—Bastardo.

—Estaba dispuesto a compartir.

—Mi oro.

—Había suficiente para los dos. Me lo habría ganado. Te habría protegido y valorado tanto como al oro.

—¿Por qué habría de creerte? ¡Por los dioses! Qué tonterías estás...

Estruendo.

Las rocas caen a su alrededor.

Una piedra afilada rasga la piel de Cira. Nota la sangre caliente corriendo por su brazo.

—¡Deprisa! —Antonio tiraba de ella a través del túnel—. La estructura se está debilitando. Puede desplomarse en cualquier momento.

—Ya me doy prisa. ¡Estúpido! —Otra roca la hirió en la mejilla.

Más dolor.

Más sangre.

Más dolor.

Más dolor...

¡Despierta! Deja de gemir, por favor.

Sangre...

Abrió los ojos.

—Sangre —dijo jadeando.

—Despierta.

—Antonio...

No, era Trevor que estaba de pie a su lado en el columpio del porche.

Por supuesto que no era Antonio...

—Estoy despierta. —Intentaba recuperar su respiración normal—. Estoy bien. —Se incorporó sentándose y se frotó los ojos—. Debo haberme quedado dormida. ¿Qué hora es?

—Poco más de media noche. Vi que te acurrucabas en el columpio cuando relevé a Bartlett hace una hora. Pero dormías tan a gusto que pensé que te dejaría dormir hasta que te movieras. —Apretó los labios—. Pero eso fue antes de que empezaras a gemir. Fue muy desconcertante. No eres persona de gemidos. ¿En qué demonios estabas soñando?

Rocas que caían, sangre, dolor.

—No me acuerdo. —Arqueó la espalda para aliviar la rigidez. Debía haber estado enroscada en posición fetal durante horas. O quizá no. ¿Cuánto tiempo ha durado el sueño? ¿Va todo bien?

—Ningún problema. El equipo de seguridad es bueno. Sólo he de recordarles que permanezcan atentos. El aburrimiento es nuestro peor enemigo. —Frunció el entrecejo—. No temas.

—Pues claro que sí. Sería estúpido si no tuviera miedo.

—¿Estás tan asustada como para tener pesadillas?

—Todo el mundo tiene pesadillas.

—No de sangre. —Guardó un minuto de silencio—. Ni sobre Cira

Jane se incomodó.

—Por lo que veo he hecho algo más que gemir. ¿Qué he dicho?

—No pude entender mucho. Creo que has dicho «Cuidado, Cira. Demasiado tarde». Cuando te has despertado hablabas con un tal Antonio. —La miró directamente a los ojos—. Y si sabes de qué te estoy hablando, es que recuerdas la pesadilla.

—Y tú deberías haberme despertado enseguida en lugar de quedarte escuchando.

—Has de reconocer que es normal que me llamara la atención oír el nombre de Cira.

—No me importa si es normal o no. No deberías haber escuchado.

—De acuerdo. —Se calló—. ¿En qué soñabas?

Apartó la mirada de él.

—¿En qué crees que puedo soñar desde que me has hablado de ello. En túneles. Erupciones volcánicas. Una mujer que corre para salvar la vida.

—¿Es la primera vez que sueñas con ella?

—No.

—¿Cuándo empezaste a soñar?

—No te importa. —Se levantó y recogió su ordenador portátil—. Hemos dejado que te inmiscuyeras en nuestras vidas, pero apártate de mis sueños, Trevor.

—Suponiendo que pueda.

—¿Qué quiere decir con suponiendo que pueda?

Se encogió de hombros.

—Me cuesta mucho no sentirme atraído por todos los aspectos de tu vida. Créeme, he intentado mantenerme a distancia, pero no funciona.

—Sigue intentándolo. —Dio un paso hacia la puerta—. No te necesito como confidente. Tengo a Eve y a Joe. Si quiero hablar de Cira o de cualquier otra cosa, hablaré con ellos.

Trevor levantó la mano en señal de disculpa.

—Muy bien. Muy bien. Ya lo he captado. —Se quedó de pie observándola mientras abría la puerta mosquitera—. Si cambias de opinión...

—No cambiaré. ¿Por qué debería?

—Por curiosidad. —Esbozó una ligera sonrisa—. ¿Se te ha ocurrido alguna vez que quizá no seas la única que sueña con Cira?

La mirada de Jane voló hacia Trevor.

—¿Qué?

—¿De qué te sorprendes? Parece que nos domina a todos. Yo empecé a soñar con ella hace un par de años, cuando leí los manuscritos.

Se humedeció los labios.

—¿Qué tipo de sueños?

—Cuéntame los tuyos y yo te contaré los míos —le dijo moviendo la cabeza y con tono suave.

—Y tú probablemente confeccionarás los tuyos.

Trevor se rió entre dientes.

—Mujer de poca fe. —Empezó a bajar los peldaños—. Si te decides a hablar, ya sabes dónde estaré.

—No quiero hablar. Y no me importan tus malditos sueños. —Cerró de golpe la puerta mosquitera.

Pero sí que le importaban. Él sabía que esa pequeña concesión la intrigaría. ¿Alguien más soñaba con Cira?

Si es que eso era cierto.

Ella no iba a prestarse a un posible ridículo para satisfacer su curiosidad.

Y la suya propia, ¡condenado!

Dahlonega, Georgia
Tres días después

Eve Duncan.

Joe Quinn.

Mark Trevor.

Aldo cerró la tapa de su ordenador portátil y se reclinó con un suspiró de satisfacción mientras miraba el listado. Sabía lo suficiente como para poner el plan en acción. Qué pena que los enemigos de Cira no hubieran tenido acceso a Internet. La información habría sido un arma formidable para acabar con ella. Había sido blanda en muchos aspectos. Con su guardaespaldas al que le salvó la vida. Con el niño que encontró en la calle y que recogió en su casa. Lo único que Julio hubiera tenido que hacer habría sido encontrar su punto débil y utilizarlo para matar a esa zorra. Y para ello, la información siempre es la clave.

Quizá Julio la mató. Pero si lo hizo, no impidió que quedaran vestigios de su presencia que podían atormentar y destruir. Debería haberla borrado de la faz de la tierra.

Como iba a hacer él.

Había preparado el camino hacia Jane MacGuire todo lo que había podido. Ahora tenía que hacer un reconocimiento, descubrir los obstáculos y luego podría proseguir con todo el ritual de costumbre.

Sonrió al mirar la maleta que tenía al otro lado de la habitación del motel.

Fuego verde. Fuego encantadoramente letal.

¿Me estás esperando, Cira?

—El correo —anunció Trevor mientras subía los escalones—. Facturas, una postal de la madre de Eve desde Yellowstone. Dos paquetes de FedEx. Uno para Eve y otro para ti.

—Espero que te haya gustado la postal —dijo Jane apartando el ordenador—. Empiezas a saber demasiadas cosas de nosotros.

—Nunca puede ser demasiado —sonrió—. Y no he leído la postal, sólo la firma. El paquete para Eve es de una universidad de Michigan. El tuyo es de un centro de negocios Mail Boxes Unlimited de Carmel, California. ¿Conoces a alguien en Carmel?

Jane asintió.

—Sarah Logan. Ella y John viven en el 17 de Mile Strip. Fue quien me regaló a Toby.

—Entonces, es una buena amiga. Ven, abriremos los paquetes.

—Puedo abrir el mío.

—No, no puedes. Tú no vas a abrir nada. He revisado el buzón y parecía completamente normal, pero nunca puedes estar seguro.

—¿Qué? —preguntó ella levantando las cejas—. ¿No había una bomba? ¿Ni ántrax?

—No tiene gracia. De hecho, le he pedido a Quinn que me trajera un escáner portátil para detectar bombas.

—¿Para qué? Una bomba es un arma de destrucción actual. No existían en Herculano.

—Cierto. Pero un volcán explota y una bomba también. Es una probabilidad muy lejana, pero no quiero correr riesgos. En cuanto al ántrax, no lo creo. Pero podría haber encontrado algún otro polvo volcánico y por eso lo abro. —Abrió la puerta—. ¿Vienes?

Ella se levantó.

—Es bastante normal que Sarah me envíe regalos. Viaja por todo el mundo y le compra juguetes a Toby y detalles para Eve y para mí.

—Una mujer encantadora. Veamos qué os manda esta vez.

Trevor mantenía la puerta abierta esperando a Jane y estaba claro que no tenía intención de entregarle el paquete. Ella se encogió de hombros y entró antes que él en la casa.

—No voy a discutir. Pero tú mismo dijiste que seguramente Aldo preferiría asesinarme con sus propias manos.

—Sí, pero no estoy dispuesto a cargar con las consecuencias si me equivoco. —Trevor sonrió a Eve, que estaba trabajando en una reconstrucción en su estudio al otro lado de la sala—. Correo, Eve. Tú madre se lo está pasando bien en Yellowstone.

—Has dicho que no habías leído la postal —dijo Jane tajante.

—No lo he hecho. Pero por lo que sé todo el mundo se lo pasa bien en Yellowstone. ¿Dónde quieres que te deje las cartas, Eve?

—En la mesa de centro. —Levantó las manos llenas de arcilla—. Si lo cojo ahora, lo voy a empastar todo y no podré leerlo.

—¿Cómo te va la reconstrucción?

—Bastante bien. Ya he tomado las medidas y ahora estoy empezando con el molde. Pero nunca lo sé realmente hasta las etapas finales.

—Sí, ya me lo habías dicho. —Trevor empezó a separar el correo de Eve sobre la mesa de centro—. Interesante...

Jane les miró a los dos enfurecida. No se había dado cuenta hasta ahora de lo bien que se habían adaptado el uno al otro. Le había visto hablando con Eve en algunas ocasiones e incluso les había visto tomar una taza de café cuando ella le llevaba una jarra a Bartlett.

Eve se volvió a girar hacia el pedestal.

—¿Le han enviado algo a Jane?

—Un paquete. Cree que es de Sarah Logan.

—¿Otro? Hace unas semanas le mandó una correa de Marruecos... —Sus manos se movían esculpiendo y su tono era algo ausente. Un momento después Jane sabía que estaba totalmente absorta en su trabajo y que ya no estaba con ellos.

—¿Dónde está Quinn? —preguntó Trevor mientras acabada de apilar las facturas.

—En la comisaría. Christy había programado una videoconferencia con Scotland Yard y la policía de Roma para hablar sobre Aldo. —Jane le lanzó una fría mirada y se sentó en el sofá—. Y la policía local italiana no ha encontrado ningún rastro de ningún túnel a las afueras de Herculano. Ni ninguna villa que perteneciera a Julio Precebio.

—Ya te dije que no lo encontrarían.

—Porque hiciste todo lo posible para ocultarlo. Cuando todo esto termine tendrás que responder a muchas preguntas.

—¡Hum! —Trevor estaba abriendo el paquete postal—. Ya me siento debidamente intimidado.

—No, no es verdad —le dijo Jane enfadada.

—No, pero siento decepcionarte. —Su sonrisa se esfumó al abrir la tapa—. Hay otro paquete dentro. —Se apartó del sofá donde estaba sentada Jane y se fue hacia la puerta. —Es pequeña, de terciopelo y no parece contener ningún juguete para Toby. Creo que lo abriré en el porche.

Jane no pudo evitar ponerse tensa.

—Para. ¿No te estás excediendo?

—Quizá. Miró en la caja de FedEx y abrió lentamente la cajita de terciopelo.

—¿Qué es?

—Un anillo.

—¿Una joya? —Se sintió aliviada y se puso de pie de un salto siguiendo a Trevor por la habitación—. Déjame verlo.

—Un momento. —Sostuvo el anillo en alto para verlo a la luz.

—Ahora. —El anillo era una banda ancha de oro con intricados grabados y la piedra que tenía encastada era de color verde pálido brillante, demasiado pálido para ser una esmeralda, probablemente un peridoto—. ¿Crees que Sarah me mandaría un anillo de los Borgia con veneno o algo parecido?

—No. —Le apartó el anillo—. Pero no creo que esto sea de Sarah. ¿Por qué no la llamas mientras lo reviso?

La mirada de Jane pasó del anillo a la cara de Trevor y lo que vio hizo que se engrandaran sus ojos. ¿Por qué?

—Llámala —repitió—. Si es de ella, podrás darle las gracias. Me quedaré aquí esperándote.

Ella dudó, tentada a negarse a hacer lo que le pedía y a enfrentarse a él. Jane entró en la casa, descolgó el teléfono y llamó a Sarah en Carmel.

Trevor estaba de pie bajo la luz del porche cuando Jane salió de la casa transcurridos cinco minutos.

—No lo ha mandado ella —dijo Jane cansinamente—. No sabía nada de esto. ¿Ha sido Aldo?

Trevor asintió con la cabeza.

—Eso creo.

—¿Por qué iba a enviarme un anillo? Es un peridoto, ¿verdad?

—No lo creo. Se parece y la mayor parte de la gente lo confundiría con un peridoto.

—Entonces, ¿qué es?

—Es una vesubianita.

—¿Qué demonios es eso?

—Cuando un volcán emana tefra a veces forma una substancia que se cristaliza y se puede pulir y refinar hasta parecerse a una gema. Puede que hayas visto la helenita, la gema de color verde oscuro que se hizo popular tras la erupción del Monte Saint Helens.

—Pero ¿esta procede del Vesubio? —Jane estaba fascinada por el anillo que Trevor sostenía en su mano—. Estaba bromeando, pero ¿podría ser algún tipo de anillo envenenado?

Trevor lo negó con la cabeza.

—Lo he examinado. Es justamente lo que parece. Es evidente que no quería matarte.

—Es precioso... ¿Por qué me ha regalado algo tan bonito?

—¿Cómo te sientes?

—Enfadada y confusa.

—Y ¿tienes miedo?

¿Era el miedo la base de todas esas emociones? Sólo sabía que se había estremecido.

—No es más que una joya.

—Pero te ha descentrado.

—Y eso es lo que quería. Quiere que tenga miedo y esté aterrorizada. —Alargó su mano y tocó el anillo de oro. Estaba caliente por la mano de Trevor, pero no pudo calentar el helor que recorría su cuerpo—. Y quiere que sepa que no se ha olvidado de mí.

Trevor asintió.

—Es un juego mental.

—Cabrón.

—Si sabe que todavía no te puede tocar, probablemente empeorará. Un poco de tormento a distancia será muy satisfactorio para él.

—¿Crees que me está vigilando?

Trevor se encogió de hombros.

—No desde cerca. Te lo garantizo, Jane.

—Y te puedo asegurar que querrá ver si al haberme enviado esto... ha conseguido hundirme. ¿Qué tipo de satisfacción puede obtener de imaginar el sufrimiento? —Jane notaba que la ira aumentaba a cada instante—. ¡Oh, no!, querrá ver que me ha hecho daño.

—Posiblemente.

—No, con seguridad. —Le cogió el anillo de la palma y se lo puso en su dedo índice—. Entonces, que vea que no me ha afectado nada.

Trevor echó la cabeza hacia atrás y se rió.

—Debería haberlo supuesto. Puede que Aldo haya llevado esta chuchería encima durante años, pero ¿no crees que Quinn querrá averiguar de dónde procede?

—Puede hacerle una foto.

El anillo le apretaba y era muy pesado para su mano, como una pitón enroscándose sobre su víctima. Pero ella no era una víctima y se lo iba a demostrar. Todavía sentía ira, pero ahora estaba mezclada con euforia y entusiasmo.

—Me lo voy a poner.

Trevor dejó de sonreír.

—Esto te está gustando demasiado. ¿Qué estás planeando? ¿Un poco de incitación para cabrear al tigre?

—No es un tigre, es una babosa. ¿Y qué más te da si le incito? Puede que le haga salir a la luz.

Trevor guardó silencio durante un momento.

—Tienes razón. Puede que funcione, si eso no va a hacer que te desmorones. —Empezó a bajar los escalones del porche—. Y curiosamente, me preocuparía si te sucediera eso.

—Pero, no vas a intentar disuadirme.

—No, siempre he sido un hijo de perra. Haz lo que te plazca. Te apoyaré en lo que hagas.

—Sarah acaba de llamarme. —Eve acababa de salir de su estudio y estaba de pie en la sala de estar cuando Jane entró en la cabaña un segundo después—. Estaba preocupada. Me ha dicho que no parecías tú. ¿Qué pasa con este anillo, Jane?

Jane levantó la mano con un aire bravucón.

—Un regalo de Aldo. Una vesubianita. Es bonita ¿verdad?

Eve se incomodó.

—Estás loca. ¿Qué está pasando?

—Esto es una prueba de lo que me ha olvidado y de que pasará a realizar otras hazañas.

—Sarah me ha dicho que fue enviado desde una franquicia de Mail Boxes Unlimited de Carmel.

—Él no está en California. Quiere ver si el anillo ha tenido el efecto deseado. —Jane apretó los dientes—. Probablemente espera que me acobarde y me esconda debajo de la cama.

—Pareces estar muy segura. —Eve atravesó la habitación y le tomó la mano—. Parece bizantino.

—Estoy segura de que se supone que ha de ser romano. Pero, ¿qué puedes esperar? Probablemente ha comprado lo que ha encontrado. No creo que haya mucha vesubianita por ahí.

—Entonces, será más fácil descubrir de dónde procede. Sácatelo.

—No.

—Jane.

—No. —Le apartó la mano—. Lo voy a llevar. No voy a dejar que piense que puede asustarme. Lo llevaré y haré alarde de él como si fuera el regalo de un amante.

—¿Amante?

—Eso es lo que haría Cira. —Sonrió con inquietud—. ¿Cree que soy Cira? Bueno, pues actuaré como ella. Ella nunca hubiera dejado que un bastardo asesino la amedrentara. Le plantaría cara, le provocaría y buscaría la forma de acabar con él.

—¿De verás? —Eve la miró fijamente—. ¿Y cómo sabes tú eso, Jane?

—Así es como la ha descrito Trevor. —Jane movió la cabeza—. No, no voy a mentirte. *Siento* que es así.

Eve se calló unos momentos.

—¿O es que lo has soñado? Nunca me dijiste el nombre de la mujer de tus sueños. ¿Era Cira?

Inteligente y sensata, Eve. Debería haber supuesto que la empatía entre ambas era tan intensa que Eve habría notado lo que pasaba por su mente.

—Sí. Pero, no es que... Por lo que sé, estoy haciéndome una composición de lugar de cómo la ve Aldo o quizá de cómo la ve Trevor. Puede que alguna vez leyera algo y no lo recuerde. O quizás estoy teniendo flases de videncia. No es probable, pero prefiero pensar eso a pensar que estoy tan loca como para creer que conozco a Cira por un sueño —se apresuró a decir.

—Creo que estás excusándote demasiado —dijo Eve—. No tienes por qué darme explicaciones. Pensé que eso ya lo teníamos claro. —Volvió a mirar el anillo—. Sácatelo.

—Te he dicho que...

—Sé lo que me has dicho —dijo Eve tajante—. Y sé que es como ponerle un capote rojo a un toro. Sácatelo.

—Pensará que le tengo miedo.

—No me importa.

—A mí sí. —Podía sentir cómo se le hacía un nudo en la garganta mientras miraba a Eve. ¡Señor, qué difícil era eso!—. Te quiero, Eve. Jamás haría algo que pudiera hacerte daño.

—Entonces, sácatelo.

Jane sacudió la cabeza.

—Estás equivocada. No podemos rendirnos a él. Yo incluso podría hacerle salir de su escondrijo y conseguir que cometiera algún error si le enojo lo suficiente. De lo contrario, si doy un paso hacia atrás, él dará un paso hacia delante. Y no voy a dejar que me acorrale en un rincón donde pueda arrancarme la cara. —Jane vio que Eve se estremecía—. Lo siento. Pero, eso es lo que él quiere. Quiere asustarme y que me ponga de rodillas. No podemos concedérselo.

—Tampoco te voy a entregar a él. ¿Por qué no...? —Eve cerró los ojos y respiró profundo—. Estoy perdiendo el tiempo. —Abrió los ojos—. Y quizá tengas razón. No lo sé. Pero lo que sé es que si vas a restregarle ese anillo por las narices a Aldo hemos de asegurarnos de que estás a salvo —añadió apesadumbrada. Se dirigió al teléfono—. Voy a llamar a Joe. Sácate el anillo, trae la cámara digital y haz algunas fotos para ver si pueden localizar dónde lo compró Aldo.

—Eve...

—No estoy enfadada contigo. —Eve descolgó el auricular—. Sólo estoy cansada y frustrada y quiero que atrapen a ese maníaco antes de que acabe volviéndonos locos a todos. —Sonrió—. No, con esto no estoy diciendo que tú estés loca. Pero sí que eres obstinada y de ideas fijas. Ahora ve a buscar la cámara y saca las fotos.

Capítulo 12

—Te equivocas, Jane —dijo Joe tajante—. Le estás siguiendo el juego.

—No, se lo estaría siguiendo si ocultara el anillo. —Ella le miró—. Y tú lo sabes. Sólo que no quieres que corra riesgos. Ahora tenemos una oportunidad. Y si yo fuera otra persona, aceptarías. —Jane levantó la mano—. ¿De verdad crees que quiero llevarlo? Me da náuseas. Pero es lo que debo hacer. —Le puso el paquete de fotos encima de la mesa de centro. Hay suficientes fotos como para empezar a buscar al vendedor. Trevor dice que puede que lo comprara en Italia hace algunos años.

—Ya lo veremos —dijo con los labios apretados—. Que nosotros sepamos no le ha regalado ninguna joya a las otras víctimas. Si hace tanto tiempo que la lleva encima es porque verdaderamente te considera especial.

Jane hizo una mueca de preocupación.

—Si soy especial es porque no soy una víctima y no lo seré.

—Eso esperamos —dijo Eve.

—Piensa en positivo. —Jane se fue a su dormitorio—. Me voy a la cama. Si me quedo aquí, intentaréis persuadirme para que no lo lleve y no voy a dejar que eso suceda. Sólo empeoraría las cosas. Buenas noches, Joe.

—Huir no va a evitar que...—Murmuró un taco mientras Jane entraba en su dormitorio y cerraba la puerta con suavidad y decisión al mismo tiempo—. Has de convencerla Eve. Ella te escucha.

—Ya lo he intentado —dijo Eve en voz baja—. Ahora ya no me escucha. Piensa que tiene razón y que yo estoy equivocada.

—No es más que una niña, maldita sea.

—¿De verdad? Creo que ya hablamos de esto hace algunas semanas y tú me decías que en realidad Jane nunca había sido una niña y que estaba bien que fuera así.

—Eso fue antes de que Aldo apareciera en escena. Ahora no está bien que sea así.

—Demasiado tarde. —La tenue sonrisa de Eve era triste—. Puede que antes de que todo esto sucediera hubiéramos tenido la oportunidad de hacer que su vida fuera más como la de una adolescente normal, pero ahora ya no. Ella ha cambiado.

—Sólo se ha vuelto más obstinada.

Eve movió la cabeza negativamente.

—Se ha formado. La he estado observando. Me recuerda a una de mis reconstrucciones. Cuando trabajo sé que todo está bajo mis dedos, pero no está listo para salir a la luz. Luego, de repente, todas las piezas encajan.

Joe la miraba frunciendo el entrecejo y Eve volvió a hablar.

—Es como poner una pieza de cerámica en un horno. Cuando entra, todavía es suave y maleable, pero cuando sale, todo se ha quemado y endurecido y así es como será para siempre. Eso es lo que ha hecho Aldo con ella. —Apretó los labios—. ¡Qué arda en el infierno!

—Y yo lo secundo. —Joe miró las fotos—. Puede que no esté lo bastante cerca para ver que ella va alardeando de esa cosa.

Eve levantó las cejas.

—Vale, eso son esperanzas. —Cogió las fotos—. Las enviaré por fax a comisaría y les diré que le sigan la pista a ese paquete de Mail Boxes Unlimited de Carmel.

—Ella tiene razón, ¿no es cierto? Por mucho que nos duela hay que reconocer que es una oportunidad.

La luz de la lámpara hacía que la pálida vesubianita verde brillara y resplandeciera como el frío filo de un cuchillo. A Aldo le gustan los cuchillos, pensó Jane.

No lo mires, ni pienses en lo que hizo con esos cuchillos.

Apagó la luz y metió la mano debajo de las mantas; no sirvió de mucho. Seguía viéndolo en su mente ardiendo y reluciendo.

Entonces acéptalo. Había tomado esa decisión y tenía que afrontarla. Sacó la mano de debajo de las mantas y la dejó reposar fuera. Aldo había tenido ese anillo en sus manos. Lo había tocado, había mirado la resplandeciente piedra y había pensado cómo la trastocaría al enviárselo. Casi podía verle sonriendo y acariciándolo.

Bueno, ahora es mío. Y no dejaré que sea nada para mí que yo no quiera que sea. Así que, ¡jódete, Aldo!

Cerró los ojos y se propuso dormir. No iba a soñar con Cira, ni tampoco con Aldo. Desconecta, descansa, recobra fuerzas y determinación.

No, no duermas. Piensa. Debía revisar todo lo que sabía de Aldo e idear una forma de atraerle. Estaba harta de esconderse y hacerle pensar que podían aterrorizarla. La situación tenía que cambiar. Tenía que mover ficha...

Lo siento, Eve...

A la mañana siguiente Bartlett estaba frente a la cabaña, como de costumbre. Sonrió gentilmente cuando Jane se dirigió hacia él.

—Buenos días. He oído que ayer noche hubo algún problema con el correo.

—Un poco. ¿Dónde está Trevor?

—Con Matt Singer revisando la seguridad. Pronto estará aquí. Puedes llamarle al móvil si es urgente.

Jane movió la cabeza.

—Quiero hablarle en persona.

—Ya veo. Bueno, estaré encantado de estar en su compañía mientras le espera. —Su mirada se dirigió a su mano y su sonrisa desapareció—. Trevor tiene razón. No debería llevar eso.

—Trevor no hizo nada por evitarlo.

—Lo sé. Dijo que era cosa suya. No me sorprendió, aunque sí me decepcionó.

—¿Por qué?

—Me gusta. Pero me gustaría más si admitiera que no es tan duro como pretende.

—No creo que finja tanto.

—Eso es porque es muy bueno fingiendo.

—¿Cómo cuando fingió ser de Scotland Yard investigando la muerte de su esposa? Es evidente que no le engañó.

Sonrió.

—Casi. Pero supe que no era un policía cuando le seguí a Claridge. Los policías no suelen tener suficiente dinero como para alojarse en lugares de lujo.

—Pero los contrabandistas y estafadores sí.

—Exactamente. Y cuando me familiaricé con Trevor me di cuenta de que mi mejor oportunidad para poder atrapar al asesino de Ellen era él mismo. Tenía dedicación. La dedicación es muy importante —añadió con un tono de gravedad.

—También lo es la sinceridad. ¿Cuántas veces te ha mentido?

—Sólo una. Es sincero a su manera.

Jane movió la cabeza con incredulidad.

—No entiendo qué tipo de sinceridad es ésta. Se es sincero o no se es.

—¿Blanco o negro? Mucho me temo que Trevor se encuentra en la zona gris. Pero, eso es mejor que negro, ¿verdad? Un hombre con esas dotes sería un villano temible. Debe ser una gran tentación para él.

—Me dijo que le gustaba mucho el dinero.

Bartlett asintió con la cabeza.

—Eso dice.

—¿No le crees?

—¡Oh!, sí creo que le gusta. De pequeño se educó en la pobreza y tuvo que luchar a su manera. Pero hay formas más sencillas de conseguir dinero cuando se es tan brillante como Trevor. No tiene necesidad de andar por una cuerda floja. Creo que ya lo probó cuando era pequeño y con los años se ha convertido en una adicción.

—¿Ésa es la razón por la que persigue a Aldo? ¿No por el oro, sino por la emoción de la cacería?

—No, creo que se trata de algo más personal. ¿Te ha contado que Pietro Tatligno había sido mercenario con él en Colombia?

Jane abrió los ojos como platos.

—No, sólo me dijo que era un experto en antigüedades.

—Y muy brillante, pero hizo de las suyas cuando era más joven antes de dejar la vida militar y luego retomó los estudios. Era evidente que Trevor y él se habían hecho muy buenos amigos y fue Trevor quien se lo presentó a Guido Manza.

—¿Estás insinuando que va detrás de Aldo porque se siente culpable?

—Trevor lo negaría. Según él el sentido de culpa no es productivo. —Sonrió—. Puede que incluso te diga que quiere atrapar a Aldo porque le traicionó.

—Me dijo que Pietro no merecía morir.

—Ah, quizás esté empezando a admitir la verdad.

Sacudió la cabeza cuando volvió a mirar su anillo.

—Es muy bonito, ¿verdad? Es terrible utilizar la belleza para asustar.

—Sólo te asusta si lo permites. No es más que un anillo.

—Y ella no lo va a permitir —dijo Trevor desde atrás—. Ya veo que Quinn no ha podido convencerte para que te lo saques.

—No. —Se giró y vio cómo se acercaba. Se le veía rígido, inquieto y Jane volvió a ser consciente de esa energía apenas contenida que exudaba en cada momento—. Es mi anillo. Mi decisión.

—Es cierto. —Se detuvo delante de ella—. Pero dado que no soy tan ético como Quinn, puede que intente manipular las circunstancias para que tu decisión sea la mía.

—Joe es sincero, pero tampoco está por encima de esta forma de actuar. Así que puede que os parezcáis más de lo que piensas.

Hizo una mueca.

—No le digas esto a él. No se sentiría halagado. Él es una persona recta y yo soy todo menos eso. Yo prefiero los caminos por los que nadie ha caminado y la mayoría son más retorcidos que la espalda de una serpiente.

Jane asintió con la cabeza.

—Retorcidos. Por eso he venido a hablar contigo.

—Le he dicho que podía llamarte y que tú vendrías enseguida —dijo Bartlett.

—En cualquier momento. —La miró fijamente a los ojos—. A cualquier parte.

Se sintió... rara. Sin respiración. Enseguida apartó la mirada.

—Eso es fácil de decir. Seguro que no estabas a más de dos kilómetros de distancia en la carretera.

Trevor sonrió.

—Pero no me llamaste. ¿Porque has preferido interrogar a mi amigo, Bartlett, sobre mí?

—Estoy emocionado —dijo Bartlett—. ¿Sabes que es la primera vez que admites que soy tu amigo? ¡Qué alentador!

Trevor movió la cabeza con resignación.

—¿Sabes que realmente siente lo que dice? No puede negarlo. —Tomó del brazo a Jane—. Vamos, tengo que salir de su sombra. Toda esa dulzura y brillo me hacen sentirme mal cuando me comparo con él.

—No debería —dijo Bartlett mientras se alejaban—. He hecho todo lo posible para dejarte en buen lugar. Ha sido bastante difícil.

—No lo pongo en duda. —Trevor bajó la mirada hacia Jane mientras caminaban—. ¿Te has reído delante de él?

—No, nunca heriría sus sentimientos.

—¡Dios nos libre! ¿Te vas a poner a la cola para ser la esposa número cuatro?

—No he venido aquí para hablar de Bartlett. —Se detuvo y le miró—. Y tú lo sabes. Así que, ¿por qué intentas evitar que diga lo que tengo que decir?

—Quizá me esté divirtiendo. Desde que te he conocido todo ha sido tensión, estar a la defensiva y sospechas. Me gusta verte así.

—¿Así, cómo?

—Pues, tierna. No me atribuyo el mérito por ningún cambio de actitud, pero siempre me he aprovechado de cualquier oportunidad que se me ha dado.

—No estoy siendo tierna. No pretendo serlo.

—La mayoría de las personas tienen un aspecto tierno. Tú se lo muestras a Eve a Joe y a Toby —dijo arrugando la nariz— y a Bartlett.

—Eso es distinto.

—Y eso es lo que estoy diciendo. Es refrescante. —Trevor levantó la mano en cuanto Jane empezó a hablar—. Vale, ya veo que te estás impacientando. Dispara cuando quieras.

—Has dicho que Aldo era un genio de la informática. ¿Cuándo os codeabais en Herculano qué descubriste de sus hábitos de navegar por Internet?

—¿De navegar por Internet?

—¿Qué si no?

—En primer lugar no nos codeábamos. En segundo lugar, ¿por qué caray quieres saberlo?

—No estoy segura. Me ronda algo por la cabeza pero todavía no está claro. Ya me imagino que no erais amigos del alma, pero los dos erais unos *cracks* de la informática. Teníais eso en común y los dos estabais aislados en el túnel. Os debisteis haber comunicado en algún nivel.

Jane se encogió de hombros.

—Todos tenemos una *web site* favorita que visitamos casi cada día. Yo la tengo.

—Yo también. —Trevor frunció el entrecejo—. ¿Quieres saber las *web site* favoritas de Aldo?

—¿Las conoces?

—Probablemente. Como has dicho, teníamos eso en común y yo admiraba su pericia. No compartíamos información, pero a veces le observaba.

—¿Puedes recordarlo?

—Ha pasado mucho tiempo.

—¿Puedes recordarlo?

Asintió lentamente con la cabeza.

—Todo ese período está bastante grabado en mi memoria. ¿Qué quieres de mí?

—Quiero una lista de todas sus *web site* favoritas.

—Puede que no las recuerde todas, Jane.

—Bueno, de todo lo que puedas recordar. De cualquier cosa.

—¿Para qué?

—Es un punto de partida. No sé adónde podemos llegar. Anoche estaba en la cama pensando en alguna forma de llegar hasta Aldo antes de que él llegue hasta mí. Pero no sé nada de él. En realidad, no. —Jane hizo un gesto de impotencia con la mano—. Tenemos tan poco... él está loco. Cree que soy la reencarnación de Cira y le gustan los ordenadores. He elegido lo más concreto que se me ha ocurrido para empezar a trabajar.

—¿Y cómo quieres utilizar esa información cuando haya estrujado mi memoria?

—Ya te lo he dicho. Todavía no estoy segura.

Trevor estudió su expresión.

—Puede que no estés segura, pero tienes una idea de adónde quieres ir a parar con todo esto. Podría callarme y obligarte a compartir tus ideas.

—Y a mí me molestaría esa imposición y necesitarías un montón de tiempo para conseguir que cooperara contigo en un futuro inmediato.

—Eso es cierto —respondió sonriendo—. Sólo estaba faroleando un poco. No me gusta que me dejen en la sombra, pero seré paciente. Sé que seré el primero en enterarme en cuanto tengas las cosas claras.

—¿Por qué?

—Porque sabes que te ayudaré. No discutiré. No impediré que te arriesgues. Si tienes oportunidad de atraparle, dejaré que corras el riesgo. —Se calló—. Aunque eso suponga alejarte de Eve y de Quinn y de la manta de protección que te envuelve.

Se dio cuenta de que la había decepcionado. ¿Por qué? Era justo lo que esperaba, lo que necesitaba de él.

—Bien. ¿Cuándo tendrás la lista?

—Esta noche. ¿Es lo suficientemente rápido?

—Tendrá que serlo. —Se dio la vuelta—. De todos modos esta tarde voy a estar ocupada.

Trevor se inquietó.

—¿Haciendo qué?

—Voy a ir al centro comercial a tomarme una pizza en CiCi's.

—¿Qué demonios? ¿Y crees que Quinn te lo permitirá?

—No sin discutir. Pero al final me dejará ir. No querrá perder esa oportunidad de atraer a Aldo. Le diré a Eve que venga conmigo y Joe asignará a alguien de Singer para que nos siga.

—Supongo que no tengo que adivinar por qué has de ir de compras cuando Domino's puede traértelas a casa.

—Pensará que un centro comercial lleno de gente es más seguro y un restaurante es un buen lugar para poder lucir su pequeño regalo. —Levantó la mano para que la luz solar hiciera brillar la gema—. Tiene que verme. He de incitarle. He de enfurecerle y hacer que se sienta inseguro. Ha matado a doce mujeres, al menos que sepamos, y nunca le han atrapado. Eso ha de darle seguridad, incluso se ha de sentir como un dios. Probablemente piense que lo único que ha de hacer es esperar una oportunidad y podrá borrar a la número trece de la lista. —Jane sonrió sin alegría—. Pero nosotros nos aseguraremos de que el trece sea su número de la mala suerte. Le haremos perder el equilibrio y le sacaremos la alfombra de debajo de los pies hasta que se quede al descubierto.

—¿Y crees que lucir ese anillo va a ayudar?

—Es un punto de partida. Si no sale a la luz, al menos me aseguraré de que se irrite.

—Estoy seguro de que lo harás. —Se calló un momento—. Me encantaría verte en acción. Puede que tenga que seguirte y observar.

Jane movió la cabeza negativamente.

—Tienes trabajo que hacer aquí. Y no quiero que vea que estoy bajo vigilancia. Será mucho más eficaz si piensa que sólo voy con Eve, así le demostraré lo poco que me importa.

—Él no me verá.

—Pensé que ibas a dejarme correr mis propios riesgos.

Trevor se encogió de hombros.

—No es tan fácil como pensaba. Lo estoy intentando.

—Sigue haciéndolo. —Jane se fue a la cabaña—. Quédate aquí.

Estaba sonrosada, radiante, hermosa.

Y triunfal.

Aldo intentó contener la ira que le abrasaba todo el cuerpo mientras la observaba riendo con Eve Duncan cruzando el aparcamiento en dirección al restaurante. Ahora esa zorra estaba haciendo gestos, cada movimiento hacía brillar el anillo.

En el centro comercial había sido igual. Estaba resplandeciente; cada rasgo de su rostro estaba animado y tan vivo que era como una bofetada.

Le estaba provocando no sólo con su regalo sino con su mera presencia.

No tenía miedo. El anillo no le había impresionado; la amenaza implícita sólo la había hecho reír.

Podía sentir cómo se desataba la rabia en su interior. ¿Cómo se atrevía? ¿No se daba cuenta de que le había llegado la hora y de que él era la espada que iba a atravesar su oscuro corazón?

Calma. Ya aprendería. Cada cosa sería vengada a su debido tiempo. Él borraría esa sonrisa de su rostro.

¡Zorra!

Pero no podía soportar que ella hubiera sido tan sarcástica con él y le hubiera tratado como si no tuviera importancia. No podía estar ahí sentado y dejarla actuar así. Tenía que demostrárselo. Tenía que hacerle ver con quién estaba tratando.

—¿Satisfecha? —le preguntó Eve a Jane en tono bajo mientras conducía hacia la cabaña del lago—. Parece como si te hubiera arrollado un camión.

—Así me siento. —Jane se reclinó en el asiento y cerró los ojos—. Nunca hubiera imaginado que estar tan eufórica pudiera ser tan agotador. Estoy exhausta.

—Yo también —dijo Eve tajante—. Pero estoy harta de mirar discretamente por encima de mi hombro.

—Muy discretamente. —Jane abrió los ojos y sonrió—. Gracias por hacerlo. No me habría servido de nada hacer alarde de lo poco que me afecta Aldo si a ti se te hubiera visto preocupada.

—Lo sé. —Aparcó delante de la cabaña—. Y no iba a someterme a todo este estrés para nada. —Se giró y miró a Jane—. ¿Ha sido para nada? ¿Crees que nos estaba observando?

¡Señor!, espero que estuviera allí, pensó Jane agotada.

—No lo sé. En algunas ocasiones he notado como si... Quizá. Valía la pena intentarlo.

—Una vez —dijo Eve—. Joe y yo te hemos apoyado esta vez pero tendrás que entablar una batalla si decides hacer esto todos los días.

Jane asintió con la cabeza mientras bajaba del coche.

—Desde luego que no va a ser todos los días.

—Eso no es comprometerse mucho —dijo Eve—. Lo que quiero decir es que no sé... —Se calló—. De acuerdo, seamos razonables con esto. Si sigues así, crearás un patrón de conducta y lo último que necesitas es ser predecible. Eso sería fatal.

Jane sonrió.

—Estoy de acuerdo. No seremos predecibles.

Eve se relajó.

—Me alegro de que lo hayas dicho en plural. Te estás volviendo un poco demasiado independiente para Joe y para mí. Nos asustas.

Jane movió la cabeza.

—He recurrido a vosotros y os he pedido que vinierais conmigo, ¿no es así? No quiero ser independiente si eso implica excluiros. Ya estuve mucho tiempo sola cuando era pequeña. Eso duele.

Eve se rió entre dientes.

—Sí, ya lo creo.

Cogió a Jane del brazo y subieron juntas los peldaños.

—Ya que lo has expuesto de manera tan delicada, yo te diría que eso duele un montón. —Echó un vistazo al lago—. Bonito atardecer. Nunca me canso de verlos. Tranquilizan el espíritu.

Jane movió la cabeza.

—A mí no me pasa lo mismo. Yo necesito mucho más que un atardecer. Pero tú lo haces muy bien.

—¿De veras? —Eve la miró con incredulidad—. Nunca me habías dicho que necesitaras que alguien te tranquilizara.

—Porque siempre has estado conmigo. No tenías que hacer nada. —Abrió la puerta mosquitera—. ¿Quieres que te ayude a preparar la cena?

Eve le dijo que no con la cabeza.

—Prepararé una ensalada y unos sándwiches cuando venga Joe.

—Entonces, cogeré el ordenador y me sentaré en el porche a hacer los deberes. —Se fue por el pasillo hacia su dormitorio—. No hace falta que me prepares nada. No tengo hambre después de haberme comido la pizza. No he comido mucha, pero me ha llenado igual...

Acababa de encender el ordenador cuando sonó su móvil.

—Puta. Zorra. Pavoneándote y meneándote como la puta que eres. ¿Estás orgullosa de ti? ¿Crees que has demostrado algo poniéndote ese anillo? No significaba *nada* para mí.

Se quedó helada.

Aldo. Sus palabras vomitaban rabia, violencia y maldad.

No te desmorones. Debería haber pensado que él averiguaría su número de móvil. Que no se dé cuenta de que estás sorprendida y de que tienes miedo.

—Tampoco ha significado nada para mí. Sólo una baratija. ¿Por qué no me lo iba a poner? Siento que estés tan decepcionado.

—Es de tu montaña, de la que te mató. ¿No te trae ningún recuerdo? Espero que te ahogues en ellos.

—No tengo ni idea de lo que me estás hablando. ¿Y realmente crees que voy a dejar que me tengas confinada en esta cabaña? Iré donde me plazca. ¿Sabes que la camarera de CiCi's me ha felicitado por este anillo tan bonito? Le he dicho que me lo había regalado un hombre que me seguía como un cachorro perdido. Las dos nos hemos echado a reír.

—¿Un cachorro perdido? —Jane podía sentir la rabia en su voz—. ¿Eres consciente de lo poderoso que soy? ¿De a cuántas mujeres he asesinado por tener tu asquerosa cara?

—No me interesa saberlo. —Hizo una pausa—. ¿Por qué me llamas, Aldo? Nunca lo habías hecho antes. Creo que has mentido. Te he sacado de tus casillas.

—No ha significado nada —repitió—. Sólo que he decidido que no hay razón para esconderme de ti. Puede que todavía pase mucho tiempo antes de que te mate. Meses. Años. No me importa el tiempo, ahora que te he encontrado. Siempre que te esté observando, vigilando, jamás escaparás de mí. Pero me merezco el placer de acercarme más a ti, de escuchar tu voz, de sentir que estás cada vez más asustada. Tengo derecho.

—Y yo, el mío de colgarte el teléfono.

—Pero no lo harás. Seguirás hablando porque esperas que te diga algo que pueda darles una pista a Trevor y a Quinn. Y cada una de tus palabras me proporciona un arrebato de placer.

Sintió náuseas del asco. Lo decía en serio. En su tono podía percibir una febril excitación mezclada con ira. Pero tenía razón, ella debía aprovechar la oportunidad.

—¿Quién crees que soy?

—No lo creo, lo sé. Eres Cira. Pensé que te había enterrado en ese túnel, pero después de asesinar a aquella mujer en Roma me di cuenta de que eras demasiado fuerte como para no haber vuelto a nacer. Supe que tenía que buscarte hasta que te encontrara.

—No cabe duda de que estás como una cabra. Yo no soy Cira, soy Jane MacGuire.

—Con el alma de Cira y tú lo sabes. ¿Por qué sino estás con una escultora forense como Eve Duncan? Sabías que vendría a destruirte tu odioso rostro y querías estar segura de que nunca desaparecería. ¿Sabes cuántas noches me había levantado y había visto a mi padre mirándote? No puedo recordar que alguna vez me tocara con afecto, pero sí le recuerdo acariciando ese maldito busto como si fuera la mujer que él amaba. Intenté destruirlo cuando tenía diez años y me dio tal paliza que no pude caminar en una semana.

—¿He de sentir lástima por ti? Debería haberte ahogado cuando naciste.

—Probablemente, él pensara lo mismo. Después de que tú entraras en su vida, no fui más que un estorbo para él. Pero ahora tendré mi revancha. De modo que disfruta de tu sentimiento de triunfo. Quédate sentada en la cabaña rodeada de todas esas personas a las que has embaucado para que hagan tu voluntad. Te pudrirás allí, zorra. —Colgó.

No se podía mover ni para apagar el móvil. Sentía como si la hubieran azotado, como si le hubieran dado una paliza. ¡Dios mío!, el odio le desbordaba. El veneno era devorador y paralizador.

Reponte. Aldo quería que te sintieras así de débil e indefensa.

Piensa en lo que ha dicho e intenta encontrar algo positivo en toda esa basura. Hizo un esfuerzo para colgar y se recostó en el balancín.

¿Positivo?

Dios mío.

—Correo —dijo Trevor mientras subía los peldaños una hora después—. Nada para ti, salvo una carta de... ¿Qué demonios te pasa?

—Estoy bien. —No estaba bien, pero estaba mejor. No le extrañaba que Trevor se hubiera dado cuenta de lo conmocionada que estaba. Sentía como si estuviera escrito en cada línea de su rostro—. No ha sido un día fácil —añadió con dificultad.

—Ha sido decisión tuya pasarle ese maldito anillo por la cara a Aldo. —La mirada de Trevor fue a buscar el rostro de Jane—. Pero no esperaba esta reacción.

—Yo tampoco. —Intentó sonreír—. Y supongo que no puedo quejarme. De hecho, creo que mi pequeña excursión ha sido un rotundo éxito. Pretendía incitarle a que diera algún paso y realmente he conseguido mi objetivo.

—¿Qué?

—Aldo me ha llamado. —Miró el teléfono móvil que todavía tenía en sus manos—. Hace aproximadamente una hora.

—¡Dios santo! ¿Qué te ha dicho?

—Estaba furioso. No le ha gustado el hecho de que su regalo no me asustara. Ha sido... desagradable. —Se humedeció los labios—. Me ha dicho entre dientes que tenía el alma de Cira y cuánto odiaba... ¡Dios mío!, cuánto odia mi rostro. Se ha propuesto la misión de librar al mundo de mi cara. Tenías razón, con todos esos asesinatos estaba matando su efigie.

—Pero no llamó a ninguna de las otras para charlar —dijo con gravedad—. Ni les regaló bisutería fina.

—Ninguna de ellas le enojó como lo he hecho yo. Me he quedado aquí sentada intentando pensar en algo constructivo que pudiera salir de todo esto, pero es muy difícil. Una cosa es cierta, volverá a llamarme. Cree que es su recompensa. Lo peor de todo es que me ha dicho que podía esperar mucho tiempo para matarme. —Apretó los puños—. Pero *yo tengo* prisa. No puedo soportar esto mucho más.

—Hoy hemos hecho un progreso. Te ha llamado.

—No es suficiente. Lo que dijo lo dijo en serio. Esperará hasta haber exprimido la última gota de placer de esta situación. —Apretó los labios—. Fue... repugnante, nunca había estado en contacto con algo tan detestable. Él... me asustó. No puedo dejar que eso vuelva a suceder.

—Podemos hacer que Quinn revise los archivos de llamadas para intentar localizarle.

Jane asintió.

—Ya lo he pensado, pero dudo mucho de que me hubiera llamado si no hubiera estado seguro de que no podríamos hacerlo.

—Lo intentaremos de todos modos.

—Por supuesto. —Enderezó el balancín—. Haremos todo lo que podamos. Hablaré con Eve y con Joe más tarde.

—¿Ahora no?

—No quiero que me vean así; ahora, no. —Hablar con Trevor la había ayudado a liberar el miedo que Aldo le había inoculado, pero tenía que alejarse de ello, ahogar el recuerdo de esa llamada durante un rato. Miró el sobre que Trevor todavía tenía en sus manos—. ¿Me has dicho que tenía una carta?

Él no dijo nada durante un momento y luego esbozó una pequeña sonrisa.

—Sí, es de Harvard. ¿Has hecho una solicitud?

Se dio cuenta que Trevor estaba intentando cambiar de tema, lo cual la calmó.

—Sí, he solicitado una admisión anticipada. —Cogió la carta sin abrirla—. Quizá me han aceptado. —Tiró la carta sobre el balancín—. Sería estupendo.

—Tu entusiasmo es sorprendente.

—No estoy muy segura de que quiera ir a una de las universidades de la Ivy League. Pero Joe fue allí y le gustó. ¿Dónde está mi lista?

Trevor se puso la mano en el bolsillo y le dio una hoja de papel.

—Esto es todo lo que puedo recordar y puede que ya no visite esas *web site*.

—Y puede que sí. —Le echó un vistazo a la lista—. Dos *web* italianas. Un periódico inglés.

—Estudió dos años en Oxford. Le gustaba mantener el contacto.

—Ésta es de Florencia, *La Nazione*. ¿Es otro periódico?

Trevor movió la cabeza afirmativamente.

—Creció allí. La mayoría de las personas siguen vinculadas a sus ciudades natales. También visitaba la *web* de otro periódico de Roma, la del *Corriere della Sera*.

Jane señaló otra *web site*.

—¿Y ésta?

—¿La de *Archaeology Journal*? Es una revista semanal y prácticamente la biblia de la arqueología actual.

—Pero él era actor. Su padre era el arqueólogo. Probablemente, ahora ya no la visite.

—No, pero a menudo salen artículos sobre Pompeya y Herculano y él tiene un interés personal en esos lugares.

Jane pasó a otra *web site*.

—Ésta también es de Roma. ¿Otro periódico?

Trevor sonrió.

—No, ésa es una de las *web site* porno más importantes de Italia. Muy explícita, muy pervertida. Apuesto a que todavía está interesado en visitarla de vez en cuando.

—¿Qué clase de perversión?

—También sentí curiosidad cuando le vi entrar en esa *web site*, así que yo también entré. Su especialidad es el sadomasoquismo y la necrofilia.

—¿Violar a los muertos? —Se estremeció—. Repulsivo.

—Y eso me confirmó mi creencia de que Aldo no era un muchacho agradable.

—Me has dicho que no violó a ninguna de las víctimas después de las primeras que asesinó en Roma.

—Eso no significa que no le interese el sexo. Quizá consideraba que las otras no merecían la pena. O quizás ahora le baste el crimen para correrse.

Jane se humedeció los labios.

—A las mujeres que violó ¿lo hizo antes o después de haberlas matado?

—Después.

—Enfermo.

—Sin lugar a dudas. ¿Quieres saber alguna cosa más?

—Ya te lo diré. —Su voz denotaba abstracción mientras revisaba la lista—. Quizá pueda encontrar el resto. Puedo acceder a una *gateway site* y conseguir una traducción literal.

—¿Eso quiere decir que me echas?

—Por el momento.

—¿Y se me va a permitir saber qué demonios planeas hacer con esa información?

Levantó la mirada.

—¡Oh, sí! Te voy a necesitar.

—Me consolaré con eso. —Se giró para marcharse—. Me cuesta imaginar que admitas necesitar a alguien.

—No.

—¿Puedes decirme aproximadamente a qué hora?

Sacudió la cabeza negativamente.

—He de pensar en ello e investigar un poco.

—Y has de recuperarte del asalto verbal de Aldo.

—Ya lo estoy haciendo. —Era cierto. La distracción había diluido el impacto emocional del veneno de Aldo—. Ha sido absurdo ponerme de ese modo. Al fin y al cabo, su llamada ha sido una victoria y me ha aclarado su actitud y sus intenciones.

—Y por lo que veo también ha aclarado tu actitud y reforzado tu determinación de avanzar a la velocidad de la luz.

—No necesitaba mucho refuerzo.

—No, vas a toda máquina. —Trevor levantó las cejas—. No puedo esperar a saber adónde vas a ir con todo eso.

—Ni yo tampoco —dijo ella cortante—. Sólo espero que no sea a un callejón sin salida.

—Entonces, suele haber un camino sobre el que retroceder para encontrar la salida.

Calor. Noche asfixiante.

Corre. Rocas que caen. Dolor.

—No quiero dar marcha atrás. —Apretó los labios—. He de ir directa hacia la salida y pasar por encima de ese bastardo si se interpone en mi camino.

Trevor dio un pequeño silbido.

—Voto por eso. —Empezó a bajar los peldaños—. Y yo te proporcionaré la apisonadora para hacerlo. Sólo tienes que abrir la boca.

Jane no respondió, volvió a mirar la lista.

Trevor movió la cabeza con arrepentimiento mientras caminaba por el sendero para encontrarse con Bartlett. Era muy obstinada; había liquidado el tema de la llamada de Aldo y probablemente hasta se había olvidado de él. No era bueno para el ego masculino.

¡Qué demonios! No podía esperar ninguna regla habitual entre hombre y mujer para su relación con Jane.

Mejor que no.

—Está absorta. —Bartlett tenía la mirada fija en ella—. Parece como si le hubieras hecho un regalo.

—En cierto modo así es. No ha sido una caja de bombones ni un ramo de flores, sino una lista de las *web* que solía frecuentar Aldo.

—Ya veo. —Bartlett asintió con expresión de gravedad—. Mucho más valioso que una caja de bombones y ella no es de las que aprecian la dulzura.

—Quizá no haya tenido la oportunidad de probarla.

Jane inclinaba la cabeza sobre la lista y él observaba la tensión, la tersura y la delgada elegancia de su cuerpo mientras cogía su ordenador. Lo hacía todo con una gracia natural e inconsciente que era una delicia observar. Había juventud sin la torpeza de la misma. Gracia y fuego. Ardía como una vela en la...

—No, Trevor.

Miró a Bartlett.

—¿Qué?

Bartlett estaba moviendo la cabeza, con cara de preocupación.

—Es demasiado joven.

—¿Crees que no lo sé? —Intentó apartar la mirada de ella. Dios, qué difícil le resultaba—. Mirar no hace daño.

—Podría. Ella no es una estatua y tampoco es Cira.

—¿No? —retorció los labios—. Eso díselo a Aldo.

—Te lo digo a ti. —Bartlett frunció el entrecejo—. Y no debería habértelo tenido que decir. Podrías hacerle daño.

Trevor sonrió inquieto.

—Ella lo negaría; diría que es mucho más probable que ella me hiriera a mí.

—Pero tú sabes que eso no es cierto. La experiencia cuenta y ella sólo tiene diecisiete.

Se giró para marcharse.

—¿Por qué estamos tan siquiera hablando de esto? Te he dicho que no iba a hacer nada más que mirar.

—Eso espero.

—Cuenta con ello. —Se fue por el sendero—. Volveré para relevarte dentro de una hora. Se ha pasado toda la tarde provocando a Aldo y ahora está rabioso. Quiero estar por aquí por si decide aparecer.

Capítulo 13

—Me has estado observando toda la tarde. Me siento como un insecto en un microscopio. —Eve se apartó de la reconstrucción antes de mirar a Jane—. ¿Pasa algo? ¿Todavía estás alterada por la llamada de Aldo?

—Un poco. —Hizo una mueca—. Puedes comprender que se me haya quedado grabado en la mente.

—De eso no me cabe la menor duda. No ha dejado de preocuparme desde que me lo contaste.

—Pero puedes olvidarlo cuando te abstraes por completo en tu trabajo. Eso es una bendición, ¿verdad?

—El trabajo siempre es una gran terapia. —Eve frunció el ceño—. ¿Estabas preocupada por venir a verme mientras trabajo?

Jane movió la cabeza.

—Sólo me preguntaba si ya te falta poco.

—Mañana. La podía haber terminado esta noche si no me hubieras arrastrado a salir este mediodía.

—No pusiste ninguna objeción.

—Ni la pondré. Mantenerte viva es más importante que identificar a esta pobre chica muerta.

—¿Qué nombre le has puesto?

—Lucy. —Sus manos se desplazaban por el cráneo, midiendo cuidadosamente el espacio entre los ojos—. La policía de Chicago piensa que puede ser una niña que lleva desaparecida más de quince años. Sus padres deben haber vivido un infierno.

—Como tú.

Eve no lo negó.

—Al menos podré devolver la hija a otros padres. Supongo que es una forma de poner fin a una situación.

—Bobadas. Es muy noble pero no te evita el sufrimiento.

—No. —Eve sonrió un poco—. ¿Se puede saber por qué estás tan interesada en mi trabajo esta noche?

—Siempre lo he estado. Es un poco repugnante, pero forma parte de ti.

—La parte repugnante.

—Has sido tú quien lo ha dicho. —Jane sonrió—. Jamás me atrevería. ¿De modo que Lucy regresa mañana a Chicago?

—Probablemente. —Eve levantó las cejas—. ¿Es importante que la termine rápido?

—Quizás. He estado sentada pensando... —Su mirada se fijó reflexivamente sobre el busto—. ¿Qué sensación... te produce?

—¿Tocar su cara? —Se quedó en silencio, pensando—. No me da asco. Hace tanto tiempo que lo hago que es difícil de decir.

—¿Lastima?

—Sí, y rabia y tristeza. —Acarició con dulzura la mejilla de Lucy—. Y una gran urgencia por devolverla a su hogar. El hogar siempre ha sido muy importante para mí. Hay tantos seres perdidos por ahí.

—Ya te he oído decir eso antes. ¿Realmente crees que su alma anda por ahí perdida y que le importa regresar a casa?

—No lo sé. Quizá. Pero no me importa. —Eve allanó la arcilla por la frente de Lucy—. Ahora vete a dormir y déjame trabajar o no terminaré nunca.

—Muy bien. —Jane se levantó—. Sólo era curiosidad.

—Jane.

Jane la miró por encima de su hombro.

—¿Por qué ahora? —preguntó Eve—. Nunca te ha interesado mi trabajo antes.

Jane se giró para mirarla de frente.

—Nunca había visto tan de cerca la posibilidad de mi muerte. Esto hace que te preguntes qué es lo que nos espera allí fuera.

—En estos momentos lo único que te espera a ti es una vida larga y feliz.

—No te preocupes. No es que me esté deprimiendo o que sea pesimista. Todo esto ha surgido de repente sin venir a cuento. Estaba aquí sentada observándote y pensando en algo completamente distinto, cuando de pronto se me ocurrió que... —Hizo una pausa—. Cira es uno de esos seres perdidos. Según parece nadie sabe lo que le sucedió. Probablemente muriera en esa erupción.

—Hace dos mil años, Jane.

—¿Qué importancia tiene el tiempo? Perdido es perdido.

—No, creo que no. Pero elimina el factor personal, el factor familiar.

—No, no estoy de acuerdo. —Se puso la mano en su mejilla y se la tocó siguiendo su trayectoria hasta la sien—. Esto para mí es muy personal. Ella tenía mi cara.

—¿Y te preocupa que ella sea uno de esos seres perdidos?

—No lo sé. Quizá no se perdió. Quizá no murió. A lo mejor vivió hasta los cien años y vio a sus biznietos.

—Puede ser.

—Sí, pero me lo he estado preguntando, ¿y si tienes razón y las almas perdidas anhelan regresar a casa? ¿Y si los sueños que he estado teniendo fueran su forma de decirme que necesita que la encuentren y que la lleven a su lugar de descanso final?

—¿Es eso lo que piensas? Te he de decir que es una conclusión totalmente irreal.

—Porque es tu deber decirlo. —Se calló durante un momento—. Yo ya no estoy segura de lo que es real, ni creo que tú tampoco lo estés. Tiene tanto sentido como pensar que estoy captando las vibraciones psíquicas. —Hizo una mueca—. Pero ayudaría tener alguna guía. Quizá podrías preguntarle a Bonnie lo me que está pasando.

—¿Es una broma?

—No es una broma de mal gusto. Ella rige tu vida y a mí no me importa. Pero he pensado que quizá podríamos ponerla a trabajar. —Se fue por el pasillo—. Olvídalo. Lo haremos todo nosotros. Pero intenta acabar con Lucy esta noche.

Encendió su ordenador portátil nada más llegar a su dormitorio y entró inmediatamente en la *web site* de *Archaeology Journal*. Una *web* muy técnica. Cuesta imaginar que a un psicópata como Aldo pudiera interesarle. No había ningún artículo sobre Herculano en ese número.

Se puso tensa y respiró profundo antes de entrar en la *web site* de pornografía. Antes le había echado un vistazo, pero tenía que estar segura... A los cinco minutos tuvo que salir. Era horroroso. Parecía imposible que alguien pudiera disfrutar con ese tipo de obscenidad. Olvídalo. Ve a la *web site* siguiente. Todas ellas le estaban dando una imagen de Aldo que se hacía más clara en cada instante.

Terminó con la última *web site* de la lista de Trevor a las 03:42 y se recostó intentando calmar su excitación ¿Funcionaría?

Había que intentarlo. El éxito dependería de muchos factores, incluido el escurridizo poder de la suerte.

Bueno, se merecían tener algo de buena suerte, ¡qué caray!

Cogió el teléfono y empezó a marcar.

El sol ya se filtraba por las ventanas y bañaba a Eve y a Joe con su luz clara mientras estaban sentados en la mesa desayunando. Cálido. Acogedor. Sereno. Totalmente distinto del oscuro mundo de Aldo en el que Jane había estado sumergida la noche anterior.

Jane se quedó de pie mirándoles por un momento, dudando. Para. Ya has tomado una decisión. Ahora a por ella.

—Buenos días. —Se dirigió hacia ellos—. No te oí llegar anoche, Joe. —Se fue a la nevera y sacó el zumo de naranja—. ¿Llegaste tarde?

—Sí. —Tomó un sorbo de café—. Pero debiste haberme oído. Vi luz por debajo de tu puerta.

—Estaba ocupada. —Se sirvió el zumo—. ¿Cómo vas con Lucy, Eve?

—He terminado. —Eve sonrió ligeramente—. Tal como me ordenaste, *madame*.

—Sabes que yo no... —Se detuvo al encontrarse con la mirada de complicidad de Eve—. ¿Me has pillado?

—Sí. ¿Qué estás tramando?

—Tenía que asegurarme de que no tenías ningún trabajo esperándote. —Levantó el vaso y se lo llevó a los labios—. Te voy a necesitar. —Se giró hacia Joe—. Y a ti también.

—Es un honor que me hayas incluido —dijo con sequedad—. ¿Vas a decirnos tu secreto o tendremos que adivinarlo?

—Os lo hubiera dicho antes pero tenía que asegurarme... —Se humedeció los labios—. Estaba confundida. Faltaban demasiadas piezas en el rompecabezas y tenía que encontrarlas. De lo contrario me habríais echado por tierra mi teoría y no podía dejar que sucediera eso.

—¿De qué caray estás hablando?

—No podemos quedarnos aquí sentados a esperar a que Aldo venga a por mí. Pensé que quizá podríamos encontrar la manera de hacer que salga a la luz. Pero después de hablar con él, me di cuenta de que va a ser necesario algo bastante más fuerte para hacerle perder los nervios. De lo contrario, se limitará a sentarse y esperar y yo no podré soportarlo. Hemos de ir en su busca.

—Estamos yendo en su busca —dijo Joe enseguida—. ¿Por qué crees que me paso dieciocho horas al día en la comisaría? Estamos recopilando información, estamos buscando pruebas, cotejando. Lo conseguiremos.

—Y eso te está volviendo loco. Ésa no es tu forma natural de trabajar —dijo Jane—. Tú quieres ir detrás de él.

—Así es más seguro.

—Él no tiene ninguna prisa. Cree haber encontrado a Cira y está dispuesto a esperar a que llegue su oportunidad. Podríamos estar años jugando al gato y al ratón. Yo no voy a entregarle esos años de mi vida. Quiero vivirlos plenamente. —Miró a Eve—. Creo que he encontrado la manera de hacer que salga a la luz, si me ayudáis.

—¿Cómo?

Al menos estaban escuchando.

—Un momento. —Se fue a la puerta principal—. Anoche llamé a Trevor y le dije que viniera. —Le hizo un gesto a Trevor, que estaba fuera hablando con Bartlett para indicarle que entrara—. Vamos a necesitarle.

—¿Has hablado con Trevor antes de haber hablado con nosotros? —preguntó Joe.

Jane lo negó con la cabeza.

—Eso no habría sido justo. Sólo sabe que estoy preparada.

—Preparada ¿para qué? —preguntó Joe.

—Tranquilo —dijo Eve en un tono bajo—. Escucha, Joe. Está intentando decírnoslo.

—Podría funcionar —dijo Jane—. Sé que podría funcionar. —Se giró para mirar a Trevor, que acababa de entrar en la habitación—. Dile a Joe que no hemos estado conspirando a sus espaldas.

Trevor se encogió de hombros.

—He venido por mandato real. Le di la lista que me pidió y me despidió.

—¿Qué lista?

Trevor le hizo un gesto con la cabeza a Jane.

—Te cedo la palabra.

—Aldo es un *crack* de la informática. Trevor me dijo que aparte de actuar, es su única pasión. Me dio una lista de *webs* que Aldo solía frecuentar.

—Dámela a mí.

—Lo haré. Cuando haya terminado. —Se giró hacia Eve—. Pero la gran pasión de Aldo es su deseo de vengarse de Cira.

—Te refieres de todas las que se parecen a ella.

—En su mente sigue siendo Cira.

—¿Y bien? —¿Y si tuviera la oportunidad de vengarse de la verdadera Cira?

Eve frunció el entrecejo.

—¿Qué?

—En Pompeya y Herculano además de esqueletos también se encontraron cuerpos casi en perfecto estado. ¿Y si descubriera que desenterraron una antesala del teatro de Herculano y descubrieron el esqueleto de una mujer que había sido asesinada el día de la erupción?

—¿Cira?

Trevor dio un pequeño silbido.

—¡La hostia!

—Trevor, me dijiste que Julio había encargado hacer varias estatuas de Cira. Teniendo en cuenta lo famosa que era, no sería nada raro que hubiera una en la antesala del teatro donde murió. ¿Una mención de una estatua no atraería inmediatamente el interés de Aldo?

—Por supuesto.

—Por supuesto, no anunciaríamos el descubrimiento enseguida. Tendríamos que filtrar la información para asegurarnos de que fuera creíble.

—¿Cómo? —preguntó Eve.

—Utilizando las *web* que le he proporcionado —dijo Trevor—. Tres eran de periódicos. Una de una revista de arqueología. Creo que me pide que manipule un poco la información.

—Y eres muy bueno haciéndolo —dijo Joe sarcásticamente.

—Puede que necesite tu ayuda —dijo Jane. No nos interesa que le cojan y que tenga que retractarse. Pero si puedes conseguir que la policía local no saque a la luz ninguna de las protestas del editor estaremos a salvo.

—¿Y por qué iría tras los huesos de una mujer muerta cuando puede ir detrás de ti? —preguntó Eve.

—Antes de empezar a matar a esas mujeres partió en dos el busto de Cira. Me dijo que creía que la había destruido cuando había hecho volar el túnel. Pero ha vivido con su imagen durante demasiado tiempo: para él todavía está viva. —Se calló un momento—. Y mientras hablaba con él me di cuenta del porqué. Es su rostro. Cada vez que ve una cara que se parece a ella, desencadena recuerdos y le incita a asesinar. No puede soportar ni siquiera ver su rostro, ni que exista en alguna parte del mundo. ¿Y si restregáramos su asqueroso careto en esa fobia? ¿Y si Cira se convirtiera en un icono popular? ¿Y si no pudiera leer un periódico o encender un televisor sin ver a Cira? ¿Y si se hiciera tan famosa como Nefertiti?

—¡Bingo! —murmuró Trevor.

—Eso espero —respondió ella con una mueca—. Y una de sus *web* favoritas es una página porno especializada en necrofilia. No sería extraño que quisiera humillarla de ese modo.

Eve se estremeció.

—Es difícil creer que podría... —Sacudió la cabeza—. ¡Qué bestia!

—Pero hemos de asegurarnos que sea una tentación a la que no pueda resistirse. —Jane volvió a detenerse—. Hemos de hacer carambola.

Eve se puso en guardia.

—Sigue.

—Yo he de estar allí. Cira y yo hemos de estar juntas.

—¡No! —exclamó Joe.

Eve estudiaba su expresión.

—¿Por qué?

—Porque no estoy segura de que la atracción por la Cira actual no sea más fuerte que por la Cira del pasado. Pero si estamos juntas creerá que podrá tenernos a las dos por el mismo precio. Podrá destruir los restos de Cira de una vez para siempre y matarme a mí.

—Y el considerará una amenaza que Jane vaya al lugar donde se encontraron los huesos de Cira —dijo Trevor—. Tras la reconstrucción eso daría más credibilidad a la historia y más publicidad, más rostros en los medios.

—Reconstrucción —repitió Eve lentamente.

—No le he dicho nada —dijo Jane enseguida—. Sólo me está leyendo el pensamiento.

—Y yo ahora te sigo —dijo Eve—. Rebuscado.

—Tú eres la clave. Tú serás la amenaza final para convertir a Cira en una imagen mundialmente famosa si hicieras una reconstrucción de su esqueleto.

—Sigue.

—¿Cuántas veces te han invitado gobiernos y museos a hacer una reconstrucción forense? No sería tan extraño que se pusieran en contacto contigo para verificar que se trata del esqueleto de Cira.

Trevor asintió.

—Y tú irías, teniendo en cuenta el hecho de que Aldo sabrá que yo te he dicho que Cira es su motivación.

—Y todos sabemos cuál es la tuya, Trevor —dijo Joe sin miramientos.

—Y vosotros deberíais estar bastante contentos de que sea tan fuerte —respondió él—. Os vais a adentrar en mi terreno y necesitaréis toda la ayuda que os pueda dar.

—¿Tu terreno?

—El arte de engañar —dijo Trevor sonriendo—. Un sofisticado, retorcido y gran engaño.

—Y estás ansioso por empezar.

—Apuesta lo que quieras —le dijo a Eve—, pero Jane tiene razón: todo girará en torno a ti. Ha de haber un hilo de verdad en toda mentira para hacerla creíble y tú eres ese hilo.

—¿Debo sentirme halagada?

—¿Crees que soy tonto? Te conozco lo suficiente como para no darte jabón. Sólo lo estoy exponiendo tal como lo veo.

Eve se quedó en silencio durante un momento.

—¿Crees que funcionará?

—Creo que tiene probabilidades. Jane ha encontrado la manera de utilizar la obsesión de Aldo. Siempre y cuando se le presente de la manera adecuada.

—¿Y ése es tu trabajo?

—No se me ocurre nadie más cualificado.

—Ni a mí tampoco —dijo Jane—. Por eso estás aquí.

—Me parece muy arriesgado —dijo Joe.

—No me importa lo que parezca —dijo Jane—. Siempre que nos dé la oportunidad de sacar a Aldo de la sombra.

—¿Y qué vamos a hacer exactamente cuando hayamos conseguido la atención de ese bastardo?

Jane movió la cabeza.

—Tendremos que improvisar y salir del paso. Pero por difícil que sea hallar la forma de atraparle, seguiremos jugando con ventaja. Jugaremos con ventaja siempre y cuando piense que tenemos algo que él quiere. Quiere a Cira y me quiere a mí. Estará en nuestro terreno de juego y cabe la posibilidad de que podamos pillarle cometiendo algún error si le enfurecemos lo bastante. —No podía leer la expresión de Joe, ¡maldita sea!—. Eso es lo que intentabas hacer cuando le seguiste hasta Charlotte y Richmond, ¿no es cierto? Sólo esto le hará perder su centro. Eso nos dará una oportunidad y, al final, será más seguro para mí.

—Chorradas.

—Muy bien, entonces pondrá fin a esta pesadilla. Este pulso con Aldo puede durar años si no pasamos a la acción. —Miró a Eve—. Ayúdame.

Eve la miró con los ojos muy abiertos y movió lentamente la cabeza.

—No me presiones. Toda esta trama me pone los pelos de punta. Necesito tiempo. —Se puso de pie—. Venga, Joe. Vamos a dar un paseo por el lago y a charlar un poco.

—Eve...

—Te he dicho que tendrás que esperar. —Eve sacudió la cabeza con preocupación—. Según como eres muy adulta, pero todavía tienes la impaciencia de una adolescente. Nada de lo que digas me va a hacer cambiar de opinión. Joe y yo marcaremos las pautas y haremos lo que creamos más conveniente. —Se dirigió hacia la puerta donde Joe la esperaba—. Ya te contestaremos.

Jane apretó los puños mientras les observaba bajando los peldaños del porche.

—¿Por qué no se dan cuenta de que eso es lo adecuado? —murmuró—. Yo lo tengo tan claro.

Trevor sonrió.

—¡Dios mío, tienen razón! Todavía eres una niña. Me siento profundamente agradecido por este momento de revelación. Lo necesitaba.

—¿Qué?

—No importa. Para mí también está muy claro. Es un buen plan y podemos mantenerte a salvo si trabajamos en él. Verás cómo atienden a razones. —Abrió la puerta—. Salgamos al porche a esperarles.

—Muy bien, aprobado —dijo Joe mientras subían al porche al cabo de una hora—. Pero ni se te ocurra ir a ninguna parte sin consultárnoslo antes. Va a ser una labor de equipo, de lo contrario nos echaremos atrás.

Jane se sintió aliviada.

—No tengo la menor intención de irme por ahí yo solita —respondió—. La esencia del plan es que requiere la cooperación de todos nosotros.

—Y por eso aceptamos hacerlo —dijo Eve—. Es la única forma en que estaremos seguros de que no te vas por la tuya.

—Muy perspicaz —dijo Trevor.

—Sabes que no me gustaría hacerlo —dijo Jane.

—Pero no nos estás negando la posibilidad. —Eve sacudió la cabeza—. ¿Crees que no te veo venir?

—No lo haría voluntariamente. —Jane se encogió de hombros—. Bueno, eso es discutible en estos momentos. —Se giró hacia Trevor—. ¿Por dónde empezamos?

—Poco a poco. —Trevor sonrió mientras Jane le miraba con frustración—. La paciencia es oro.

—La paciencia es inaguantable —refunfuñó ella—. Y estoy harta y cansada de que todo el mundo piense que ir arrastrando los talones es un signo de madurez.

Trevor se rió entre dientes.

—Ya me lo esperaba. —Miró a Eve y a Joe—. Necesito información de los dos. He puesto café a hacer. Vamos a reunirnos. —Abrió la puerta e hizo un gesto—. He pensado algunas cosas mientras hemos estado en el porche esperándoos. Me gustaría empezar. —Miró a Jane—. Y quizá yo también esté algo impaciente.

Jane se dio cuenta de que era cierto por su expresión. Impaciente, entusiasmado y excitado. Casi le perdona por haberla tratado con condescendencia.

Casi.

—¡Qué inmaduro por tu parte! —Entró en la cabaña delante de él.

Eve no esperó a que Jane terminara de servir el café para empezar a preguntarle a Trevor.

—Veamos, ¿qué necesitas ahora?

—¿Tienes algún contacto con algún departamento forense de Italia?

—No. He hecho algunos trabajos con el equipo forense de Dublín, pero no he trabajado en ninguna otra parte de Europa.

—¿Has hecho algún trabajo con cráneos antiguos?

—Me enviaron un cráneo egipcio que se suponía que era el de Nefertiti.

—¿Lo era?

—Los forenses dijeron que probablemente estuviera emparentada con ella, pero que la reconstrucción no se parecía a la estatua.

—Pero ese trabajo es una buena recomendación. Nefertiti... Eso está muy bien. —Trevor tomó la taza que Jane le estaba ofreciendo—. ¿Quién te solicitó el trabajo? ¿El museo? ¿El gobierno?

Eve movió la cabeza.

—El arqueólogo encargado de la excavación. Era americano y también me encargó un trabajo sobre un cráneo que encontró en un yacimiento navajo de Arizona.

—¿Cómo se llama?

—Ted Carpenter.

—¿Dónde está ahora?

—No tengo ni idea. Pero dudo de que esté en Herculano.

—Yo también. Eso sería tener demasiada suerte. Pero los arqueólogos son una especie rara y están bastante conectados entre ellos. Es posible que pudieras convencerle para que se pusiera en contacto con los arqueólogos que están trabajando allí.

—¿Y?

—¿Algo de verdad para una gran mentira? —Jane se sentó en el brazo del sillón.

Trevor asintió con la cabeza.

—Aldo revisará cualquier historia que tenga relación con Cira. Si anunciamos que un arqueólogo ha hecho ese descubrimiento y que le encarga la reconstrucción a Eve, hemos de asegurarnos de que pueda corroborar la historia.

—¿Cómo vamos a hacer ese anuncio? —preguntó Joe.

—Con discreción. En un período de varias semanas.

—¿Cuántas? —preguntó Jane.

—Aproximadamente.

—Tres... quizá. Si todo va bien. —Se giró hacia Joe—. Tendré que partir hoy para Herculano para preparar el terreno. Al pequeño y perfecto escenario de Jane le acechan todo tipo de problemas. Por una parte, la excavación del teatro está controlada por el gobierno italiano. ¿Puedo contar contigo para evitar que me metan en la cárcel si los italianos llegan a interesarse demasiado por mí?

—Me encargaré de ello —dijo Joe—. Aunque unos pocos días en la cárcel no te irían nada mal.

—Pero a Jane no le beneficiarían en nada. Ella quiere que las cosas vayan deprisa.

—¿Qué más? —preguntó Joe.

—Voy a empezar a introducir líneas sueltas en los periódicos de las *web sites* favoritas de Aldo.

—¿Vas a cambiar el texto? —preguntó Jane—. ¿Cómo puedes hacerlo?

—No es fácil. No sólo tendré que entrar en la *web site*, sino que tendré que volver a hacer el formato de las páginas.

—¿Sin que el periódico se entere?

—Los periódicos se revisan antes de colgarlos en la *web* y luego cuando ya están puestos los escanean. Si espero entre cinco o seis horas después de que los hayan puesto, sería raro que alguien se diera cuenta de los cambios. Al fin y al cabo no voy a cambiar una historia, sólo añadiré datos. Acabarán dándose cuenta, pero pueden pasar días.

—¿Y cuando lo hagan? —preguntó Joe.

—Entonces, dependerá de ti. —Trevor sonrió—. Utiliza tus influencias, músculos o apela a su avaricia. ¡Demonios! Promételes una exclusiva.

—¿A los tres periódicos?

—Yo lo haría. Va a ser un difícil acto de malabarismo, pero eso es lo que hace la vida interesante.

—Y delictivo —añadió Joe tajante—. Eso requerirá un control constante y ni siquiera estamos seguros de que todavía lea esos periódicos.

—Sólo necesitamos uno. Si ve algo sobre Cira en uno de ellos, es más que probable que después consulte los otros para asegurarse. —Frunció el entrecejo pensativo—. Pero *Archaeology Journal* es harina de otro costal. No podré engañarles durante mucho tiempo. Es una revista esotérica profesional y les importa mucho su reputación.

—Entonces, ¿qué vas a hacer? ¿Evitarles?

Trevor movió la cabeza negativamente.

—Les necesitamos. Sería muy poco creíble si una revista de este tipo no mencionara semejante hallazgo. —Se encogió de hombros—. Ya pensaré algo. —Dejó su taza—. Y mejor que empiece ahora mismo con los periódicos.

—¿Cómo? —preguntó Jane.

—Empezaré con los dos periódicos italianos. Ésa sería la progresión más lógica. Sólo un pequeño párrafo al final de la sección científica. El primero será un anuncio de los nuevos descubrimientos, pero sin detalles. Muy escueto. En el siguiente haré mención del teatro y de que se trata del esqueleto de una mujer. Dejaremos pasar unos días y daremos más detalles incluyendo el descubrimiento de una estatua en la antesala.

—¿Es una broma? —preguntó Eve.

Trevor lo negó con la cabeza.

—Si lo hago bien, a finales de semana se estará tirando de los cabellos o haciéndosele la boca agua.

—¿Un descubrimiento de esta índole no supondría más bombo y platillo?

—No hasta que el yacimiento esté protegido. Lo último que desean es que ladrones y reporteros interfieran en su camino. Aldo ya sabe eso por propia experiencia con su padre.

—Pero ahora mismo también debe haber excavaciones por ahí cerca. El descubrimiento de una antesala del teatro sería un gran hallazgo. No me puedo creer que podamos engañarles.

—No podría hacerlo si el yacimiento del teatro no fuera lo que es. Toda esa zona está plagada de túneles. Era la principal forma de acceso al centro del escenario y a los asientos. Algunos de ellos han sido descubiertos por arqueólogos con el paso de los siglos y hay planos. Otros han sido excavados por ladrones: son los túneles que utilizaban para robar las antigüedades del teatro. No sería tan extraño que se encontrara una antesala en uno de esos túneles de los contrabandistas que nadie conoce. No obstante, hemos de contactar con alguien que pueda dar fe del hallazgo y cubrirnos.

—Entonces, querrás que contacte enseguida con Ted.

—Cuanto antes. Sé persuasiva.

Eve hizo una mueca.

—Ése no es mi estilo.

—Entonces, haz lo que puedas. Necesitamos que el contacto esté en el yacimiento cuanto antes.

—¿Y qué historia se supone que le he de contar?

—Si es un amigo, cuéntale la verdad, pero él tendrá que dar otra versión al arqueólogo, que nosotros tendremos que corroborar. Toda la verdad sería demasiado peligrosa para nosotros.

—Bueno, entonces ¿qué ha de contarle Ted?

Pensó un momento.

—Que le diga que él ha descubierto el esqueleto y una estatua en un túnel al norte de la ciudad, pero que cometió el error de no solicitar permiso al gobierno para excavar, y que a fin de mantener buenas relaciones con los italianos está dispuesto a compartir la fama del hallazgo por una parte de los beneficios. Si hay una filtración Aldo supondrá que se trata del túnel de Precebio. Eso le parecerá lógico. —Se dirigió hacia la puerta—. Saldré para Italia esta noche. Cuando introduzca el primer párrafo ya os lo comunicaré, Quinn.

—Muy amable —dijo Joe—. No soporto trabajar en la sombra. Aunque me doy cuenta de que tú vas a beneficiarte de ello.

—Otro golpe bajo. —Trevor le miró por encima del hombro y le sonrió—. Me preocuparía si no supiera que tú estás tan ansioso de llevar a cabo este plan como yo. A ninguno de los dos se nos da bien lo de ir poco a poco. —Se volvió a Jane—. Y haremos todo lo posible para llevarte a Herculano lo antes posible. Así que tranquila. ¿Vale?

—No. No vale. ¿Qué se supone que he de hacer?

—Ya lo has hecho. Es tu plan. Nosotros sólo lo estamos poniendo en práctica.

—Muy bien, si quieres hacer algo, ve al centro comercial y vuelve a provocar a Aldo. Eso le mantendrá enfocado en ti hasta que empiece la acción en las *web*.

—No —dijo Eve con firmeza.

—Sólo una vez. Apuesto a que cuando lea los primeros artículos, ya no dará ningún paso más. Se sentirá confuso e inseguro respecto a cuál será su próxima acción.

—Quizá —dijo Eve—. Ya es bastante arriesgado llevarla a Herculano y servírsela en bandeja.

—No se la vamos a servir en bandeja. Encontraremos la manera de que allí esté a salvo. De eso me encargo yo. Ésa es una de las cosas de las que me voy a encargar en cuanto llegue a Italia. Tú te encargas de su seguridad hasta que recibas la mágica invitación para ir a realizar tu vudú. —Empezó a bajar los escalones—. Cuanto antes consigas que tu arqueólogo haga esa llamada, más rápido avanzaremos.

—Nadie me ha preguntado si quería ir a ese maldito centro comercial —dijo Jane—. No soy una niña a la que hay que mantener ocupada con tonterías porque no se le permite hacer nada importante. —Dio un paso hacia delante para confrontarle—. No tengo intención de provocar a Aldo, Trevor. Sería exagerado. La sutileza es mejor. Queremos que se concentre en Cira, no en mí. De modo que me quedaré aquí aburriéndome. Pero mejor que no sean más de tres semanas.

Trevor levantó la mano para saludar al estilo militar.

—Vale, vale. Te he entendido perfectamente.

—Y llámame para contarme qué es lo que está sucediendo.

—Será un placer. —Sonrió—. Cada noche; te lo prometo.

—Más te vale que cumplas tu promesa.

—Lo haré. —Trevor caminaba rápidamente por el sendero—. Echaré de menos el sonido de tu voz regañándome...

—¿Voy a ir contigo? —preguntó Bartlett al ver que Trevor lanzaba su maleta en el interior del coche de alquiler—. No hablo italiano, pero me he dado cuenta de que eso no importa mucho cuando quieres comunicarte. Siempre he sabido hacerme entender.

—No tengo la menor duda. —Trevor se metió en el coche—. No, no vas a venir. Si veo que no puedo arreglármelas sin ti, te llamaré. Te necesito aquí para que vigiles a Jane.

—Quinn lo hará.

—Pero él no me llamará para decirme si ha visto algo sospechoso. Intentará encargarse de ello él sólo.

Bartlett reflexionó sobre ello.

—Tienes razón. Quizá no me necesites allí. —Dio un suspiro—. Pero sería mucho más divertido ir contigo. He de reconocer que la vida es mucho más interesante cuando estoy contigo.

—¿Y cuántas veces me has dicho que serías muy feliz si te deshicieras de mí y pudieras regresar a tu tranquila y aburrida vida?

—Quizá me has contagiado. ¡Oh, Dios mío! Espero que no. —Bartlett dio un paso atrás cuando Trevor arrancó el coche—. Este tiempo me servirá para reflexionar y evaluar el efecto que tienes sobre mí. Entretanto puedes estar seguro de que haré todo lo que esté de mi parte por la seguridad de Jane. Cuídate.

—Tú también. —Trevor hizo una pausa—. No hagas ninguna tontería. Si observas algo sospechoso díselo a Quinn.

—Tranquilo. Observar e informar. Soy demasiado valioso como para dejar que me sacrifiquen. —Se volvió hacia la cabaña—. Y tú también. Tienes la incumbencia de ir con cuidado.

—¿Incumbencia? ¡Por Dios bendito! ¡Qué palabra más anticuada!

—Yo soy anticuado. Eso forma parte de mi encanto. Te agradezco que no te burles de mí.

—Ni se me ocurriría. —Puso el pie en el acelerador y se dirigió hacia la carretera—. Tu ejército de féminas me perseguiría con machetes.

Capítulo 14

—No hay nada —murmuró Jane, con la mirada pegada al diario *La Nazione* en su ordenador—. Ni una palabra.

—Sólo han pasado dos días —dijo Eve—. No estoy segura de lo que supone modificar una *web site*, pero creo que ha de llevar algún tiempo.

—Entonces, ¿por qué no nos ha llamado para decirnos que tenías problemas? Nos dijo que el trabajo de preparación llevaría sólo tres semanas.

—Aproximadamente. Creo que has sido tú quien se ha fijado ese tiempo en la mente.

Hizo una mueca.

—He sido yo, ¿verdad? Sólo quería presionarle un poco.

—Creo que no necesita que nadie le presione. Se marchó de casa a escape.

—Por eso, para que no bajara la marcha sin... ¡aquí está! —Jane se acercó a la pantalla, todo su cuerpo estaba tenso de la emoción—. Sólo un pequeño artículo al final de la página cinco.

—¿Dónde? —Eve cruzó la habitación y miró por encima de su hombro—. Sólo cuatro líneas.

—Está bien. Suficiente para captar la atención y la curiosidad de Aldo y no lo bastante como para resultar descarado. —Jane salió de la *web site* de Florencia y entró en la del periódico de Roma—. Si hubiera escrito algo más, habría levantado sospechas.

—Estoy segura de que apreciaría tu aprobación.

—No le importaría un carajo. —Jane ojeaba los artículos—. Es inteligente ¿verdad? Esto debe haberle costado mucho... aquí está. —Sonrió—. Ha firmado con las siglas de la Associated Press para que parezca que ha recogido la noticia del periódico de Florencia. —Pasó a la página del *Times* de Londres. A los diez minutos movió la cabeza decepcionada—. Nada.

—Dale un respiro. Dos de tres no está mal.

—Supongo que no. —Se reclinó en el sofá—. Al menos está haciendo progresos. ¿Has podido hablar con Ted Carpenter?

—Está en Guayana. Le dejé un mensaje ayer. Todavía no me ha devuelto la llamada. Volveré a intentarlo más tarde. —Movió la cabeza cuando Jane empezaba a hablar—. Más tarde —repitió—. Yo me encargo de esto, Jane.

—Lo siento. No pretendía pisarte tu trabajo. —Retorció los labios—. Mi problema es que no se me permite hacer nada. Eso me está volviendo loca y tengo ganas de salir y hacer algo. —Se levantó y salió al porche con Toby de escolta—. Voy a tomar el aire. En cuanto sepas algo dímelo.

—Lo haré. —Entonces Eve la llamó con resignación—. ¡Vale, maldita sea!, le llamaré ahora mismo.

Una sonrisa radiante iluminó el rostro de Jane.

—Gracias.

—De nada. Pero ni se te ocurra pensar que has conseguido manipularme.

Jane movió la cabeza.

—Ni por asomo. —La puerta se cerró detrás de Eve y Jane se sentó en el peldaño superior de la escalera del porche.

Al menos empezaban a pasar cosas. No lo bastante rápido. Pero había un movimiento y una acción que le daban esperanzas. Sería más feliz si pudiera participar en esa acción, aunque sabía esperar.

Quizás.

—¿Has tenido noticias de Trevor? —preguntó Bartlett desde el sendero.

—No, ¿y tú?

Bartlett movió la cabeza negativamente.

—Tampoco esperaba tenerlas. Cuando entra en acción es como un torbellino. No le cuesta mucho olvidarse de mí.

—Entonces, ¿por qué has pensado que me habría llamado?

—Porque piensa en ti continuamente. No olvides que siempre está contigo.

Jane puso cara de incredulidad.

—Piensa en Aldo, no en mí.

Bartlett sonrió.

—Quizá tengas razón. Puede que me haya equivocado. —Retrocedió por el camino—. Pero avísame cuándo llame, ¿vale?

Si llamaba, pensó Jane enfadada. Me prometió llamarme cada noche y ya ha roto su promesa. Vale, ha estado ocupado y esa actividad ha dado su fruto. Pero una promesa era una promesa y se sentía extrañamente sola. Hasta entonces no se había dado cuenta de cómo se había acostumbrado a verle merodeando por allí, llevándole el correo cada tarde, saludándola informalmente desde lejos cuando estaba hablando con Singer o con Joe. Había pasado a formar parte de su vida y ahora ya no estaba.

Y eso era bueno. No necesitaba nada en su vida que contuviera una fuerza errática como Trevor. Tenía que reconocerlo; su cuerpo respondió desde el primer momento en que le vio. No era tonta. Sabía que se trataba únicamente de una atracción sexual, pero eso era nuevo para ella y no estaba muy segura de qué es lo que tenía que hacer. Él la perturbaba.

Pero a una parte de su naturaleza le gustaba esa perturbación. El conflicto era un reto y se parecía a cómo se había sentido cuando adiestraba a Toby. Cada instante era una aventura, llena de risas y pequeñas catástrofes. Se dio cuenta de que estaba sonriendo. A Trevor no le gustaría esa comparación con su perro y en modo alguno toleraría que le adiestraran. Tampoco es que ella quisiera estar lo bastante cerca como para...

Sonó el teléfono.

—¿Has visto el artículo? —preguntó Trevor.

Le dio un vuelco el corazón y tuvo que aclararse la voz.

—Sí. ¿Por qué no ha salido en el periódico inglés?

—¡Dios, que dura eres! —Su tono denotaba irritación—. Dame veinticuatro horas más. He de ir con más cuidado con la prensa inglesa. Salvo que quieras que aparezca en el *Sun*. No les importa si la historia es demasiado sensacionalista.

—Aldo lee el *Times*, no el *Sun*.

—Estaba bromeando.

—¡Ah! —Hizo una pausa—. Lo has hecho muy bien.

—Dijo ella con gran entusiasmo.

—A ti no te interesan mis halagos.

—¿Quién te ha dicho eso? Me gustan las caricias como a todo el mundo. Y dado que en tu caso he de limitarme a lo verbal, me gustaría beneficiarme de ello. —Trevor prosiguió antes de que pudiera contestarle—. Fuera de lugar. Olvida lo que te he dicho. ¿Ha hablado Eve con Ted Carpenter?

—Todavía no. Está en Guayana y todavía no le ha devuelto la llamada. Ahora lo está volviendo a intentar. —Se levantó—. Puede que ya haya terminado. Voy a entrar en casa a comprobarlo.

—¿Estás en el porche?

—Sí, ¿por qué quieres saberlo?

—Estoy muy lejos de allí y rodeado de ruinas y de charlatanes intentando vender sus baratijas. Es agradable poder imaginarte junto al lago. Limpia...

Jane notó ese extraño calor repentino que empezaba a serle demasiado familiar.

—Eve ha colgado. ¿Quieres hablar con ella? —dijo rápidamente.

—Sí. —Jane le pasó el teléfono—. Trevor.

Eve la miró con curiosidad antes de hablar.

—Acabo de hablar con Ted. Me ha dicho que la persona con la que hemos de hablar es el profesor Herbert Sontag. Lleva quince años excavando en Herculano y es conocido y respetado por el gobierno italiano. Posee su pequeño reino allí y probablemente sea el único hombre que podría conseguir lo que hemos de hacer. Ted le ha visto varias veces en conferencias y me ha dicho que su fuerte no son las relaciones públicas pero que es muy bueno en lo suyo. Me ha dicho que mañana le llamaría, que le contaría la versión de la historia que has inventado y que le pediría su colaboración. —Eve hizo una mueca—. No me des las gracias demasiado pronto. Ted no parecía muy convencido. No estaba seguro de que Sontag le diera ni los buenos días. Me llamará en cuanto tenga noticias suyas. —Le pasó de nuevo el teléfono a Jane—. Mejor que le digas que empiece a pensar en otro plan porque éste se apoya en un firme muy poco seguro.

—¿La has oído? —le dijo Jane a Trevor—. Pero no tenemos otro plan.

—Tengo algunas ideas, pero vale más que consigamos que ésta funcione. Le he dedicado demasiado tiempo y esfuerzo. —Guardó silencio un momento—. Sontag... he oído ese nombre, pero no sé nada concreto de él. Maldita sea, he de dar nombres y lugares en los próximos artículos y no puedo mencionar su nombre sin saber si está dispuesto a ayudarnos. Llámame en cuanto sepas algo.

—Lo haré. Soy consciente de la importancia que tienen las comunicaciones en estas situaciones —añadió deliberadamente.

—¿Ha sido otro golpe bajo? —preguntó Trevor—. He estado bastante ocupado en las últimas cuarenta y ocho horas. No he dormido más de dos horas desde que me marché de Atlanta.

—¿Qué has estado haciendo aparte de craquear *web sites*?

—¿No te parece bastante? No, creo que no. ¡Ah!, mientras intentaba romper las medidas de seguridad de las *web site* de Internet, pensé en cómo localizaba Aldo a sus víctimas. Muy sencillo. A través del Departamento de Permisos de Conducir. Sus archivos están bien protegidos, pero un buen *hacker* podría entrar y Aldo es un experto. De ese modo podría obtener fotos y direcciones sin ningún problema.

—Y Aldo no empezó a acecharme hasta que conseguí el permiso de conducir.

—Puede que me equivoque, pero dile a Quinn que revise esa posibilidad.

—Se lo diré ahora mismo.

—Puede que sea como cerrar las puertas de la cuadra cuando ya se han escapado los caballos, pero eso es todo lo que se me ha ocurrido. En lugar de romperme más la cabeza con ese tema, he estado buscando lugares donde podríamos cercar a Aldo. Ha de ser algún lugar al que piense que puede acceder y donde podamos tenderle una trampa.

—¿Lo has encontrado?

—Todavía no. Pero todavía tenemos tiempo. Me has dado tres semanas.

—No, no es así. Sólo acepté el tiempo aproximado que me diste. Cuanto antes mejor.

Trevor se rió.

—En otras palabras: que no duerma y que no descanse hasta que haya hecho el trabajo.

—No he dicho eso. Sólo que no te duermas en los laureles.

—Lo intentaré. —Hizo una pausa—. ¿Qué has estado haciendo desde que me he marchado?

—Dibujar, deberes, jugar con Toby y volverme loca de aburrimiento. Lo mismo que cuando estabas aquí.

—Veo que te estás esmerando en asegurarte de que me entere de que mi presencia no te afecta en nada en tu vida.

—Quizá sí me afecte. Me irrita que tengas libertad para *hacer* algo.

—Reconozco mi error.

—Y al menos estás en un lugar diferente e interesante. Yo nunca he salido de Estados Unidos.

—Eres joven. Tienes mucho tiempo para trotar. Y esta ciudad no es tan fascinante.

—Tú tienes experiencia para opinar y comparar. Probablemente a mí me parezca interesante. Cuéntame.

—Apenas he arañado la superficie y estas ciudades turísticas son todas iguales hasta que las excavas a fondo. —Se rió—. ¡Vaya juego de palabras! Te juro que me ha salido espontáneo.

—Aún así quiero que me cuentes cómo es.

Se calló un momento.

—¿Porque Cira vivió aquí?

—¿Tanto te extraña que sienta curiosidad por el lugar donde vivió y murió?

—No es más extraño que todo lo que está relacionado con este embrollo. —Hizo una pausa—. Haremos un trato. Tú me cuentas tus sueños y yo te describiré hasta la última ruina de esta ciudad. Podrás verla con mis ojos.

—Podré verla yo misma dentro de tres semanas.

—Pero dudo de que Quinn te deje ir a patear la ciudad.

Eso era cierto, pero tendría que matarla antes de ceder ante él después de haber resistido la tentación durante las últimas semanas.

—Encontraré la manera.

—Muy bien. He pensado que no perdía nada por intentarlo. —Dio un suspiro—. Sólo ha sido un farol. Dame uno o dos días y te descubriré las delicias de la antigua Herculano. Quizás eso te haga ser más generosa con tus confidencias.

—No lo seré. —Su mente iba a mil por hora intentando pensar en todas las cosas que quería preguntarle—. El teatro. Quiero saberlo todo sobre el teatro de Herculano. Lo único que he encontrado en Internet es que era famoso. Nada sobre Cira. Tiene que haber algo en alguna parte si era tan famosa.

—Hace dos mil años, Jane.

—Muy bien, entonces quiero saber cómo vivía, el sabor de su tiempo...

—¡Dios mío!, no me apasiona la historia y voy a tener que hacer algunas cosas más importantes que...

—Entonces, hazlas. Sólo he pensado que en tu tiempo libre podías... Olvídalo.

Trevor suspiró.

—No lo olvidaré. Te daré lo que quieres. Tendrás que perdonarme si pongo a Aldo el primero en la lista de prioridades.

—No te perdonaría si no lo hicieras. —Apretó el teléfono con su mano—. ¿Crees que habrá visto los artículos?

—Eso depende de con qué frecuencia visite estas *web sites*. Ésa es la razón por la que hemos de seguir insertando párrafos y que cada vez sean más impactantes. Si algo le llama la atención, volverá a visitarlas para ver si puede encontrar otras referencias. Pero, maldita sea, hemos de probar que tenemos algo para el *Archaeology Journal*.

—¿Cuándo?

—La semana siguiente como mucho o la otra si no hay más remedio. No tiene que ser mucho. Algo breve y quizás una foto de la estatua que se ha encontrado junto al esqueleto.

—¿Qué estatua? Eso forma parte de la gran mentira. No tenemos ninguna estatua de Cira.

Se quedó en silencio.

—Yo sí.

Jane se puso tensa.

—¿Qué?

—Se la compré al coleccionista inglés al que se la vendió Aldo. Le hice una oferta que no pudo rechazar.

—¿Por qué?

—La quería. Bueno, el caso es que tenemos la estatua para utilizarla en el artículo del *Archaeology Journal* si es que van a usarla.

—Me sorprende que estés dispuesto a prestarla. ¿No es peligroso para tus planes de encontrar el oro? Es probable que atraiga más la atención sobre Cira y su vida. Un artículo es una cosa, pero vivimos en un mundo orientado hacia la vista y una foto despierta la imaginación. Mira todo el revuelo que despertó el busto de Nefertiti.

—Corro mis riesgos, pero te aseguro que el lugar que elegiré para presentar la reconstrucción de Cira no estará cerca del túnel de Julio Precebio.

—No lo pongo en duda. —Jane guardó silencio y luego le hizo una pregunta—. ¿Por qué la querías?

—Era mía, maldita sea. Era mi busto favorito de Cira y había negociado con Guido que sería una parte de mi trozo del pastel. Aldo me la robó. Era *mía.*

—El gobierno italiano supongo que tendría algo que decir.

—Era mía —repitió él—. Te llamaré mañana por la noche. Buenas noches, Jane.

—Buenas, noches. —Colgó el teléfono y miró pensativa al lago. Otra vez Cira.

La quería. Era mía.

—¿Jane? —dijo Eve—. ¿Has terminado de hablar?

—Sí. —Se giró y se dirigió a la cabaña—. Pero no me ha dicho mucho más de lo que sabemos después de revisar la *web site*. Le preocupa el *Archaeology Journal,* pero me ha dicho que se las arreglaría.

—Entonces, estoy segura de que así será. No puedes poner en duda su habilidad y dedicación.

Era mía. Aldo me la robó.

—Creo que la palabra es «obsesión», no «dedicación» —murmuró—. De todos modos me va a llamar mañana por la noche y quizás sepamos algo más.

• • •

Dahlonega, Georgia
Dos días después

¿Cira?

Aldo se puso en guardia al ver esas palabras en el diario de Florencia. Eran sólo unas pocas líneas, pero suficientes para captar su atención y dejarle sin respiración.

El esqueleto de una mujer sepultado y conservado durante miles de años.

Cerró los ojos al notar que el miedo se apoderaba de él como una oleada gélida.

Su peor pesadilla.

Si era cierto. Si la mujer era Cira.

Pero podía ser Cira. Hallada en una antesala del antiguo teatro y ¿cuántas actrices tenían tantas estatuas?

Abrió los ojos, revisó el artículo a conciencia. Para asegurarse. Revisó todas las fuentes. Luego empezó a saltar de una *web site* a otra.

Allí estaba de nuevo. Roma.

Quizá. No te excites demasiado. Este artículo hace referencia a rumores de un hallazgo, pero no habla de detalles. Nada en el *Archaeology Journal.*

Quizá no fuera cierto.

Pero si lo era tenía que enfrentarse a ello. No se trataba sólo de unos frágiles huesos que llevaban siglos esperando a que les dieran un lugar de descanso. Era esa Medusa la que había atrapado a su padre en sus mortales tentáculos. Tenía que romperla. Utilizarla. Humillarla. Dominarla. Luego trituraría sus huesos hasta hacerlos cenizas, para que nadie pudiera volver a resucitarla.

Más tarde se encargaría de matar al abominable engendro que se había atrevido a desafiarle hacía tan sólo unos días.

Calma. Podía esperar. Tenía tiempo para asegurarse de que el esqueleto era el de Cira. Podía estudiar e investigar para encajar todas las piezas del rompecabezas. Podía tratarse de una trampa.

Quizá no fuera el desastre que había pensado en un principio. Quizás el destino le estaba dando una oportunidad. La destrucción final de esa zorra.

Y estaba en su derecho, pensó enfurecido. Podía imaginarse dirigiéndose al sarcófago y mirándola triunfal. Alargando el brazo y tocándola. Era una imagen tan clara que empezó a temblar.

Espera. Observa. No hay prisa.

No importaba lo que estuviera sucediendo en Herculano, él todavía tenía a otra Cira en Jane MacGuire.

Jane no esperó a que Trevor la llamara. A las 22:45 del día siguiente le llamó ella.

—Sontag se ha negado a cooperar. Carpenter nos ha dicho que ha sido muy arrogante y que no podía comprometerse admitiendo una conexión con un hallazgo que no era suyo. No estaba dispuesto a arriesgar su maravillosa reputación si se trataba de un fraude, y ha amenazado a Carpenter con descubrirle si intentaba desvelar su hallazgo. Carpenter cree que no está dispuesto a compartir su pequeño imperio con nadie que pueda obtener mayor publicidad que él.

—¡Mierda! ¿Puede Eve convencer a Carpenter de que haga un segundo intento?

—Se te ha adelantado. Ha estado hablando con él durante una hora, pero no lo ha conseguido. Nos ha dicho que no puede hacer nada más respecto a Sontag y que no está dispuesto a volver a hablar con ese cabrón. Es evidente que Sontag no ha sido muy agradable.

—Sí, ya he hecho averiguaciones. Ni siquiera su equipo le tiene en muy alta estima. Los estudiantes internos se echan a suertes quién va a trabajar con él.

—¿Cómo has averiguado eso?

—No estaba dispuesto a sentarme a esperar a que Carpenter nos dijera si teníamos alguna posibilidad de que eso sucediera. Fui al yacimiento y estuve fisgoneando por ahí un poco.

—¿Qué más has descubierto?

—¿Aparte de que no es precisamente un ser maravilloso? Le encanta la publicidad; tiene un ego que le desborda. Le encanta el dinero y que le adulen.

—¿Algo que puedas utilizar?

—Posiblemente. Estoy revisando algo de su pasado. Pronto lo sabré.

—¿Cuándo?

—Te lo diré cuando lo sepa.

Jane dejó de presionarle. Había hecho muchos más progresos de lo que ella esperaba.

—¿Algo más?

—No, en cuanto a Sontag. Pero pude hablar con un par de estudiantes sobre la erupción. No me fue muy difícil puesto que están entusiasmados con su trabajo. Viven ese día en cada pala de tierra que levantan.

—¿Te hablaron del teatro? —preguntó ella entusiasmada.

—No llegamos tan lejos. Estaban demasiado absortos en el tema de la erupción.

—No puedo entenderlo.

—Pero estás decepcionada. Me sorprende. Debió ser una explosión infernal. Primero, el sol brillaba con normalidad y luego el final de su mundo.

Noche asfixiante.

—¿El sol? Pensé que había sucedido durante la noche.

—¿A sí? Entró en erupción a las siete de la mañana hora local. Pero para alguien que estuviera en algún túnel debió ser como si fuera de noche. O cuando la ceniza y el humo cubrieron el cielo... Tal como te he dicho, el final de su mundo.

—Pero he leído que en todos estos años sólo se han encontrado menos de una docena de cuerpos en Herculano. Quizá la mayor parte de la población logró huir.

—Últimamente se han encontrado más cuerpos en una zona que han drenado debajo del puerto deportivo. Hay la teoría de que cientos de personas intentaron llegar al mar y murieron en las playas o a causa de la ola sísmica que les engulló.

—¡Dios mío!

—Pero los esqueletos y cuerpos estaban casi en perfecto estado de conservación, lo que da mucha credibilidad a nuestra historia de la conservación del esqueleto de Cira en la antesala del teatro. Estoy seguro de que Aldo debe conocer todos los detalles que se han descubierto sobre la erupción.

Jane se había quedado tan atrapada en la visión de esas pobres gentes huyendo aterradas hacia el mar que se había olvidado de Aldo.

—Yo también estoy segura de que los conoce, dado que según parece dominan su vida. —Se humedeció los labios—. Entonces, podría ser cierto. Todavía podría estar sepultada allí.

—Posiblemente. Los expertos todavía no saben a ciencia cierta qué les sucedió a todas esas personas. La ciudad entera quedó sepultada en material volcánico a más de dieciocho metros de profundidad. Y el tremendo calor de la lava produjo efectos sorprendentes. En algunos casos carbonizó lo que halló a su paso y en otros conservó los objetos intactos. En algunas casas había placas de cera intactas. Es alucinante.

—Pero los manuscritos de la biblioteca de Julio no estaban dañados.

—Ese túnel estaba bastante lejos de la ciudad y en otra dirección opuesta a Herculano. No debió recibir toda la fuerza de la lava. Además, estaban protegidos dentro de cartuchos de bronce.

—¿Viste algún indicio en ese túnel de que se hubiera abierto la tierra y hubiera entrado la lava?

—No, pero no fuimos mucho más allá de la biblioteca. Como ya te conté, avanzábamos muy despacio y Guido se volvió avaricioso. —Se detuvo un momento—. ¿Por qué?

—Simple curiosidad. —No, no podía alegar simple curiosidad. No, si realmente quería descubrir lo que necesitaba saber—. Trevor, *realmente* quiero saberlo todo sobre el teatro.

—Porque forma parte de ella.

—Y quiero saber exactamente qué decían esos manuscritos sobre Cira. Fuiste muy escueto.

—Sólo puedo hablarte de ella desde la visión de Julio. Y desde la visión de los pocos escribanos que plasmaron las descripciones que él hizo de ella.

—¿Eran los mismos?

—Creo que no. Creo que los escribanos hicieron lo que hacen todos los «negros» si no se les vigila. Contaron su propia historia, con sus propias impresiones.

—¿Qué cuentan?

—Creo que mejor dejarlo para otro día.

—Cabrón.

Trevor se rió.

—Vaya forma de hablar para una jovencita. ¿Nunca te han corregido Eve y Quinn?

—No. No creen en la censura y de todos modos era demasiado tarde para cambiarme cuando me fui a vivir con ellos. Y tú no deberías ver la paja en el ojo ajeno.

—Lo tendré en cuenta. Te llamaré mañana por la noche.

—¿Qué le digo a Eve respecto a Sontag?

—Que ya me ocuparé yo. Buenas noches.

Volvió a la cabaña después de colgar.

—Me ha dicho que ya se ocuparía del tema —le dijo a Eve—. No me preguntes cómo. Probablemente será mejor que no lo sepamos.

Eve asintió.

—No me extrañaría. Acabo de entrar en la *web site* de Roma. Esta tarde menciona a un importante arqueólogo británico que dice que puede que sea el mayor descubrimiento desde Tutankamón. Si va a ocuparse de ello, mejor que sea rápido. Sontag no es el único arqueólogo de Herculano, pero es el más conocido y seguro que le harán preguntas.

—Pero una negación no tiene por qué ser un desastre. Trevor dijo que la mayoría de los arqueólogos son muy reservados con su trabajo.

—Salvo que abra la boca respecto a la llamada de Ted Carpenter.

Jane se encogió de hombros.

—Entonces, no nos queda más remedio que confiar en que Trevor encuentre una solución. No tenemos mucha elección.

La oficina de Sontag se encontraba en el primer piso de un pequeño almacén en la zona del puerto y era sorprendentemente lujosa. Un sofá de terciopelo corto y una alfombra de kilim competían con un escritorio evidentemente antiguo de elegantes formas.

—¿Profesor Sontag? —dijo Trevor—. ¿Puedo entrar?

Herbert Sontag levantó la mirada frunciendo el entrecejo.

—¿Quién es usted? Estoy ocupado. Hable con mi asistente.

—Me parece que ha salido. Me llamó Mark Trevor. —Entró en el despacho y cerró la puerta—. Y estoy seguro de que usted no querrá que su asistente oiga nada de lo que vamos a hablar. Hemos de negociar.

—Lárguese. —Se puso en pie, con las mejillas rojas de ira—. No me interesa comprar lo que usted vende.

—No, si usted no va a comprar, va a vender. Y con un buen beneficio. Por supuesto, si hubiera tenido los contactos adecuados le habría salido mucho mejor. Podría haber aumentado su parte un cien por cien.

—No sé de qué me está hablando —dijo Sontag fríamente—. Pero si no se marcha ahora mismo llamo al guardia de seguridad.

—¿Realmente quiere que se entere de lo de la Chica y el Delfín?

Sontag se quedó helado.

—¿Qué está usted diciendo?

—Una estatua exquisita que sobrevivió a la erupción. Usted la descubrió hace once años aquí, en el muelle.

—Bobadas.

—Es bastante pequeña y estoy seguro de que no debe haber tenido problemas en encubrir el hallazgo. Por lo que he averiguado de usted durante ese período de su carrera, era mucho más práctico. En cuanto pensaba que había la posibilidad de recuperar algo de valor, probablemente enviaba a su equipo a trabajar a otra parte y excavaba usted mismo. Pero probablemente, no tenía los contactos adecuados para conseguir el dinero que esa estatua valía, porque James Mandky todavía se ríe de cómo le engañó con el precio.

Sontag ya no estaba rojo, sino pálido.

—¡Miente!

Trevor movió la cabeza.

—Usted lo sabe perfectamente. A mí no me importa que usted robara una o dos piezas. Es una práctica bastante común entre sus colegas con menos escrúpulos. Cuando me enteré de que a usted le gustaba la buena vida, supuse que en algún momento debió apropiarse de alguna pieza valiosa. Al fin y al cabo ésta es una vida dura y una persona merece tener algunas comodidades.

—Mandky es tan culpable como yo. Él es el receptor de las piezas robadas. Nunca testificará en mi contra.

—Es posible, pero un rumor que promueva un escándalo arruinaría su reputación y le devolvería a Londres sin pena ni gloria. Según me ha dicho Ted Carpenter a usted le importa mucho su buen nombre. —Sonrió—. Y yo soy muy bueno insertando pequeños artículos en los periódicos digitales.

—Carpenter. —Apretó los labios—. ¿Va a hacerme chantaje?

—Por supuesto. Y además resulta tremendamente sencillo. Esperaba que fuera un reto mayor.

Se humedeció los labios nervioso.

—¿Me está insinuando que olvidará mi transacción con Mandky si acepto fingir que he descubierto ese esqueleto?

—Y ofrecernos toda su cooperación. Yo doy las órdenes y usted las sigue. Sin preguntas, ni discusiones.

—No lo haré —replicó—. Daré el anuncio, pero eso es todo.

—Incorrecto. —Trevor le miró directamente a los ojos y su tono de voz se endureció—. Míreme y se dará cuenta de con quién está tratando. No tengo ningún problema con los criminales, pues como usted mismo podría decir, yo también tengo esa inclinación. Pero usted es un novato y yo un profesional, lo que a usted le deja fuera de juego. Está acorralado y más le vale saber cuándo ha de ceder. No doy un céntimo por usted si interfiere en mi camino. Le arruinaré su carrera. Arruinaré la confortable vida que usted se ha labrado. Y si me cabrea mucho, hasta puedo plantearme poner fin a su miserable existencia. ¿Le ha quedado claro?

—Va de farol —susurró Sontag.

—Póngame a prueba. —Se dirigió a la puerta—. Le llamaré dentro de unas horas y le diré exactamente lo que tiene que decir en la rueda de prensa que va a convocar para esta noche. He dicho exactamente. Nada de improvisaciones. Nada de verborrea grandilocuente. Bueno, quizás un poco. Tiene que parecer natural.

—No le prometo nada.

—¿Prometer? No le creería ni aunque me lo jurara sobre una montaña de Biblias. Lo hará porque sabe que lo que le he dicho iba en serio.

—No funcionará. Mi equipo sabe que últimamente no he hecho ninguna excavación cerca del teatro.

—Por eso ha contratado un equipo de Marruecos y les ha hecho excavar secretamente durante la noche. Éste iba a ser el gran hallazgo de su carrera y quería reservárselo para usted hasta que pudiera dar la buena noticia. Carpenter ha accedido generosamente a permanecer en la sombra y conformarse sólo con los beneficios económicos. La gloria será toda suya.

—¿De verdad? —Sontag se calló, pensando en ello—. Suena plausible —dijo con prudencia.

—Lo es. Piense en ello. —Abrió la puerta—. Más tarde le daré los detalles.

Sontag.

Aldo revisó excitado el artículo del diario de Roma. Apenas recordaba haber oído hablar a su padre de Herbert Sontag e intentaba acordarse de lo que decía de él. Algo sobre la naturaleza poco honesta de Sontag y de la posibilidad de trabajar juntos. Pero nunca llegó a suceder. Su padre había descubierto el túnel de Precebio y no había compartido su hallazgo con otro arqueólogo.

Ahora Sontag había vuelto a escena y alardeaba de su gran hallazgo. Sin dar detalles. Todavía estaba intentando descifrar el descubrimiento de este gran secreto. No había dado el nombre de la actriz que habían encontrado en la antesala. Quizá todavía no conociera su identidad. Sólo había hecho referencia a su belleza y a las joyas de oro y lapislázuli que la adornaban. Decía que era otra Nefertiti.

Esa frase le dio escalofríos. No, más bella que Nefertiti, pensó Aldo. Cira.

Y ese cabrón de Sontag ya estaba intentando reivindicarla como un icono inmortal.

¡No!

Respiró profundo e intentó controlarse. Miró los otros periódicos. No había más información. Entró en *Archaeology Journal*. No había mención alguna del descubrimiento de Sontag.

Se sintió aliviado. La revista semanal solía ser la primera en anunciar cualquier descubrimiento importante y no habían hecho ninguna referencia, ni siquiera cuando salieron las primeras menciones antes de que Sontag lo anunciara públicamente. Quizá, Sontag estaba intentando conseguir algo más de publicidad.

Espera. Ten cuidado. Hay mucho en juego.

Cira.

Jane todavía estaba mirando el informe de la entrevista cuando Trevor la llamó esa noche.

—La entrevista de Sontag aparece en el *New York Times*. ¿Cómo lo has conseguido? —preguntó.

—No lo he conseguido. En el momento en que la historia se ha convertido en una noticia real, en lugar de ser una invención, ha sido como una bola de nieve rodando montaña abajo. Eso significa que tendremos que movernos con rapidez. Habrá reporteros merodeando alrededor de

Sontag y no hay nada más peligroso que un reportero inquisitivo.

—¿Qué pasa con *Archaeology Journal*?

—Me encargaré de ello en cuanto pueda. Ahora no puedo dejar a Sontag. Se está entusiasmando demasiado. Le encanta ver su nombre impreso y ya está preparando otra entrevista para mañana. Es inteligente, pero puede dar un patinazo que podría llevarnos al fracaso.

—¿Dónde están las oficinas centrales de la revista?

—Es una prensa universitaria de Newark, Nueva Jersey. Pequeña, esotérica y tremendamente importante para nosotros. ¿Alguna noticia de Aldo?

—Ya sabes que Joe te lo habría dicho si la hubiera habido.

—Eso espero. —Se calló—. He descubierto algunas cosas sobre tu teatro mientras estaba rondando por esa rueda de prensa.

—¿De uno de los estudiantes de Sontag?

—No, de Mario Latanza, un reportero de Milán. Había hecho sus deberes tras el anuncio de Sontag de que el esqueleto probablemente perteneciera a una de las actrices que actuaban en el teatro. Latanza pensó que puesto que la actriz aparecía adornada con joyas y triunfal, probablemente fuera la versión herculana de una estrella del musical.

—¿Qué?

—La pantomima musical era el espectáculo más popular después de las carreras de cuadrigas y las batallas de gladiadores. Mucho desnudo, chistes muy gráficos, canciones y baile. Sátiros persiguiendo a ninfas blandiendo sus falos de piel erectos. Si Cira era tan conocida como dicen los manuscritos de Julio, es más que probable que gozara de esa popularidad.

—¿Comedia musical? Siempre había pensado que el teatro antiguo eran las grandes tragedias griegas o romanas. Por cierto, ¿no eran hombres la mayoría de los actores?

—No, cuando se creó el teatro de Herculano. Las mujeres también podían actuar como tales, se quitaron las máscaras y se mostraron al público. Era un teatro impresionante con paredes de mármol y columnas hechas con los mejores materiales de la época. Los actores y actrices se hicieron casi tan populares como los gladiadores y eran bien acogidos en los lechos de la elite de la ciudad e incluso de algún emperador.

—Y Cira pudo ascender por esa escala.

—Subió todo lo que pudo, pero ser actriz también conllevaba un estigma que jamás habría podido eliminar. Había leyes estrictas que regulaban los matrimonios de actores y actrices, aislándoles del resto de la sociedad.

—No me extraña que intentara procurarse algo de seguridad.

—Un cofre lleno de oro suponía bastante más que algo de seguridad. Especialmente en aquellos tiempos.

—La trataban como un juguete, sin sentimientos ni derechos —dijo Jane furiosa—. Era normal que deseara asegurarse de que no volviera a suceder.

—No estoy discutiendo. Era sólo un comentario. Yo la admiro. Ahora más que nunca. ¡Caray!, ni siquiera sé cómo llegó a ser actriz. Las representaciones eran gratuitas y abiertas a todos los ciudadanos de Herculano. Salvo a los esclavos. Cira nació esclava y seguramente no se le debió permitir asistir a ninguna obra.

—Y ella trabajó muy duro para ser una estrella, ¡malditos!

Trevor se rió entre dientes.

—Sí, lo hizo —repitió él—. ¡Malditos!

Compañerismo. Calor. Unión. Eso era todavía más fuerte que el magnetismo físico que ejercía sobre ella. Al infierno con ello, pensó inquieta. Estaban a miles de kilómetros de distancia. No corría riesgo alguno aceptando más de él.

—¿Qué más has descubierto sobre...?

—Eso es todo. Es normal que estuviera más preocupado por lo que decía Sontag que por la historia antigua. Más adelante, más.

Jane dejó notar su descontento.

—Por supuesto. Sontag era mucho más importante. Hablaremos mañana por la noche.

—Ahora que me has sacado toda la información te deshaces de mí.

—¡Qué afortunada soy! Tú no eres de ese tipo de hombres que deja que le pase eso. He de pensar en algunas cosas y no puedo hacerlo mientras hablo contigo.

—Dios me libre de interferir en tus reflexiones. Buenas noches, Jane. —colgó.

Jane colgó y se recostó en el balancín, su mente giraba llena de imágenes.

Esclavos. Actores y actrices caminando flamantes por las calles de Herculano. Sátiros con falsos falos por los escenarios de mármol.

Aldo esperando en la sombra con su cuchillo en la mano.

No, eso no tenía nada que ver con el teatro donde Cira había obrado su magia.

Sí, sí que tenía. Se dio cuenta aterrada de que las imágenes del pasado se fundían con las del presente, se superponían.

Entonces detenlas.

Respiró profundo y limpió su mente de todo, salvo de Joe, Eve y de su querido hogar donde hacía ya tantos años que vivía.

Y de Aldo.

Aldo era la verdadera amenaza. No era algo que había sucedido hacía siglos.

Vale, eso estaba mejor, más claro.

Era completamente normal que se hubiera dejado llevar por el torbellino de imágenes que Trevor había invocado. Ahora ya había terminado y tenía que volver a su mundo para hacer frente a lo problemas que le estaba presentando Aldo.

Y tenía que enfrentarse a ellos. Ya no podía seguir allí sentada esperando a ser convocada en Herculano como lo habría sido la indefensa esclava Cira siglos atrás. Ella no era una esclava y tenía que *moverse*.

Cogió su portátil y lo abrió.

Joe estaba sentado en el sofá cuando ella entró en la cabaña dos horas más tarde; tenía un montón de papeles sobre la mesa de centro.

—¿Dónde está Eve?

—Se ha ido a la cama. —Joe levantó la mirada y se puso en guardia al ver su expresión—. ¿Algún problema? Pensaba que todo iba bien. ¿Qué ha dicho Trevor?

—No mucho. Está ocupado. Pero me ha dicho que teníamos que movernos deprisa.

Joe la miró detenidamente.

—¿Y eso qué significa?

—Significa que puede que necesite tu ayuda. No, que *voy* a necesitar tu ayuda. Y no te va a gustar, pero va a suceder. Ha de suceder —añadió enseguida.

Joe se quedó en silencio un momento.

—Entonces, ¿por qué demonios sigues ahí plantada como un pasmarote sin contarme de qué se trata?

Capítulo 15

Jane abrió la puerta del coche mientras Joe se detenía delante del edificio.

—¿Por qué no vas a aparcar mientras yo entró?

—De ninguna manera.

—Te he dicho que quería hacer esto sola, Joe.

—Podrás hacerlo sola. Cuando haya registrado la oficina y me haya asegurado de que es segura. —Sonrió torciendo la boca—. Ése es el trabajo que me has asignado y eso es lo que estoy haciendo. —Aparcó en un lugar cercano al edificio—. Ahora puedes salir y ser tan independiente como te plazca siempre y cuando yo esté detrás de ti.

Jane movió la cabeza arrepentida.

—¿Joe, te das cuenta de lo raro que suena eso?

—A mí no me parece raro. —Salió del coche—. Empieza a menearte.

Jane se dirigió rápidamente hacia las puertas de cristal doble de la entrada.

—Siempre que estés a cierta distancia detrás de mí. No quiero asustarle. Podrías intimidarle.

—Me gustaría poder intimidarte a ti. —Le abrió la puerta—. Y tú también empiezas a intimidar un poco.

Jane movió la cabeza.

—A mí, no. —Se fue hacia la chica que iba vestida con tejanos y un suéter largo que estaba sentada a una mesa que había en el vestíbulo mientras Joe se quedó apoyado en una pared mirando una hilera de mesas y cubículos a la izquierda del vestíbulo.

—Hola, me llamo Jane MacGuire. He llamado esta mañana y he pedido una entrevista con Samuel Drake.

Una sonrisa iluminó el rostro pecoso de la joven.

—Hola, yo soy Cindy. Sam me ha dicho que te hiciera pasar en cuanto llegaras. —Descolgó el teléfono y apretó un botón—. Ya ha llegado, Sam. —Colgó y le hizo un gesto con la cabeza—. Adelante.

Tanto la recepcionista como la oficina emanaban informalidad y buen rollo. Su actitud era alentadora y justamente lo que Jane esperaba que fuera.

—Gracias. —Se dirigió hacia la puerta que sólo tenía las letras S. Drake en bronce y la abrió—. Le agradezco que pueda recibirme señor Drake; le prometo que no le entretendré demasiado.

—Sam. —Drake se levantó. Era alto y desgarbado, llevaba unos pantalones caqui y una camiseta azul y no parecía tener más de treinta—. Puedes estar el rato que quieras. —Sonrió—. Probablemente no te sirva de mucho, pero disfrutaré del espectáculo. Tu llamada me ha interesado y yo soy una persona sencilla que no necesita mucho para que le despierten la curiosidad.

No le creyó. Podía ser una persona sencilla, pero sus ojos azules reflejaban una aguda inteligencia. Se preparó para la batalla que tenía que librar. Estúdialo, busca su punto débil y utilízalo. ¿Ambición? Quizá. ¿Seguridad? Lo dudaba. Puede que sólo quisiera agradar y que le respetaran. Eso sería lo más sencillo de manejar. Siéntate y charla durante unos minutos para ver si revela algo.

—Entonces, veamos si puedo entretenerle durante los próximos quince minutos. —Sonrió y se acercó a la silla para invitados al otro lado de la mesa—. Quizá podamos entretenernos mutuamente. Eres muy joven para tener un cargo tan alto. Esto me hace sentirme más cómoda para hablar contigo. He de admitir que estaba un poco nerviosa...

Telefoneó a Trevor esa noche cuando regresaron tarde a la cabaña.

—Ya tenemos el *Archaeology Journal.*

—¿Qué?

—Ya me has oído. Drake va a escribir un artículo breve para el número de esta semana sobre el descubrimiento de Sontag. No será una confirmación total, pero se acercará bastante. Quiere que le envíes una foto del busto de Cira. Me prometió que la sacaría un poco borrosa para que Aldo no reconociera que era la que le había vendido al coleccionista. La necesita enseguida si se ha de publicar la historia esta semana...

—Poco a poco —dijo Trevor tajante—. ¿Cómo demonios lo has conseguido?

—Me dijiste que no teníamos tiempo y que los necesitábamos. Así que me fui a la oficina de Drake y lo hice yo misma.

Trevor soltó varios tacos obscenos seguidos.

—¿Te has marchado de la cabaña y te has ido a Newark?

—No he ido sola. Joe me ha acompañado. Se aseguró de que nadie supiera que me había marchado y me estuvo protegiendo todo el rato.

—Idiota.

—No, es inteligente y duro, y ha hecho lo que le he pedido.

—¿Dónde estaba Bartlett? Voy a estrangularle.

—Ya te lo he dicho. Joe es inteligente. Bartlett no tiene la culpa. No se esperaba que fuéramos a marcharnos a escondidas de la cabaña. —Se detuvo un momento—. Y yo hice lo que se tenía que hacer. Estaba harta de oírte decir lo bien que iba todo cuando lo único que yo quería era *hacer* algo. Así que deja de decir improperios y mándale a Drake esa foto.

Guardó silencio durante un momento.

—¿Cómo le has convencido?

—No fue fácil —dijo cansinamente—. Casi meto la pata. Me costó bastante descifrar su expresión. Pero al final vi algo que me dio la clave...

—¿La clave?

—Él anhelaba ser un aventurero, pero está ligado a un despacho para escribir artículos sobre aburridos descubrimientos, cuando lo que en realidad quiere es patearse el mundo.

—¿Y cómo llegaste a esa conclusión?

—Hablando con él de manera informal, sintiéndole, e hice diana. Estaba bromeando y mencioné a Indiana Jones. Se le iluminó el rostro como si fueran los fuegos artificiales del cuatro de julio.

—¿Le gustaría ser Indiana Jones?

—No tiene nada de malo querer ser un héroe. Así que le di su oportunidad. Le conté toda la historia de Aldo, la conexión con Cira y que le necesitábamos para tender la trampa. Hice entrar a Joe para demostrarle lo sinceros y legales que éramos. Y también le prometí una exclusiva cuando atrapáramos a Aldo. Y a diferencia de ti, yo cumplo mis promesas. Ahora, ¿cuál es el paso siguiente?

—Que te quedes quieta y no hagas nada.

—Haré lo que me plazca. Dime cómo vamos a conseguir que inviten a Eve a Herculano después de que Aldo haya leído la confirmación en la revista.

—Prepararemos el terreno en la prensa durante dos días. Sontag hablará del trabajo de los escultores forenses y de la necesidad de contratar al mejor profesional. Luego esperaremos otro par de días y dejaremos que Sontag anuncie a quién ha elegido.

—Eso supone casi otra semana más.

—Eso es lo que haremos.

—Creo que deberías acelerar el proceso —dijo bostezando—. Ahora estoy demasiado cansada para discutir. Ayer estuve toda la noche despierta estudiando la revista y convenciendo a Joe para que me ayudara a hacer lo que se tenía que hacer. Me voy a la cama. Recuerda enviar la foto...

—¡Dios mío!, eres fantástica.

Sintió una punzada de dolor.

—No sé de qué me estás hablando. Se tenía que hacer algo y lo he hecho.

—Y lo mejor del caso es que no te das cuenta de ello. Probablemente has mareado tanto a Drake que ya no debía saber si iba o venía.

—Sólo le di lo que quería.

—¡Qué el cielo nos ampare a los pobres hombres si alguna vez utilizas tus otras armas!

—Si has de confiar en el cielo, es que lo sientes mucho y entonces, no te mereces protección. Y, además, creo que deberías estar contento, en lugar de lamentarlo.

—Estoy contento, enfadado y asustado.

Jane ya no podía seguir.

—Maldito seas. Hazlo ya. Manda la foto. —Le colgó el teléfono.

—¿No le ha hecho gracia que salieras de aquí? —le preguntó Eve desde atrás.

—No. —Se giró hacia Eve—. ¿Por qué iba a ser él diferente? Tanto a ti como a Joe no os gustó nada la idea. Pero al final estuvisteis de acuerdo en que podría hacerlo.

—Nunca he dudado de que pudieras conseguirlo. Lo único que siento es habérmelo perdido.

Jane frunció el entrecejo.

—Pero te enfadaste cuando pensaste que estaba manipulando a Joe.

—Eso es porque era Joe. Aldo ha convertido esto en zona de guerra. Siempre y cuando no perjudiques a personas inocentes, utiliza el arma que quieras. —Sonrió—. Pero la próxima vez no quiero ser yo la que se quede en casa.

—Tú estarás en el centro en cuanto lleguemos a Herculano. Si es que alguna vez llegamos. Trevor está dando pasitos en esta etapa de su maravilloso engaño.

—Lo que probablemente sea inteligente por su parte —dijo Eve—. Apruebo la delicadeza en las etapas finales. La experiencia me ha enseñado que en las reconstrucciones puedo echarlo todo a perder si voy demasiado deprisa en la fase final. Aunque reconozco que es duro esperar. Vete a la cama. Me parece que estás a punto de desplomarte.

—Así es. —Se fue junto a Toby y luego hacia el pasillo—. Creo que voy a dormir como un tronco esta noche.

—¿Sin sueños? —preguntó Eve con voz baja.

—¿Te refieres a Cira?

Rocas cayendo, golpeándola. Dolor. Sangre.

Jane movió la cabeza.

—Nunca he soñado con Cira durante mucho rato. Quizá ya se haya terminado. Quizá no vuelva a soñar con ella.

—No estés demasiado segura. Teniendo en cuenta de que todo lo que estamos haciendo gira en torno a Cira, me extrañaría que no ocupara el lugar más importante de tu mente.

—A mí también. Entonces, siempre está presente. ¿Te he dicho que probablemente era la versión herculana de una estrella del musical?

—No, ¿de veras?

—¿No te resulta extraño? Tuvo una vida muy dura. Le debió costar mucho subir al escenario y hacer payasadas. No me la imagino cantando y bailando. —Se encogió de hombros—. Pero supongo que podría hacer todo lo que se propusiera. Buenas noches, Eve.

—Qué duermas bien.

Iba a dormir bien, pensó Jane cuando cerró la puerta de su dormitorio. Si soñaba sería con Sontag, Aldo, las ruinas de Herculano y Trevor tejiendo sus redes en torno a ellos.

Estaría contenta si conseguía no soñar con Cira. Quizás ahora ya se hubiera completado el círculo, habiendo contado su historia. Puede que Cira hubiera muerto cuando esas rocas le cayeron encima.

Tristeza. Soledad.

Enseguida surgió un rechazo. No, no lo *permitiría*.

Estaba loca. ¿Cómo iba a evitar algo que había sucedido hacía dos mil años? Fuera lo que fuera lo que hubiera sucedido en ese túnel, tenía que aceptarlo.

Empezó a desvestirse.

—Pero no es justo, ¿verdad, Toby? —le susurró mientras se metía en la cama—. Luchó mucho. Se merecía vivir...

Dahlonega, Georgia

La fotografía de la escultura del *Archaeology Journal* era borrosa, pero inconfundible.

Cira.

Aldo devoró los rasgos de la mujer con su mirada antes de leer el artículo. La confirmación. La revista era prudente, pero estaba claro que confirmaba el descubrimiento de Sontag e incluso había publicado una foto de la estatua que habían encontrado en la antesala.

Se fue al *site* de *La Nazione* de Florencia. Más noticias sobre una rueda de prensa con Sontag hablando de su notable descubrimiento y de que iba a contratar los servicios de un escultor forense para verificar que el busto y el esqueleto pertenecían a la misma persona. Era la segunda mención en todos esos días.

Escultor forense.

Cira.

Jane MacGuire.

El círculo se estaba cerrando, estrechando como un nudo.

Muy bien, había sucedido lo peor, pero podía utilizarlo a su favor. Quizás ese fuera el reto que necesitaba para demostrar su superioridad respecto a esa zorra.

La noche pasada había soñado con Cira y se había despertado en un húmedo éxtasis sexual. Huesos rotos, sangre y lágrimas de humillación. Pero no podía tener la sangre sin

Jane MacGuire. Ella era la manifestación actual de esa zorra. Tenía que tenerlas a las dos para que su éxtasis fuera completo.

Las *tendría*. Se lo merecía.

Pero a veces el destino ponía impedimentos y necesitaba un poco de ayuda. Necesitaba tener el control. Mira lo que había sucedido en el claro del bosque cuando casi había atrapado a Jane MacGuire.

Esta vez no se podía permitir ningún fallo.

—He de verle —dijo Sontag tajante cuando Trevor respondió a su llamada—. Enseguida. Yo nunca quise esto.

—Usted nunca ha querido nada, sencillamente le he hecho chantaje. —Trevor se sentó en la cama—. ¿Qué pasa? ¿Le están acosando los reporteros?

—Venga aquí. —Le colgó.

Trevor miró el reloj de la mesita de noche y empezó a vestirse. Las 02:45. Sontag no era de los que daban vueltas en la cama preocupándose en la oscuridad de la noche, pero no cabía duda de que parecía preocupado. Más le valía darse prisa antes de que lo soltara todo y lo echara a perder.

Llegó a la casa de Sontag a las afueras de Herculano en quince minutos.

—Me dijo que todo estaba preparado —le soltó Sontag indignado al abrir la puerta—. Unas cuantas ruedas de prensa y que luego podría irme a Cannes. Me dijo que él se quedaría al margen.

—Cálmese —le dijo Trevor—. Sólo le queda aproximadamente una semana y podrá marcharse de Herculano.

—Me voy mañana.

—Ni lo sueñe. —Entró en la habitación—. Todavía tiene trabajo por hacer.

—No, no lo tengo. —Cogió un sobre grande que tenía en la mesa de centro y se lo lanzó a Trevor—. Ya he terminado. —Se estaba desabrochando el batín de terciopelo mientras caminaba por su dormitorio—. Yo me lavo las manos. Está intentando entrar en escena. Me va a poner a prueba. Voy a hacer las maletas.

Eso no iba a suceder. No iba a dejar que Sontag soltara el anzuelo. Sintió la tentación de acercarse a él y presionarle, pero optó por dejar que se calmara durante unos minutos. Abrió el sobre y sacó un montón de papeles.

Dio un silbidito al ver la primera página.

—¡Jesús!

—Le tenemos —dijo Trevor cuando Jane respondió al teléfono dos horas después—. No sólo le tenemos, sino que creo que ya está en Herculano.

Jane se puso nerviosa.

—¿Qué?

—Sontag me ha telefoneado aterrado y me ha lanzado un sobre en cuanto he entrado en su habitación. Había un dossier completo sobre Eve Duncan. Era evidente que lo habían sacado de Internet y la historia de su reconstrucción de la momia egipcia estaba encabezando la lista.

—¿No había ninguna nota?

—No, pero la encontró debajo de la puerta cuando alguien llamó en mitad de la noche. Se asustó. Pensó que era Carpenter que pretendía retarle sobre su gran descubrimiento. Le encanta ser el centro de atención.

—¿Crees que fue Aldo?

—Puede que haya contratado a alguien, pero apuesto a que Aldo está cansado de esperar y debía querer entablar algún contacto. ¡Jesús!, nunca pensé que tendríamos tanta suerte. Pensaba que tendríamos que esperar a que Sontag lo anunciara y luego que tendríamos que esperar con los dedos cruzados a que Aldo diera señales de vida.

—¿Por qué lo habrá hecho?

—Ha estado leyendo los artículos de Sontag sobre la necesidad de escoger a un escultor forense y ha llegado a la conclusión de que quería controlar la situación. Es un hijo de puta arrogante. Todo ha ido según sus planes desde que empezó con los asesinatos en serie y no puede soportar no ser él quien dé el primer paso.

—Pero ¿por qué dejarle el dossier en mitad de la noche?

—¿Por qué no? Quiere que le teman y últimamente no ha podido gozar mucho de esa satisfacción. Si va detrás del esqueleto, quizá quería que Sontag se diera cuenta de lo vulnerable que era. No pensó que a Sontag le preocuparían más sus quince minutos de gloria que su vida.

—Pero podía haber sido al revés. Sontag podía haber escogido a otra persona, por no querer que le impusieran a nadie.

—Cierto. Lo que pienso es que Aldo puede que no esté del todo seguro de que esto no sea una trampa, pero está dispuesto a arriesgarse porque está seguro de que superará todos los obstáculos que se pongan en su camino.

—Para llegar hasta Cira —añadió ella lentamente—, y también sigue queriéndome a mí.

—Pareces sorprendida. Éste era el plan, ¿no es cierto? No querría que Eve hiciera la reconstrucción si no estuviera seguro de que tú vas a ir con ella.

—No me extraña. —Pero se había quedado helada y un poco amedrentada al ver la velocidad con la que Aldo había tomado las riendas—. Esto me ha cogido un poco por sorpresa. Estoy intentando razonarlo. ¿No crees que puede pensar que es mucho más lógico que me quede aquí protegida?

—Su destino —le recordó—, y si te dejaran en casa, haría algo para traerte hasta aquí.

—Entonces, ¿cuándo nos vamos a Herculano?

—Ya te has recuperado. Te empiezo a oír muy entusiasmada de nuevo.

—Es un alivio saber que por fin vamos a entrar en acción.

—Para mí no lo es. Ahora que nos estamos acercando a la fase final he empezado a tener visiones de cadáveres sin rostro bailando delante de mí.

—Entonces, cerciórate de no cometer ningún error que me convierta a mí en uno de ellos. ¿Cuándo salimos para Herculano? —volvió a preguntar.

—Le diré a Sontag que en la rueda de prensa de mañana anuncie que ha contratado a Eve. Probablemente, en un par de días. Dile a Eve que en el aeropuerto de Nápoles estará la prensa esperándoos.

—Ella no soporta eso.

—Podrá soportarlo. Todo el mundo sabe que es tímida ante la prensa, pero si me he equivocado respecto a que Aldo esté aquí quiero asegurarme de que se entere de que habéis llegado. Esa lluvia de publicidad será como ponerle sal a las heridas de Aldo. Haré que circule otra foto del busto de Cira en la prensa local. Después, intentaré que Eve esté expuesta lo mínimo posible a los periodistas, pero en este momento la prensa es la clave. Os iré a buscar a Roma y volaremos juntos hasta Nápoles.

—¿Por qué?

—Quiero que me vean llegar al mismo tiempo. Hasta entonces, me mantendré oculto. Si Aldo ya está aquí no quiero que me vea pululando alrededor de Sontag y tirando de las cuerdas.

—¿Todavía puedes controlar a Sontag? Pensé que me habías dicho que estaba asustado.

—Lo está, pero tiene un gran instinto de supervivencia y lo único que tuve que hacer era convencerle de que podría seguir manteniéndole en el candelero. Dile a Quinn que he encontrado una villa en las afueras de Herculano que tiene algunas características interesantes, pero que le dejo a él lo de contratar a un equipo de seguridad. Puede ponerse en contacto con la policía local para que le recomienden a alguna empresa. No creo que aprobara los antecedentes del equipo que yo podría contratar.

—Me lo imagino.

—No, no puedes. Sólo tienes diecisiete años.

—¿Puedes dejar de repetírmelo?

—No, porque me lo he de repetir para no olvidarlo yo. He llamado a Bartlett para que organice el traslado de Toby a California, para que tu amiga Sarah lo cuide. Estoy seguro de que no estarías tranquila si no supieras que está bien atendido. ¿Te parece bien?

—Siempre y cuando esté a salvo.

—Lo estará. Le diré a Bartlett que alquile un jet privado para el chucho si es necesario. Te llamaré después de la rueda de prensa de mañana. —Colgó.

Jane apretó la tecla de colgar y se quedó sentada un momento. Se sentía aturdida... y asustada. No esperaba sentir ninguna de esas emociones. Pensaba que estaba preparada.

Lo estaba, ¡qué caray! Lo único que tenía que hacer era deshacerse de ese sentimiento premonitorio ante la idea de ir a Herculano. Los acontecimientos sucedían tal como lo habían planeado, mejor incluso. Debería estar contenta.

No, feliz no, pero empezaba a sentir algo de excitación y anticipación. Se levantó del balancín y se dirigió a la puerta de entrada.

—Eve, ha llamado Trevor. Haz las maletas. Nos vamos a Herculano.

La villa de dos plantas de paredes de estuco de la Via Spagnola que Trevor había alquilado era espaciosa y acogedora. Estaba guardada por una ornamentada valla de hierro forjado y coloridos geranios sobresalían de los alféizares de las ventanas de la segunda planta.

Trevor abrió la puerta y entró.

—Me quedaré aquí con Eve y Jane, Quinn. Supongo que querrás entrar para registrar la casa. Lo haría yo mismo, pero supongo que no confías en nadie más que en ti.

—Acertaste. —Joe se movió con rapidez, les dejó atrás y accedió al vestíbulo—. Aunque se supone que no debería haber ningún problema. He tenido a dos guardias de seguridad vigilando la casa desde que ayer me diste la dirección. Quedaros aquí.

—Debía haberlo supuesto —murmuró Trevor.

—Sí, es cierto —dijo Eve mientras contemplaba el recibidor de mármol—. Muy bonita. ¿Cuántas habitaciones tiene?

—Cuatro. Dos cuartos de baño. Salón, estudio y biblioteca. La cocina es bastante moderna y eso es muy raro en casas antiguas como ésta.

—¿Cuándo se construyó? —preguntó Jane.

—Alrededor de mil ochocientos cincuenta. Es de Sontag y cuando vi que era justo lo que necesitábamos he conseguido que me la prestara.

—Cómo, ¿retorciéndole el brazo?

—No ha sido necesario. Lo tenía dominado y hacía todo lo que le decía hasta la otra noche, cuando recibió la visita nocturna.

—Todo en orden —dijo Joe bajando la escalera—. Eve y yo nos quedaremos en el dormitorio del final del pasillo. Tú estarás en el centro, Jane. Trevor puede quedarse en el otro lado y así estarás entre ambos, como un sándwich.

—Un sándwich —repitió Trevor—. Curiosa idea, Jane. Pero teniendo en cuenta lo quisquillosa que eres, no resulta muy apetecible.

—Cierra el pico —dijo Joe fríamente—. Te has pasado, Trevor.

—Lo sé. Se me ha ido la olla. —Se fue al pasillo—. Para disculparme prepararé café y algo de comer mientras deshacéis vuestro equipaje y os aseáis.

—Sontag parece tener buena disposición para cooperar —dijo Jane mientras Eve y Joe se dirigían a su dormitorio—. ¿Ya no está enfadado?

—Sí que lo está. Nada le gustaría más que largarse con el rabo entre piernas. Es una cuestión de control. Ahora procura descansar un poco. Habéis hecho un viaje muy largo. —Trevor desapareció por la puerta arqueada del final del pasillo.

No le apetecía irse a descansar. No estaba cansada. Estaba excitada y nerviosa, y los sonidos, vista y olores de Italia casi la desbordaban. Dudó un poco y luego optó por irse a su cuarto resignada.

—¿Quieres venir conmigo? —Trevor había regresado y estaba de pie en la entrada. Sonrió—. He pensado que no serías capaz de irte a descansar por las buenas. Ven. Ayúdame.

Ella se giró hacia él con entusiasmo y se contuvo.

—No intentes ser amable. No hacen falta dos personas para preparar una cafetera.

—Amable. ¡Demonios! Me siento sólo. —Se acercó a ella y le tendió la mano—. Ven conmigo —le dijo convincente.

Ven conmigo. Confía en mí.

No, no podía dejar que su mente le jugara malas pasadas sólo porque estaban en Herculano. Su relación nada tenía que ver con la de Cira y Antonio. ¡Maldita sea!, no tenían ninguna relación, sólo una meta en común.

Pero ir ahora con él no iba a perjudicarla en absoluto. Estaba inquieta, era cierto, y también un poco sola. Dio un paso hacia delante y le tomó la mano.

Sus ojos se abrieron. Cosquilleo. Perturbación. Sensualidad. Epezó a estirar para soltarse.

Al instante, Trevor le apretó la mano con fuerza, cálida, fuerte, segura y de pronto esa perturbación sensual desapareció.

—¿Lo ves? No te ha dolido nada. ¿Qué prefieres hacer el café o los sándwiches? —le dijo sonriendo entre dientes mientras la conducía a la cocina—. Lo siento mucho, pero me parece que esos «sándwiches» van a salir de la nada, ¿verdad?

* * *

Tres guardias en la parte trasera de la casa. Dos al frente. No sería fácil acceder a Jane MacGuire mientras estuviera en la villa.

Aldo observaba las luces de la casa en Via Spagnola. Era una imagen muy acogedora. Probablemente estaban reunidos alrededor de la mesa, bebiendo vino y hablando de Cira y la reconstrucción.

¿Sabían Eve Duncan y Joe Quinn que estaban estrechando a una serpiente contra su pecho? ¿Qué Jane Mac Guire y Cira eran la misma persona? Probablemente, no. Era indudable que ella les había hechizado y hecho creer lo que ella quería. Ella quería vivir eternamente y esa reconstrucción garantizaría que al menos su rostro sería inmortal.

Eso no iba a suceder. No lo permitiría. Y cuanto más tiempo permanecía es esa ciudad, más convencido estaba de que había venido por algo. Su temor e incertidumbre iban desapareciendo paulatinamente. Encontraría la manera de atravesar la barrera de vigilancia que la rodeaba.

O ella acudiría a él como un cordero al matadero.

—Es bonito —dijo Eve, mirando las sinuosas calles de la ciudad por la ventana de la cocina—. No, eso no es correcto. Es fascinante. No puedes evitar recordar lo que sucedió aquí.

—Sus ciudadanos hacen todo lo posible para que nadie lo olvide —respondió Joe tajante—. Así es como se ganan la vida la mayoría. Y yo me muero de ganas de terminar este trabajo y largarme de aquí. —Se giró hacia Trevor—. No me ha gustado todo el circo que se ha montado en el aeropuerto. No voy a permitir que Eve vuelva a pasar por ello.

—No va a ser necesario —respondió Trevor—. Habrá al menos una rueda de prensa más, pero será pasado mañana. En general, prefiero que ella permanezca al margen siempre que sea posible.

Joe le miró.

—Estoy de acuerdo.

—¿Cuándo se supone que empezaré a trabajar en la reconstrucción? —preguntó Eve—. Me gustaría tener algo más de información. Esta tarde he tenido que hacer filigranas para responder a todas las preguntas de esos reporteros.

—Pero lo has hecho de maravilla. —Trevor sonrió—. Me he quedado impresionado.

—No necesito que te quedes impresionado —dijo Eve—. Necesito que seas inteligente, eficiente y que nos ayudes a terminar con este horror lo antes posible. —Miró a Jane—. Y que no hagas nada que dé a Aldo la oportunidad de llegar hasta ella. Aceptamos venir hasta aquí porque era una forma de acabar antes con esta pesadilla. No estoy dispuesta a bajar la marcha ahora que estamos aquí. Tu trabajo consistía en preparar un escenario donde pudiéramos atrapar a Aldo. Nos dijiste que ya lo habías hecho. ¿Éste es el lugar?

Trevor asintió con la cabeza.

—¿Por qué es tan especial?

—Por el túnel.

—¿Qué?

—Hay un túnel hecho por los ladrones debajo de esta villa que conecta con la red de túneles arqueológicos que entrecruzan la excavación del teatro. Nadie sabe realmente cuántos túneles han excavado los ladrones con el paso de los siglos. Sontag descubrió éste hace varios años y decidió mantener en secreto su localización a fin de utilizarlo para sus propios fines.

—¿Crees sinceramente que Aldo intentará acceder a la villa a través del túnel? —preguntó Joe—. Sabrá que le estamos esperando. Puede estar tarado, pero es astuto como un zorro.

—Tienes razón —dijo Trevor—. No intentará entrar en la villa. Por eso hemos de intentar atraerle hacia el túnel y perseguirle. Los túneles de la Via Spagnola tienen tantos ramales y giros como el túnel de Precebio.

—Has dicho que Aldo conocía los túneles como la palma de su mano cuando era pequeño —dijo Jane.

Trevor movió la cabeza afirmativamente.

—La única ventaja que tenemos es que Sontag es el único que ha hecho mapas de esta red de túneles en concreto. Aldo no está familiarizado con ella.

—Eso espero —dijo Joe—. Y si el túnel es tan complicado puede que nosotros también nos perdamos.

—Tengo los mapas de Sontag y he estado recorriendo el túnel cada noche desde que me enteré de la existencia de esta villa. Además, si tenemos suerte, no será necesario que conozcamos muchos metros del túnel. Prepararemos la trampa y dejaremos que Aldo acuda a ella.

—Y supongo que ya lo habrás hecho —dijo Eve con un tono seco.

—Está pendiente de vuestra aprobación. —Tomó una libretita de notas de su bolsillo trasero y la abrió—. Sólo hay un lugar donde se pueda realizar una emboscada. —Puso la libretita sobre la mesa—. Ya sé que parece un garabato, pero éste es el túnel que conduce a los túneles arqueológicos. En este punto se toma el desvío que conduce a la salida. —Trazó una línea de intersección—. Este ramal conduce al vomitorio, pero aproximadamente a mitad de camino entras en otro que hace una circunvalación y regresa por otro ángulo. A unos nueve metros de altura hay una cornisa que te da un buen ángulo de tiro, Quinn.

—¿Cubierta?

Trevor asintió.

—No tendrás ningún problema. La fachada parece sólida y tiene sólo un pequeño orificio en el saliente.

—Vomitorio —repitió Eve—. ¿Es lo que parece?

—Sí y no —respondió Trevor—. Es el nombre que se daba a las salidas de los lugares públicos. Durante años los guías han explicado a los turistas crédulos que los romanos se atiborraban y luego vomitaban para volver a engullir.

—Maravilloso. ¿Y este vomitorio era una salida del teatro?

—Puede que lo fuera. El túnel de la Via Spagnola es tan sinuoso que podía haber sido la salida de algún otro edificio público o residencia. De cualquier modo, es muy conveniente para nuestros planes. —Miró a Joe—. Y hay tres túneles que arrancan de ese vomitorio. Probablemente, Aldo se ocultará en uno de ellos si podemos tenderle una trampa.

—¿Y el vomitorio es nuestro objetivo? —preguntó Joe—. ¿Dónde está exactamente?

—Un poco más adelante. Cuando sobrepasas el ramal que tú vas a tomar, se llega a una zona más amplia que evidentemente era donde estaba el tesoro que buscaban los ladrones cuando hicieron el túnel. El vomitorio guardaba varias estatuas grandes que fueron robadas. Ahora sólo quedan los pedestales.

—¿Cuánta luz hay?

—Es mejor llevar un objetivo con infrarrojos. Pondré cuatro antorchas en las paredes cercanas a la zona. Eso es lo único que puedo prometerte. Es tan importante que él no pueda verte como que tú puedas verle a él.

—¿Y qué es lo que le atraerá a la sala?

—Jane. —Su mirada se dirigió a ella—. Y Cira.

Joe movió la cabeza.

—¿Vas a enviarle una invitación escrita para el evento?

—Espero que no tengamos que hacerlo. Si llama a Jane como hizo en Georgia, ella puede tenderle la trampa. Es muy probable que suceda.

—¿Y si no sucede?

—Tenemos otra opción —prosiguió—. Anunciaremos que el ataúd que contiene los restos se trasladará pasado mañana desde el túnel donde se descubrió, hasta el laboratorio que hay aquí en la villa para su autopsia y reconstrucción. He elegido dos forenses muy conocidos que no tienen la reputación de ser unos cabrones como Sontag y daré sus nombres a la prensa para que los comprueben.

—¿Cómo?

—Eso es cosa tuya Quinn. No me importa si les persuades o les intimidas. Consigue que mientan y que no salgan a la luz durante los días que se supone que han de estar aquí.

—¿Vamos a dejar que Aldo nos siga a la villa?

—Exactamente; nos va a seguir a través del túnel del teatro hasta el túnel de los ladrones que conduce a la villa.

—¿Qué?

—Es el tipo de espectáculo sensacionalista que a Sontag le gustaría. Revelar misteriosamente a la prensa el lugar del hallazgo y luego conducirlos a través de la oscuridad al lugar donde se descubrirá la identidad de Cira. O más bien al punto donde tendremos la barricada de policía local en el túnel para evitar que los medios de comunicación lleguen más lejos y conozcan nuestra salida.

—Aldo se volverá loco en medio de esa masa de reporteros.

—No estará entre ellos. Estará en alguna parte de la red de túneles observando lo que sucede —dijo Trevor—. Y regresará para explorar el túnel. No se lo pondremos muy difícil para que encuentre el túnel de la Via Spagnola —añadió—. ¿Te has asegurado de que el túnel donde se ha encontrado el esqueleto ha sido precintado por la policía y está vigilado veinticuatro horas al día?

—Por supuesto, era de cajón. Sólo sugerí que lo lógico sería proteger la zona de los ladrones que podrían contaminar el yacimiento. Se les veía con muy buena disposición para ayudar. Hay mucho dinero americano en este agujero de la tierra. Bueno, ¿qué es lo que le va a atraer hacia el vomitorio si la reconstrucción se está realizando en la villa?

Trevor sonrió.

—Haremos creer a Aldo que Sontag dará una rueda de prensa allí abajo para el acontecimiento de desvelar la reconstrucción.

—¡Dios mío! —exclamó Jane.

—Una vez más, es el tipo de sensacionalismo que le gusta a Sontag. Guiar a los reporteros a través de la oscuridad hacia un destino misterioso: el vomitorio.

—Y nosotros atraeremos a Aldo allí abajo. Él querrá destruir la reconstrucción antes de que llegue a los medios de comunicación —dijo Jane lentamente—. ¿Cómo vamos a evitarlo?

—Tú le desafiarás, le provocarás, le harás creer que piensas enfrentarte a él a solas. Aparte de estar trastornado, es un gran egotista. Has de encontrar la forma de explotar su debilidad.

Jane frunció el ceño.

—Puede que funcione.

—Más te vale. —Trevor miró a Eve—. ¿Todo bien?

Pensó un poco en el plan.

—No. ¿Cómo va a enterarse Aldo de la existencia del vomitorio?

—Cuando descubra el túnel de la Via Spagnola, reconocerá la zona, y el vomitorio es bastante fácil de encontrar para alguien que está acostumbrado a rondar por estos túneles. Cuando lo encuentre, no irá más lejos.

—¿Por qué no?

—Porque sabrá que ha llegado al lugar. Ya lo he preparado. He puesto lámparas, baterías y equipos fotográficos por toda la zona. No podrá evitar enterarse de lo que está sucediendo.

—¿Cómo puedes estar tan seguro de que lo encontrará? Hay un montón de cosas que suponer.

—Tienes razón. Por esta razón he instalado una videocámara en el saliente donde Joe estará esperando. Está enfocada directamente al vomitorio. Si Aldo explora por allí, lo sabremos. Confiad en mí.

—No confío en nadie cuando se trata de la seguridad de Jane. Y *detesto* la idea de utilizarla de cebo.

—Eve, sabías que iba a ser la única forma de hacerlo —dijo Jane en voz baja—. Joe estará allí para protegerme.

—Y yo también —dijo Trevor—. Esa noche yo la llevaré al vomitorio. Tú irás por delante, Quinn. Yo registraré el túnel antes de llevarla abajo y estaré con ella hasta el ramal antes de reunirme contigo en el saliente. Puedo garantizar que estará a salvo hasta que llegue al vomitorio. Después dependerá de todos garantizar su seguridad.

—¿Por qué no podemos llevar equipos de seguridad allí abajo?

—En cuanto les vea, huirá. Siempre y cuando no dejemos que se acerque a Jane, estará a salvo. Nunca utiliza armas de fuego. Le gusta el ritual. Es importante para él. A nosotros eso nos importa una mierda; una bala de un rifle nos sirve igual.

—Vale más que funcione Trevor —dijo Eve con tono grave.

—¡Señor!, ¿qué más puedo hacer? Estoy abierto a sugerencias.

—Las tendrás si vemos algún signo de que este jodido plan se va a desintegrar. —Se dio la vuelta y se dirigió hacia la entrada que daba al pasillo—. De momento, me voy a dormir. Estoy rendida. ¿Vienes, Joe?

—Iré enseguida. —Joe se terminó su café—. Voy a hablar con los muchachos de seguridad para ver si han visto algo extraño.

—Es demasiado pronto —dijo Trevor—. Aldo todavía no va a dar ningún paso.

—Debe ser maravilloso tener una bola de cristal —dijo Joe sarcásticamente mientras abría la puerta de la cocina—. Personalmente, siempre he comprobado que es mejor esperar lo inesperado.

—Yo también —murmuró Trevor cuando Joe cerró la puerta tras de sí—. Generalmente, pero Aldo es diferente... Siento como si supiera lo que está pensando; es diferente.

—Recogió las tazas y los platos y los llevó al fregadero—. Y quizás esté equivocado y Quinn tenga razón. Tener dos puntos de vista diferentes es más seguro para ti. —Se giró para mirarla—. Has estado muy callada mientras explicaba mi «plan magistral». ¿No crees que funcione?

—No tengo ni idea. Me cuesta imaginármelo... —Se humedeció los labios—. ¿Has dicho que el túnel está justo debajo de esta casa?

—Sí. —Trevor la miró fijamente—. ¿Te pone nerviosa?

Jane movió la cabeza.

—No, nerviosa no. —Miró a la ventana—. Está anocheciendo. En el túnel será todavía más oscuro, ¿verdad?

—Sí. ¿En qué estás pensando?

Se detuvo para mirarle.

—Quiero que me guíes por el túnel. Quiero ir a ese vomitorio y ver con mis propios ojos dónde ha puesto Sontag la barricada en la antesala donde se supone que ha encontrado a Cira.

—No podremos acercarnos. Quinn tiene el túnel vigilado. Además, ya lo verás mañana por la noche.

Ella sacudió la cabeza en un gesto de impaciencia.

—No quiero verlo con un montón de periodistas pisándonos los talones. Quiero verlo esta noche.

—¿Por qué quieres cerciorarte de que no me equivoco?

—Quiero *ver* esos túneles. No me importa lo cerca o lo lejos que he de estar. Has dicho que no creías que Aldo estuviera a una distancia de ataque.

—También he dicho que podía estar equivocado.

—Pero no conoce la existencia del túnel de la Via Spagnola. Entonces estaremos a salvo. ¿Qué me dices de los túneles cercanos al teatro?

—Si no tiene un móvil, no tiene por qué estar allí. El sitió es bastante asqueroso y esos túneles están iluminados con luz eléctrica y vigilados por la policía.

—¿Nos dirán algo si nos los encontramos?

—Creo que podré convencerles.

—¿Otro engaño?

—¿No es eso la vida? —La miró estudiándola—. ¿Por qué es tan importante para ti?

No respondió.

—Me dijiste que habías estado soñando con túneles. ¿Crees que los reconocerías?

—Claro que no. Eso sería muy extraño.

Se calló un momento.

—Probablemente Quinn me matará.

¡Iba a hacerlo!

—¿Cuándo?

—Dentro de una hora. He de llamar a Sontag e instruirle para la rueda de prensa de mañana. —Hizo una pausa—. ¿Se lo vas a decir a Eve?

Pensó un momento en ello.

—No, pensarán que tienen que venir con nosotros y no quiero arrastrarles hacia esos túneles. Has dicho que no eran muy agradables.

—Viscosos —añadió—, pero, seguro que querrían venir.

—Le dejaré una nota a Eve por si se despierta y descubre que no estamos. No quiero que se preocupe.

—Pero tú no quieres que vengan. ¿Por qué?

—Me observarán —dijo desafiante—. Analizarán el qué y el por qué de lo que haga y se preguntarán si han de dejarme ir. Las personas que te quieren hacen esas cosas. Pero a ti no te importa. Si me miras, será porque sientes curiosidad.

Estaré a salvo si vienes conmigo porque tú no quieres dejar escapar a Aldo, pero no te vas a estar mordiendo las uñas y preocupándote.

—No suelo preocuparme. —Sonrió con malicia—. Y sí, siento curiosidad respecto a todo lo que tenga relación contigo. —Se dio la vuelta—. Te veré dentro de una hora. Ponte un suéter.

—Espera un momento. ¿Cómo se accede al túnel? ¿Dónde está la entrada? —le preguntó ella cuando volvió a mirarla.

—Estás sentada encima. —Con la cabeza le señaló la alfombra que cubría la losa que había debajo de su silla—. Es una trampilla de dos metros que evidentemente dejaba pasar los objetos más grandes del botín de Sontag. Y hay una escalera de hierro que baja algo más de cuatro metros. No te entusiasmes y me dejes atrás, ¿de acuerdo?

No había peligro de que sucediera eso. El mero hecho de saber que estaba sentada encima de esa oscuridad vacía era perturbador. Quiso levantarse y salir de allí, pero se controló para no hacerlo. Le respondió como si no le pasara nada.

—Te esperaré.

Capítulo 16

Oscuridad. Sólo el rayo de la linterna de Trevor iluminaba la oscuridad del túnel.

El frío y la humedad parecían emanar de cada poro y Jane notó que le costaba respirar.

Noche asfixiante.

Imaginaciones. Si no podía respirar es porque caminaba muy deprisa detrás de Trevor.

—¿Iremos primero al vomitorio?

—No, he pensado que será mejor ir allí de regreso. Creía que esa no era tu prioridad. Querías ver el teatro.

No discutió con él. Estaba entusiasmada.

—¿Hay ratas allí abajo?

—Probablemente. Cuando un lugar se abandona, la naturaleza tiende a retraerse en sí misma. —Su voz resonó—. No te alejes. No quisiera perderte.

—Pero no te importaría darme un susto.

Se rió.

—He de admitir que me gustaría intentar espantarte un poco a ver si lo consigo.

—Bueno, ya te digo que no lo conseguirás con la amenaza de las ratas. Me acostumbré a ellas en algunas de las casas de acogida en las que viví de pequeña. Simple curiosidad.

—También había ratas en el orfanato donde me crié.

—¿En Johannesburgo?

—Sí, así es. Veo que Quinn ha indagado a fondo en mi turbio pasado.

—No es tan turbio. Al menos, lo que él ha podido descubrir.

—No está limpio como una patena. Cuidado con el escalón. Hay un charco más adelante.

—¿Por qué hay tanta humedad aquí abajo?

—Grietas, fisuras. —Se calló—. Me dijiste que habías soñado con túneles. ¿Eran como éste?

Jane tardó un momento en responder. Se había jurado que no le haría confidencias sobre esos sueños, pero el aislamiento y la oscuridad le hacían sentirse extrañamente cercana a él. ¿Y qué importaba en realidad lo que él pensara de ella?

—No, no era como éste. No había humedad. Hacía calor y había humo. Yo... Ella no podía respirar.

—¿La erupción?

—¿Cómo quieres que lo sepa? Era un sueño. Ella corría. Tenía miedo. —Esperó un momento antes de volver a hablar—. Tú me has dicho que has soñado con Cira.

—¡Oh, sí! Desde el día en que descubrí los manuscritos. Al principio era cada noche. Ahora ya no es tan a menudo.

—¿En qué sueñas? ¿En túneles? ¿En erupciones?

—No.

—¿En qué?

Trevor se rió.

—Jane, soy un hombre. ¿En qué crees que puedo soñar?

—¡Oh, por el amor de Dios!

—Me lo has preguntado. Me hubiera gustado poder contarte alguna historia mística o romántica, pero sé que prefieres la verdad.

—Ella no se merece esto.

—¿Qué quieres que te diga? Sexo. No creo que le importe que haya tenido algunas fantasías con ella. Cira entendía de sexo. Lo utilizaba para sobrevivir y probablemente le gustaría la idea de tener tanto poder sobre mí dos mil años después de su muerte.

—No creo que... Quizá tengas razón, pero ella era más que un objeto sexual. —De pronto le vino un pensamiento—. Y tampoco me creo que eso sea todo lo que significa para ti. Te gastaste una fortuna en el busto que le compraste al coleccionista. ¿Por qué lo hiciste?

—Es una hermosa obra de arte. —Se calló unos segundos—. Y quizá también esté un poco obsesionado tanto con su personalidad como con su cuerpo. Era extraordinaria.

—Entonces, ¿por qué caray no has dicho eso desde el principio?

—No quería que pensaras que soy sensiblero. Arruinaría mi imagen.

Jane emitió un sonido de fastidio.

—No creo que tengas que preocuparte de tu...

—Aquí es donde termina el túnel de la Via Spagnola y donde se une con la red que circunvala el teatro —le dijo interrumpiéndola—. Debería haber un poco más de luz por las luces eléctricas, pero está bastante oscuro. Dejaré la linterna encendida. Estos túneles serpentean alrededor del teatro, pero es la única forma de verlo puesto que todavía está enterrado.

—¿Cómo es que no han puesto más medios para desenterrarlo?

—Dinero. Dificultades. Intereses. Últimamente parece que la cosa se va a arreglar. Aunque es una batalla complicada porque algunas partes están enterradas a más de veintisiete metros de roca volcánica. Es una pena, porque este teatro es una joya. Acomodaba a unas dos mil quinientas o tres mil personas y contaba con el equipamiento más sofisticado. Tambores de bronce para imitar el sonido del trueno, grúas para elevar a los dioses por el escenario, cojines para sentarse, bandejas de dulces, agua de azafrán para espolvorear sobre los mecenas. Sorprendente.

—Y excitante. A ellos les debía parecer mágico.

—El buen teatro sigue pareciéndonos mágico a nosotros.

—¿Y te has enterado de todo esto por el periodista?

—No, he investigado un poco. Me dijiste que querías información y no me atreví a desobedecer.

—Bobadas. A ti también te interesaba.

—Me has pillado.

—Es sorprendente que el teatro no fuera destruido por la lava.

—Es una de las cosas sorprendentes que sucedieron aquel día. La corriente de lava arrastró suficiente lodo como para encapsular y proteger. Cuando se excavó podía haber aparecido intacto de no haber sido por la codicia de las personas. Hubo un tiempo en que el rey Ferdinando segundo fundió fragmentos de bronce de valor incalculable para hacer candelabros.

—Pensaba que no sentías ningún respeto por la conservación de las antigüedades.

—Respeto la obra de arte y no me gusta ni la estupidez ni la destrucción.

—¿Podía haber estado Cira aquí en el teatro cuando el volcán entró en erupción?

—Sí, se cree que los actores estaban ensayando para la representación de la noche.

—¿Qué obra?

—Nadie lo sabe. Quizás a medida que avancen las excavaciones, se llegue a descubrir.

—Y puede que encuentren a Cira aquí enterrada.

—Quieres decir ¿el hecho tras la ficción? Puede ser. ¿Quién sabe? Los arqueólogos siempre están descubriendo cosas nuevas.

—Cosas nuevas de un mundo muerto. Pero, no parece muerto, ¿verdad? Mientras veníamos desde el aeropuerto de Nápoles pensaba que si cerrabas los ojos, podías imaginar cómo era la vida antes de la erupción. Me pregunto cómo fue para ellos ese día...

—Yo también me lo preguntaba. ¿Puedo contártelo?

—¿De nuevo tu investigación?

—Empezó así, pero es difícil mantener una actitud objetiva cuando estás tan cerca de la fuente. —Su voz suave salió de la oscuridad—. Era un día normal, hacía sol. Había habido temblores de tierra, pero nada de qué preocuparse. El Vesubio siempre estaba rugiendo. Los pozos se habían secado, pero era agosto. De nuevo, nada de especial.

»Hacía calor, pero en Herculano se estaba más fresco porque la ciudad se encontraba en un promontorio sobre el mar. Era el cumpleaños de un emperador, un día festivo y la gente estaba en la ciudad para gozar de sus lugares de interés y para las celebraciones. El foro estaba abarrotado de vendedores, acróbatas, malabaristas. Las damas eran transportadas en palanquines que llevaban los esclavos. Los baños públicos estaban abiertos y los hombres se estaban desvistiendo y preparándose para que les bañaran los sirvientes. En la palestra había actos deportivos y los vencedores estaban a punto de recibir sus coronas de ramas de olivo. Eran sólo unos muchachos, desnudos, bronceados y orgullosos de su hazaña. Los mosaiquistas pulían sus piedras y vidrios, los panaderos hacían sus panes y tartas y los amigos de Cira y sus compañeros actores, quizás hasta la propia Cira, ensayaban para actuar en el mejor teatro del mundo romano. —Hizo una pausa—. Puedo contarte más. ¿Quieres escucharlo?

—No. —Se le hizo un nudo en la garganta porque casi podía ver y sentir lo agridulce de esa mañana—. Ahora no.

—Me has dicho que querías sentir el sabor de su tiempo.

—Sin duda lo has conseguido —dijo un poco desconcertada—. Parece imposible que todo pudiera desaparecer en un abrir y cerrar de ojos.

—No, no es imposible. Nosotros destruimos con bastante rapidez sin la ayuda de la naturaleza. Mira Hiroshima. Fue más como un bramido que un abrir y cerrar de ojos. Las crónicas dicen que los grandes bramidos parecidos a los de un toro parecían provenir de las entrañas de la tierra. El humo agrio sulfúrico lo invadía todo y salió una nube a modo de seta de la montaña.

»Todos dejaron lo que hacía que sus vidas valieran la pena y corrieron.

—Eso los que pudieron. No tuvieron demasiado tiempo.

Sin aire.

Sin tiempo.

De pronto empezó a tener problemas para respirar.

—Quiero salir de aquí. ¿Estamos muy lejos del túnel donde se encuentra la antesala?

—Justo delante. —Le iluminó la cara con la linterna—. No tienes muy buen aspecto. ¿Quieres volver?

—No, sigamos. Enséñamela. Por eso hemos venido.

—No, no es cierto. Hemos venido porque querías ver el teatro. Te intrigaba.

—Es normal que quiera ver este lugar cuando la mujer que tiene mi aspecto...

—No tienes que darme ninguna excusa. Querías venir aquí. Yo te he traído. Ahora quieres ir a casa. Te llevaré a casa. Pero todavía no has visto la excavación principal. Te puedo llevar más cerca del escenario a través del siguiente túnel.

Jane sacudió la cabeza.

—Estoy dispuesta a regresar en cuanto haya visto el lugar donde Sontag y tú habéis puesto el ataúd.

Trevor movió la cabeza.

—Cabezota—. Alumbró el suelo con la linterna y la cogió de la mano—. Vamos. Echaremos un vistazo rápido y te sacaré de aquí. No hay mucho que ver. Hemos tapiado la entrada al túnel de los ladrones para que no entre nadie antes de que estemos preparados. —La condujo más adelante—. No estoy seguro de que tu túnel tórrido y con humo sea mejor que éste. Es asqueroso, está lleno de lodo y suciedad.

—Pero sabes adonde vas. No estás perdido y no vas continuamente de un callejón sin salida a otro.

—No, sé adonde vamos. Conmigo estás a salvo.

Se dio cuenta que de pronto se sintió segura. Su voz era tan firme como el apretón de su mano, y la oscuridad ya no la asfixiaba sino que... la excitaba. Se sentía extraña. Quería apartarse de él. No, quería acercarse. No hizo ni lo uno ni lo otro. Dejó que la guiara por la oscuridad.

Tenía que hacer lo que se había propuesto, ver el túnel donde Trevor había preparado su gran engaño, ver el vomitorio y regresar a la villa en Via Spagnola.

* * *

—¿Estás segura de que todavía quieres visitar el vomitorio? —preguntó Trevor mientras caminaba delante de ella por el túnel en dirección a la villa—. Pensaba que por esta noche ya habías tenido bastante.

—Deja de tratarme como a una especie de inválida. Pues claro que quiero ir. No ha sido tan traumático estar aquí abajo. Tenías razón, no podemos llegar tan cerca del túnel de la antesala.

—Y no hay nada interesante que ver en el vomitorio. Dejémoslo por ahora.

—No, quiero saber lo que me espera. —¡Señor, ya estaba harta de esa omnipresente oscuridad! Qué horrible debía haber sido para los ladrones que habían cavado esos túneles en las entrañas de la tierra, sin saber lo que se iban a encontrar a la vuelta de la esquina—. ¿Has dicho que algunos de estos túneles se han hundido? ¿Ha sucedido aquí?

—Me he encontrado con un par de callejones sin salida cuando estaba explorando. No te preocupes, las paredes del vomitorio parecen bastante sólidas. —Se detuvo—. Giraremos aquí. Si estás segura de que quieres ir.

No quería ir. Quería volver corriendo a la villa y meterse en la cama. Quería estar fuera de allí en un lugar con luz. Se sentía como si estuviera enterrada en vida.

¿Cómo habría sido enterrada Cira por esas rocas?

—¿Jane?

—Ya vengo. —Se adelantó a él en la entrada del túnel—. Has dicho que no estaba lejos del túnel principal. No tardaremos mucho. ¿Verdad?

Trevor se le adelantó.

—Depende de lo que tú consideres lejos. Tengo la impresión de que el tiempo corre un poco lento para ti en estos momentos.

Jane intentaba pensar en otra cosa que no fuera esa maldita oscuridad.

—Cira probablemente conociera el vomitorio. Era su ciudad. Puedo verla caminando por aquí, hablando, riendo, coqueteando con los hombres de la ciudad.

—Yo también. No cuesta mucho imaginárselo.

—No, para alguien como tú, que sin lugar a dudas, piensa en Cira como en un ser físico. Hizo lo que pudo para sobrevivir.

—No fue ninguna mártir. Disfrutó de la vida. Según los manuscritos de Julio tenía un indecoroso sentido del humor, pero él se lo perdonaba todo porque en la cama era una verdadera diosa.

—Qué magnánimo. Probablemente necesitaba tener ese sentido del humor si se veía obligada a acostarse con él.

—No era por la fuerza, sino por elección. Fue ella la que eligió.

—Su nacimiento y sus circunstancias fueron lo que la condicionaron a su elección. ¿Qué más decían los manuscritos sobre ella?

—Que era amable con sus amigos, despiadada con sus enemigos y que no era recomendable enfurecerla.

—¿Quiénes eran sus amigos?

—Los actores del teatro. No confiaba en nadie más.

—¿No tenía familia?

—No. Adoptó a un niño de la calle y se dice que fue muy buena con él.

—¿No mencionan a nadie más?

—No, que yo recuerde. La mayoría de los manuscritos de Julio hablan de su belleza y de su potencia sexual, no de sus atributos maternales.

—Cerdo machista.

Trevor se rió.

—¿Quién, Julio o yo?

—Los dos.

—Machista o no, estaba dispuesto a matarla. En un manuscrito contemplaba el asesinato del rival que se la robaba.

—¿Quién era?

—No menciona su nombre. Se refería a él como si fuera un actor joven que acabara de llegar a Herculano y que había cautivado a la ciudad. Era evidente que también había cautivado a Cira y enfurecido a Julio.

—¿Llegó a matarle?

—No lo sé.

—Es mucho más probable que intentara matar a Cira si no pudo convencerla de que no le abandonara.

—¿Eso crees? Qué curioso.

No era curioso, era horrible y sólo un pequeño ejemplo del tipo de vida que había llevado Cira.

Trevor se detuvo de pronto.

—Aquí está el pasaje que tomará Joe para ir al saliente que domina el vomitorio. —Iluminó la pared rocosa de la izquierda con la linterna y pudo ver la pequeña cavidad oscura cercana al suelo del túnel.

—Jamás la hubiera visto si no me la hubieras enseñado.

—Tampoco la verá Aldo. —Volvieron al túnel principal—. Hay demasiadas bifurcaciones en este túnel para que llegue a darse cuenta de ese pequeño agujero en la pared. Va a tener un montón de opciones.

—¿Todavía no estamos cerca del vomitorio?

—Sí, a unos pocos minutos de aquí.

—Entonces, démonos prisa. Quiero salir de aquí.

Parecía que había pasado más tiempo que los pocos minutos que había dicho Trevor cuando él dio un paso hacia atrás e iluminó con su linterna la oscuridad que tenía delante.

—Aquí está. No es precisamente la muestra más elegante de los tiempos de Cira. Aunque esos seis pedestales de mármol esparcidos por la zona probablemente sostuvieran estatuas de dioses y diosas y quizá del emperador del momento.

Pero ahora los pedestales estaban partidos eran; restos que guardaban la oscuridad de los tres túneles que partían del vomitorio y que parecían centinelas con los dientes al descubierto. Había tres luces fotográficas *downlight* y un generador con batería cerca de las bases, pero ella no les prestó atención. Dio un paso hacia delante y se fijó en el centro de la sala. Una gran tela de terciopelo rojo cubría el suelo rocoso.

—¿Qué es eso?

—Parte de mi trabajo de preparación. Quería asegurarme de que Aldo supiera que había hecho un descubrimiento importante.

—Muy bien, es un toque dramático. De modo que soy un señuelo.

El terciopelo parecía un charco de sangre en esa viscosa oscuridad y Jane no podía apartar la mirada.

—¿Ahí es dónde pondrás el ataúd?

—Al final. Pero lo que nos interesa es que Aldo sepa lo que le espera. Podemos guiarle hasta aquí y luego dejarle para que busque por sí mismo. Después de que haya explorado este lugar, empezará a hacer sus planes. —Señaló las paredes—. Ya he puesto las antorchas. —Le indicó una pared a la izquierda que daba al vomitorio—. ¿Ves esa pequeña abertura en la roca a unos nueve metros de altura? Se comunica con el pasadizo que te he mostrado. Joe estará allí en ese saliente y podrá apuntar directamente a esta zona. Y, de hecho, la videocámara que te había mencionado nos está filmando en estos momentos. —Señaló una gran roca plana cercana al suelo—. Yo estaré allí y podré apartar esa roca para salir a ayudarte en caso de que algo vaya mal.

Jane miró a la derecha.

—¿Hay dos túneles que salen de esta zona?

—Tres, incluido el que vamos a utilizar.

—¿Y Aldo estará en uno de ellos? —Parecía no poder apartar la mirada de esa tremenda oscuridad. Podía imaginarle ahora, en ese mismo momento, observándoles—. ¿No hay forma alguna de que pudiéramos ir tras él y cazarle una vez estuviéramos seguros de que está allí? Has dicho que no conoce estos túneles.

—Joe y yo ya hemos valorado esa posibilidad. —Movió la cabeza—. Sería una pesadilla intentar perseguir a alguien. Estos túneles son como un laberinto y tienen al menos otras dos salidas además de la de la Via Spagnola. Podría tropezarse con una de ellas y volveríamos a perderle. —Hizo una pausa—. Pero si tienes dudas respecto a lo de tenderle una trampa, dímelo. Tú decides, Jane.

—Sólo estaba preguntando. No tengo dudas.

Trevor retorció un poco los labios.

—Creo que esperaba que las tuvieras.

—¡Qué raro! —Jane se acercó más al terciopelo rojo—. Es muy...

Sangre. Dolor. Aldo de pie mirando el terciopelo con aire triunfal.

Imaginación.

Vence al miedo. Tragó saliva.

—Es muy teatral. —Se dio la vuelta y empezó a retroceder por el túnel—. Estoy segura de que Cira lo habría aprobado.

—Sólo si hubiera sido una comedia. La tragedia no era su fuerte.

—El mío tampoco.

Trevor la asió por el codo, para darle ánimos y reconfortarla.

—Y yo intento alejarla de ti. Salgamos de aquí.

—Iré delante. —Trevor subió por la escalerilla y abrió la trampilla de la cocina.

—Si Quinn está despierto e inquieto, seré el primero en recibir su furia. —Echo un vistazo—. No hay nadie —susurró.

No se había dado cuenta antes de lo aliviada que se sentiría si no tenía que confrontarse con Eve y con Joe. Ya estaba bastante conmovida sin tener que afrontar más emociones.

—Ve a la cama —dijo Trevor mientras la ayudaba a subir y cerraba la trampilla—. Mañana va a ser un gran día.

—Para Eve —dijo Jane—. No para mí. En cuanto a los medios de comunicación, yo sólo estoy aquí porque soy la hija de Eve y porque ella quería que conociera la cultura europea.

—Pero, dado que ella no es muy accesible, puede que intenten llegar a ella a través de ti. Y cualquiera que haya leído el artículo en *Archaeology Journal* podrá ver tu parecido.

—La foto estaba demasiado borrosa. Sam hizo un buen trabajo.

Trevor se molestó.

—¿Tanta confianza tienes que le llamas por su nombre?

—Es de ese tipo de personas. Además hemos congeniado muy bien.

—No me cabe la menor duda. Apuesto que antes de que hubieran pasado quince minutos ya estaba comiendo en la palma de tu mano.

Jane frunció el entrecejo.

—No fue así.

—¿De verdad? ¿Cómo fue?

—Ya te he dicho lo difícil... —Se calló de golpe—. No tengo que dar ninguna explicación. ¿Qué te pasa?

—No me pasa una mierda. Sólo me estaba preguntando qué hiciste... —Se calló y se dio la vuelta—. Tienes razón. No es cosa mía. Lo siento.

—Disculpa *no* aceptada. Si has querido decir lo que creo que has querido decir.

—Ha sido un error, ¿vale?

—No, no vale. ¿Eres una especie de maníaco sexual? Primero, esa estupidez respecto a Cira y ahora esto. No me acuesto con la gente para conseguir lo que quiero. Tengo una mente y la utilizo.

—Te he dicho que lo siento.

La ira empezaba a devorarla.

—No me extraña que tengas esos asquerosos sueños con Cira. Crees que todas las mujeres somos unas putas. —De pronto le vino un pensamiento—. Es por mi rostro. Porque me parezco a ella; crees que me comporto de la misma manera.

—Sé que no lo harías.

—¿No? En alguna parte de tu cerebro de mosquito machista debe estar ese pensamiento, de lo contrario no habrías actuado así.

—No creo que seas como Cira.

—No, no lo soy. Pero me sentiría orgullosa de tener su fortaleza y determinación, y me molesta que des a entender que ella era menos de lo que era.

—¿Puedo decir que nunca he admitido que os estuviera comparando? Eres tú la que estás tan segura de que...

Jane se dio la vuelta para abandonar la cocina.

—No. —Le puso la mano en el hombro y le dio la vuelta—. No me des la espalda. He estado aquí aguantando mientras me acusabas de ser un loco hijo de puta, pero no te dejaré marchar hasta que te haya dicho lo que tengo que decirte.

—Suéltame.

—Cuando haya terminado. —Sus ojos brillaban en su tenso rostro—. En primer lugar, puede que tengas razón. He vivido con mi imagen de Cira durante tanto tiempo, que quizá te haya comparado inconscientemente con ella. Repito, inconscientemente. Me doy cuenta de las diferencias. Una de ellas me indigna y casi me ahoga cada vez que te miro. En segundo lugar, sólo porque haya tenido mis saludables pensamientos de lujuria con ella, no significa que la menosprecie a ella... o a ti. Te he dicho que pienso que era extraordinaria. El sexo no es más que una parte del lote, pero sólo una parte. En tercer lugar, si fueras más mayor y tuvieras un poco más de experiencia, no te tendría que estar diciendo esto. Podría demostrártelo.

Jane le miró con los ojos muy abiertos, la ira empezó a desvanecerse y a ser sustituida por esa falta de aire que ya había experimentado antes.

—No me mires de ese modo —dijo ella. Trevor dejó su hombro y tomó su mejilla en su mano—. ¡Dios, que bonita eres! Tienes tantas expresiones...

Sentía un cosquilleo en la piel con su caricia y no podía apartarse.

—Todos tenemos expresiones.

—No como tú. Tú te iluminas, ensombreces, brillas... Podría observarte durante todo un milenio sin cansarme... —Respiró profundo y apartó lentamente la mano de su rostro—. Vete a la cama. No me estoy comportando correctamente y esto podría empeorar.

Ella no se movió.

—Vete a la cama.

Ella dio un paso hacia delante y le tocó el pecho dubitativamente.

—¡Mierda! —Trevor cerró los ojos—. Has sido tú.

El corazón le latía con fuerza bajo su mano...

Trevor abrió los ojos y la miró.

—No.

—¿Por qué no? —Jane dio otro paso hacia él—. Creo que quiero...

—Sé que quieres. —Respiró hondo de nuevo y se apartó—. Y eso me está matando. —Se giró y se dirigió hacia la puerta—. Los maníacos sexuales somos así.

No recordaba haberle llamado de ese modo.

—¿Adónde vas?

—A tomar el aire. Lo necesito.

—Estás huyendo de mí.

—Tienes toda la razón.

—¿Por qué?

Trevor se detuvo en la puerta y la miró.

—Porque no me follo a colegialas, Jane.

Jane se sonrojó.

—No te he dicho que quisiera follarte. Y ésa no es una forma muy bonita de...

—No pretendía que lo fuera. Estoy intentando desanimarte.

—Actúas como si te hubiera atacado. Sólo te he tocado.

—Con eso basta, tratándose de ti.

Jane levantó la barbilla.

—¿Por qué? Al fin y al cabo, sólo soy una colegiala. No soy lo bastante importante como para que me tengan en cuenta.

—No más que la peste negra en la Edad Media.

—¿Ahora me estás comparando con una epidemia?

—Sólo en tu aspecto devastador. —Trevor estudió su expresión—. ¿Te he hecho daño? ¡Señor!, siempre se me olvida que eres más frágil de lo que parece.

—No podrías herirme —le respondió mirándole desafiante—. No te lo permitiría. Aunque te lo propusieras. Veamos, me has llamado epidemia, colegiala, Cira.

—Te he hecho daño. —Se calló un momento y cuando volvió a hablar había desaparecido la aspereza de su tono—. Mira, jamás he pretendido herirte. Quiero ser tu amigo. —Movió la cabeza—. No, eso no es cierto. Puede que algún día seamos amigos, pero ahora hay demasiados impedimentos.

—No puedo imaginarme siendo tu amiga.

—Ya estoy harto. Ése es el problema. ¡Maldita sea! Cada vez me hundo más. —Dio un portazo al salir de la casa.

Jamás he pretendido herirte.

Pero lo había hecho. Se sintió rechazada, insegura y sola. Había actuado por instinto, compulsivamente y él la había rechazado.

Era sólo una cuestión de orgullo, se dijo a sí misma. Era todo menos tonta, pero no sabía nada de sexo a nivel personal. Era evidente que él no quería tener nada que ver con una novata.

Bueno, no era culpa suya. Él era atractivo y ella había respondido a sus encantos. Y tampoco es que hubiera sido sólo ella quien había sentido la atracción. Él la había tocado y le había hecho sentir...

Y luego ese cabrón la había tratado como si fuera la adolescente Lolita.

Qué le jodan.

Se giro y se dirigió al pasillo para ir a su dormitorio, para lavarse, dormir y olvidarse de Trevor. Tenía que ver esa noche como una experiencia de aprendizaje. ¿No era normal que la mayoría de las jovencitas se enamoraran de un hombre mayor en algún momento de sus vidas?

Ella no era como la mayoría. No se sentía más joven que Trevor y él no había sido justo. Ella tenía derecho a elegir, no a que la apartaran con una palmadita en la cabeza. Como si no tuviera amigas de su edad que ya habían tenido relaciones sexuales. Una de sus compañeras de clase se había casado el trimestre pasado y esperaba un hijo para agosto.

Y la única razón por la que ella no había tenido esa experiencia era porque no había encontrado con quién tenerla. Los muchachos del instituto eran... niños. Se sentía como si fuera su hermana mayor. Tenía más cosas en común con Joe y los muchachos de la comisaría que con sus compañeros de clase.

Pero no le pasaba lo mismo con Mark Trevor. No tenía nada en común con él y no había razón para sentirse tan próxima a él.

Abrió la puerta del dormitorio y empezó a desvestirse lo más silenciosamente posible. Tenía la cara y las manos manchadas del túnel, pero no iba a ir al aseo a lavarse. Ya había tenido mucha suerte de que Eve y Joe estuvieran durmiendo durante su excursión y no iba a arriesgarse de nuevo. Se levantaría pronto y se ducharía antes de que ellos se despertaran.

Se acercó a la ventana para mirar la sinuosa calle. ¿Estaría Aldo vigilando en alguna parte a la sombra de una de esas tiendas? Allí abajo, en el túnel se había sentido abrumada por la muerte, pero no por el tipo de muerte que representaba Aldo. Trevor le había hecho ver el antiguo Herculano con demasiada claridad. Jóvenes y bronceados atletas, mujeres lánguidas en palanquines, actores ensayando sus papeles. Todos ellos muertos en lo mejor de su vida. Se había sobrecogido, se había estremecido y abatido por la magnitud de esas muertes.

No obstante, jamás se había sentido más viva que en el momento en que Trevor le había puesto la mano en la mejilla. Quizá por eso le había afectado tanto.

Pero ahora había vuelto al mundo real.

Al mundo de Aldo.

Era realmente un cortejo fúnebre, pensó Aldo. El ataúd de metal lo transportaban cuatro de los alumnos de Sontag y los dolientes Joe Quinn, Eve Duncan y los periodistas y soldados que escoltaban el cortejo.

El ataúd.

Miró con ferviente intensidad el féretro que contenía los restos de Cira. Ya había visto antes ataúdes especialmente construidos como ése cuando era pequeño y jugaba por los yacimientos arqueológicos donde trabajaba su padre. Era evidente que Sontag había hecho todo lo posible para evitar que su esqueleto se descompusiera.

A él le daba lo mismo. Machacaría los huesos, los molería hasta convertirlos en polvo. Los profanaría y...

Jane MacGuire y Mark Trevor acababan de aparecer por la esquina, iban detrás del grupo que llevaba el ataúd. A ella se la veía pálida y serena bajo la tenue luz eléctrica que iluminaba aquella oscuridad sepulcral. Ella miraba al frente, no al ataúd. ¿Qué sientes? ¿Expectación? ¿Triunfo? ¿O es demasiado doloroso, zorra? Todavía no sabes lo que es el dolor.

¿Notas que te estoy mirando? ¿Te asusta? Pero te gusta que los hombres te miren, ¿verdad? Trevor te está mirando, te está devorando con sus ojos. ¿Cuánto has tardado en seducirle y en llevarle a tu cama, puta?

Sintió cómo explotaba la furia en su interior. No debía haberle sucedido. Trevor no tenía que haberse interpuesto entre ellos. Debía haber sido él. *Sería* él. Antes de arrancarle el rostro, tomaría su cuerpo. Se emplearía a fondo, limpiaría el mal que había en Cira.

Pero, quizá no fuera bastante. ¿Y si sólo tenía unos pocos minutos para disfrutar de su victoria final? Necesitaba más. Necesitaba volver a hablar con ella, oír su voz, sus palabras.

El cortejo había desaparecido de su vista por el túnel y tenía que darse prisa para no perderles. Se movió con rapidez por el túnel de los ladrones que transcurría paralelo al del teatro. No estaba realmente preocupado. Sabía que podía seguirles. Conocía bien esos túneles y la oscuridad era su aliada. La sangre cantaba por sus venas un estribillo rítmico que no dejaba de repetirse.

Había llegado su hora.

Capítulo 17

—Has hecho lo imposible para que esto pareciera auténtico —le dijo Eve a Trevor mientras observaba cómo los estudiantes colocaban el ataúd sobre la mesa en la gran biblioteca de techo alto—. No les fue fácil subir el ataúd por esa escalerilla.

—Aunque no tanto como lo hubiera sido si Sontag no se hubiera asegurado de que la abertura fuera lo bastante ancha como para que pasaran objetos grandes.

—Por lo que puedo ver, sólo has hecho una cosa mal —dijo Eve—. Si se supone que la localización de estos túneles que corren por debajo de esta villa son tan secretos, ¿no van a hablar los estudiantes?

—No, si quieren seguir trabajando con Sontag. Él les dará puerta si se les escapa el más mínimo detalle. Ya te he dicho que no era muy agradable. Pero en este caso, eso nos va bien. —Se giró hacia Jane—. La fiesta va a empezar. Última oportunidad para echarse atrás.

—No seas ridículo. —Se humedeció los labios. ¿Por qué no podía apartar su mirada del ataúd? Era un engaño, una farsa. No había razón para preocuparse—. ¿Qué hay en el ataúd?

—Un esqueleto.

Jane le miró.

—Estás bromeando.

Trevor movió la cabeza.

—No sé a qué distancia nos estará observando Aldo y no quería correr ningún riesgo.

—¿Dónde lo has conseguido?

—Visité un museo pequeño de Nápoles y lo he tomado prestado de allí. Charlé un poco con ellos y les hice un montón de promesas en nombre de Eve. —Se giró hacia Eve—. El esqueleto de esta mujer pertenece a uno de los cuerpos que se encontraron en el puerto.

—¿Quieres que haga una reconstrucción real?

Asintió con la cabeza.

—Todo debe parecer totalmente auténtico. Una vez me dijiste que nunca querías ver ninguna foto porque temías que tus manos te traicionaran. Esta vez quiero que lo hagan. Piensa en Cira o en Jane. Te he preparado un pedestal y te he traído todo lo que necesitas. ¿Qué te parece?

—Depende de qué promesas hayas hecho en mi nombre.

—Les prometí que cuando terminaras con el esqueleto borrarías el rostro de Cira y harías una reconstrucción real. Ese museo no tiene ninguna financiación y tu nombre sería una estupenda tarjeta de visita para ellos. No me pareció mal. ¿Qué te parece?

Eve asintió lentamente con la cabeza mirando el ataúd.

—¿Qué sabes de ella?

—Era joven, sería una adolescente. Tenía una tibia rota. Los del museo creen que por la falta de nutrición que denotaban sus huesos debía ser de clase obrera. La llaman Giulia. —Sonrió—. Y eso es todo lo que sé. Es todo lo que saben. —Su mirada se dirigió a Joe y a Sontag que estaban acompañando a los estudiantes a la salida—. Será mejor que vaya para asegurarme de que Sontag no mete la pata. Necesita mano dura.

—Entonces, estoy segura de que la tendrá —dijo Eve dirigiéndose hacia el ataúd—. ¿Dónde está el estudio que me has preparado?

El tono de Eve era ausente y Jane ya sabía que había empezado a concentrarse en el proyecto.

—¿Puedes esperar a deshacer la maleta y cenar?

—El estudio —dijo Trevor—. Te traeré el cráneo y te lo colocaré después de hablar con Sontag.

—Quiero verla ahora.

—Adelante. El ataúd no está cerrado con llave. —Trevor se fue hacia Joe y Sontag.

Jane siguió a Eve al otro lado de la habitación.

—¿Por qué tienes tanta prisa? Ella no es uno de tus seres perdidos, Eve.

—Sí, si hago su reconstrucción. No sólo eso, voy a tomarme libertades poniéndole tu rostro y quiero conocerla. —Levantó la tapa del ataúd—. ¿Cómo la llamaban en el museo?

—Giulia.

Tocó delicadamente el cráneo.

—Hola, Giulia —le dijo con dulzura—. Vamos a conocernos muy bien. Sólo siento admiración y respeto por ti y estoy deseando saber quién eres. —Se quedó de pie un momento mirando el esqueleto y cerró la tapa—. De momento ya basta. —Se dio la vuelta—. No podría empezar a trabajar sin haberme presentado.

Jane movió la cabeza.

—Ya sé que no podías. Te he visto hacerlo con tus seres perdidos. ¿Crees que te oyen?

—No tengo ni idea. Pero me siento mejor al hacer la intrusión. —Se fue hacia la escalera—. Al menos trabajar en Giulia me mantendrá ocupada. He estado perdiendo el tiempo desde el día en que tejiste este plan. Volver al trabajo va a ser un alivio. Tiene unos huesos faciales muy pequeños e interesantes... —Miró a Jane que estaba de pie al borde de la escalera—. ¿No subes?

—No, ahora no. Creo que iré al jardín. Estoy inquieta. —Sonrió—. Yo no tengo una Giulia en quien pensar. Te veré para cenar.

—No te alejes —dijo Eve mientras empezó a subir de nuevo la escalera—. Joe tiene a tantos hombres por aquí que supongo que el jardín es tan seguro como la casa, pero prefiero la idea de tenerte entre estas paredes.

—En casa iba a pasear al lago.

—Este lugar es diferente. Me parece extraño.

A ella no le parecía extraño, pensó Jane mientras cruzaba el recibidor y abría las puertas cristaleras que daban al jardín de rosas. Desde que había llegado a Herculano había sentido una extraña familiaridad. Incluso ahora con el sol calentando sus mejillas, con el aroma de las rosas, el sonido de la fuente vertiendo su agua sobre las baldosas, todo ello le resultaba curiosamente reconfortante.

—Se te ve muy contenta. Casi me duele molestarte.

Se puso en guardia y se giró para mirar a Trevor que venía de la casa.

—Entonces, no lo hagas. A menos que tengas una buena razón.

—La tengo. Quiero establecer las normas de la casa, ahora que el juego ha comenzado. —Miró por el jardín—. Es un lugar muy hermoso. Parece un lugar que se ha detenido en el tiempo. Casi se puede ver a las damas con sus túnicas blancas charlando por esos senderos.

—Al menos ves a las damas con togas. Me estoy saturando de historia antigua.

La miró detenidamente.

—No pareces cansada.

—Lo llevo como puedo. —Apartó la mirada de Trevor—. ¿Era realmente necesario llevarle ese esqueleto a Eve? ¿Qué probabilidad tenemos de que Aldo se acerque lo suficiente como para ver su trabajo o la propia reconstrucción?

—Bastante alta. No podemos saber si podrá ver la reconstrucción en el ataúd. Era más seguro así. Además, Eve estará más tranquila trabajando.

—¿Y por eso lo has hecho?

No respondió.

—Eve me cae bien. Es difícil para una mujer como ella estar aquí sentada sin hacer nada.

—Sí, lo es. —Y él había sido muy perspicaz al darse cuenta de ello y satisfacer esa necesidad—. Muy bien, ¿cuáles son las normas de la casa? ¿Se supone que no puedo salir al jardín?

—No, sólo que no te acerques a la verja y que no salgas de la villa sola.

—No pensaba hacerlo. No hay razón alguna para ello. —Hizo una pausa y su mirada se dirigió hacia la verja de hierro—. Él vendrá a mí.

—Probablemente lo haga. —Trevor siguió su mirada—. Pero no juegues cuando estés en sus manos.

—No era necesario que me lo dijeras. Puedo ser una colegiala, pero no soy tonta.

Trevor hizo una mueca.

—Eso realmente te dolió, ¿verdad?

—Me has llamado tal como me ves. —Le lanzó una fría mirada—. Soy una colegiala y no me avergüenzo de ello. Pero tener mi edad e ir al instituto no significa que sea una ignorante. Desde que tenía cinco años he rondado por las calles y he conocido a todas las prostitutas y camellos del sur de Atlanta. A los diez años creo que sabía más que tú cuando dejaste el orfanato. Sí, me dolió, pero he reflexionado sobre ello y he llegado a la conclusión de que no tienes ni la menor idea de cómo soy y que eso te ha desorientado.

—Así es. —Sonrió—. Y cada minuto soy más consciente de ello. ¿Podrás perdonarme?

—No. —Su mirada se dirigió a la fuente.— No me has tratado como a una persona. Eso es lo que no puedo perdonar. Me has incluido en el resto de las chicas de mi edad y te has largado. No pasa nada. No te necesito. Pero, en cierto modo eres como Aldo. Vio mi rostro y no ha pasado de largo.

—Coquetear con una chica de tu edad es una gran responsabilidad —dijo en voz baja—. No quería herirte.

—Nadie puede hacerme daño salvo yo misma. Y tú no querías esa responsabilidad. Bien. Ni siquiera sé de qué estás hablando. Demos esto por zanjado. —Se levantó—. Y en realidad no ha pasado nada.

—Sí ha pasado algo.

Sabía lo que quería decir y no iba a negarlo.

—Nada que no pueda olvidar.

Trevor hizo una mueca.

—Me gustaría poder decir lo mismo.

—No deberías olvidarlo. La has cagado. —Tuvo que marcharse. Se estaba olvidando de su ira y empezaba a recordar su humillación. Se dio la vuelta y se dirigió al camino—. Quizás aprendas algo de esto.

—Ya lo he aprendido. —Su voz la siguió mientras se dirigía hacia la pérgola—. No te alejes, Jane.

No respondió. Deseaba con todas sus fuerzas que se marchara. La tranquilidad de ese momento antes de que llegara al jardín había desaparecido. Pensaba que se había protegido contra él, pero ¡Dios mío!, estaba temblando. ¿Era ése el efecto del sexo? Entonces, podía pasar de él. Quería tener el control de su cuerpo y no le gustaba el modo en que la estaba traicionando. No quería recordar su aspecto con la suave luz solar volviendo doradas sus bronceadas mejillas. No quería recordar lo que había sentido al tocarle.

No lo recordaría. Actuaría con fortaleza e inteligencia y esa sensación desaparecería pronto. Miró atrás por encima de su hombro. Sintió alivio al comprobar que Trevor ya no estaba. Se quedaría un poco más en el jardín para recobrar la compostura y luego se marcharía a su habitación. Necesitaba una ducha y ver a Eve. No para hablar. No le gustaban las confidencias, pero estar con Eve siempre la tranquilizaba. Siempre que se sentía herida o...

Sonó su móvil.

Probablemente era Eve preocupada porque llevaba rato fuera.

—Enseguida voy Eve. Deberías oler las rosas. Casi te emborrachan con...

—¿Estás en el jardín?

Aldo.

El *shock* la paralizó y se quedó sin habla.

—No me estás respondiendo.

—Sí, estoy en el jardín. —Su tono era desigual y tuvo que esforzarse por controlarlo—. ¿Dónde estás?

—Cerca. Te he visto en el túnel hoy. Casi he estado lo bastante cerca como para poder tocarte. Pronto lo haré. ¿Quieres que te diga cómo?

—No me interesa. Eres patético. No puedes... —Se calló. Por mucho que quisiera discutir con él, sabía que podía echarlo todo a perder si le convencía de que no era Cira. Tenía que seguirle el juego. Deja de protestar y tiéndele la trampa—. Supongamos que tienes razón y que soy Cira. No puedes detenerme. Estoy demasiado cerca. Eve está haciendo la reconstrucción y cuando termine, seré famosa. Aunque esté muerta viviré eternamente. Mi cara aparecerá en la publicidad de los autobuses. Escribirán libros sobre mí. Darán mi nombre a perfumes. Puedes llamarme. Lanzarme todo el veneno que te plazca, pero no te va a servir de nada. Vas a perder.

—Zorra. —Era evidente que tenía que controlar su ira—. Crees que estás muy segura rodeada de Duncan y Quinn y de ese bastardo de Trevor. Ninguno de ellos podrá protegerte. Te mataré a ti y luego les mataré a ellos.

Le dio un vuelco el corazón y agarró con fuerza el teléfono.

—¿Por qué vas a matarles? Es a mí a quien buscas.

—Les has contaminado. Nunca dejarán de buscarme. —Se calló un momento—. ¿Te preocupa eso?

—No, me parece absurdo.

—Intentas engañarme. Te preocupa. Quizá cuando atraes a las personas, también creas un apego.

—Si soy tan fría como crees, entonces no podrías estar más equivocado.

—Pero no siempre eres fría. Julio Precebio escribió con asqueroso detalle tu pasión. Se te puede tocar. Trevor te ha tocado, ¿no es cierto?

—No.

—Mientes. He visto cómo te mira. —Su voz se suavizó—. Y una noche te vi con Eve Duncan; se te veía muy emotiva.

Sintió un escalofrío.

—Estaba fingiendo.

Puede que sí, puede que no. Notó algo en tu tono... —De pronto su voz volvió al tono malvado—. De todos modos, no me voy a perder el placer de comprobarlo. ¿Quieres que te diga lo que voy a hacerle a Eve Duncan?

—No.

—Se esfuerza mucho en devolver los rostros a las víctimas, ¿verdad? Le voy a arrancar la cara. Me he vuelto muy diestro en rebanar ese endiablado rostro tuyo. Con Duncan iré despacio y me cerciorаré de que sufre todo el tormento que se merece.

Jane intentó evitar que le temblara la voz.

—Eres un monstruo.

—Oh, no. Soy la espada de la justicia. Tú eres el monstruo. Fuiste tú quien envenenó a mi padre hasta que no pudo ofrecerme más que reproches; has sido tú quien ha atraído a Duncan y a los otros aquí cuando Sontag halló el esqueleto. Sabías que les mataría si se interponían en mi camino.

—No has dicho que les matarías si se interponían en tu camino. Has dicho que les matarías de todos modos.

—Cuando tú ya has empezado a usarlos, automáticamente han de ser eliminados. —Se rió entre dientes—. Y ahora que sé que eso te dolería, puede que lo haga antes de matarte a ti. Será un placer añadido.

—¿No te estás desviando? Yo soy tu objetivo.

—No podría estar más enfocado. Ha sido un placer hablar contigo. Volveremos a hacerlo pronto. Adiós, Cira. —Colgó.

¡Dios mío!, estaba temblando.

Alargó el brazo y se agarró a uno de los postes de hierro forjado de la pérgola. Maldad. Locura. Muerte. Terror.

El corazón le latía con fuerza, con dolorosa fuerza.

Eve. Joe. Trevor.

¡Qué Dios la ayude! Eve...

—¿Jane?

Miró por encima de su hombro y vio que Trevor se acercaba por el camino.

—¿Qué pasa?

Ella movió la cabeza.

—¿Qué pasa, maldita sea? —Extendió los brazos y se los puso encima de sus hombros—. Te estaba vigilando desde la casa y he visto que te has agarrado a esta valla como si fuera un salvavidas.

—Llamada —dijo en un estado de *shock*—. ¡Oh, Dios! ¡Eve!

—¿La llamada era de Eve?

—Era Aldo.

Se puso en guardia.

—¿Qué?

—Dijo que me llamaría. De hecho lo estábamos esperando. Sólo que... —Intentó escaparse—. Déjame marchar.

—Cuando acabes de decirme qué demonios está pasando.

—Aldo.

—¿Qué te ha dicho?

—Demasiadas cosas. —Se humedeció los labios—. Está realmente trastornado. Y yo estoy peor. He metido la pata.

Intenté tenderle una trampa, pero le perdí. Le he dejado ver que... lo he estropeado todo. Me asusté mucho y él se dio cuenta. Cerró los puños pero no podía dejar de temblar.— Se dio cuenta y ahora lo hará. Pero no puedes permitirlo. Ha sido culpa mía. No le permitiré que se acerque a ella, no a...

—Jane, cállate. ¿Quieres que te dé una bofetada?

Le miró anonadada.

—Hazlo y te daré un golpe tan fuerte en los huevos que cantarás como una soprano.

—Vale, ya has vuelto a la normalidad. —Aflojó la presión de sus manos—. Ven y siéntate en el banco hasta que recobres la respiración.

Ya respiraba normal, pero todavía no controlaba el temblor. Se sentó y cruzó los brazos.

—No estoy normal. Tengo miedo y me encuentro mal, quiero estar sola. Vete.

—Desde luego que lo haré. Cuando quieras hablar conmigo, aquí estaré.

Deja que se quede. No importa. Dale lo que quiere. Respiró profundo.

—Va a matar a Eve. No importa que me mate a mí primero. La matará de todos modos.

—¿A Eve?

—A Eve, a Joe y a ti. Pero sintió mucho placer al decirme cómo iba a matarla a ella. —Se arañó las palmas de las manos—. No se lo permitiré. Yo la protegeré.

—Jane, Eve sabía que corría peligro viniendo aquí. Tú también lo sabías.

—Pero no sabía que ella también era su objetivo. Pensaba que sólo me quería a mí. Todas las demás víctimas eran mujeres que se parecían a mí. ¿Cómo iba a suponer que todas las personas que estuvieran cerca de mí iban a morir? Quiere matarte a ti.

—Me siento halagado de que piense que te importo, pero él ya tenía buenas razones para querer matarme.

—No tenía razones para matar a Eve y a Joe.

—La llamada de Aldo no ha cambiado nada, Jane. Te ha lanzado unas cuantas amenazas para asustarte.

—Lo ha conseguido. —Pero el terror estaba empezando a disminuir y podía volver a pensar—. Y ha disfrutado con ello; me ha cogido desprevenida y le he mostrado cuánto daño puede hacerme.

—Vale, pero no has metido la pata del todo. ¿Vale? No le has tendido la trampa, pero ¿te volverá a llamar?

—Dijo que sí —respondió amargamente—. Se lo ha pasado tan bien que probablemente no tarde demasiado.

—Entonces, como puedes ver esta llamada no ha cambiado nada.

—Te equivocas. No me había dado cuenta de que estaba poniendo en peligro a Eve y a Joe. Y se lo he puesto más fácil a Aldo demostrándole cuánto me importan. —Se mordió los labios—. Y eso lo cambia todo. Hemos de proteger a Eve y a Joe.

—Haremos todo lo que podamos.

—Eso no basta. —Se levantó—. Tenías razón al tratarme como a una colegiala estúpida. Tenía que haber podido engañarle, llevarle en otra dirección. Pero no he podido. Estaba tan asustada que no he podido pensar con la suficiente rapidez. No voy a esperar a que venga a por Eve.

—Eve no vendrá al túnel con nosotros y tendrá protección aquí en la villa.

Se giró.

—¿Y si me mata a mí? ¿Puedes garantizar que no burlará las barreras de seguridad y la cortará en rodajitas? No va a hacerle daño a Eve. Ni siquiera se va a acercar a ella —dijo ferozmente—. ¿Tienes una idea de cuánto me importa?

—Creo que sí —dijo en voz baja.

—Entonces, deberías saber que jamás dejaré que ese trozo de mierda se acerque a menos de un kilómetro de ella. De modo que si quieres atrapar a Aldo, vale más que me prometas una cosa. Pase lo que pase, evitarás que les ocurra nada a ellos. No me importa si Aldo se escapa. No me importa si piensas que yo estoy en peligro. Que no les pase nada.

—Es una promesa difícil de hacer, pero haré lo que pueda.

—*Prométemelo.*

—Te lo prometo. —Su sonrisa era forzada—. Y me temo que yo no soy lo bastante importante para ti como para exigirme que te prometa lo mismo respecto a mi seguridad personal.

—Tú puedes cuidar de ti mismo. A ti no te han traído hasta aquí como a Eve y a Joe. Además, se trata de Aldo y tú.

—Por supuesto. ¿Qué más? Se trata de Aldo.

—¿Qué le pasaba? —preguntó Bartlett al encontrarse con Trevor en las puertas cristaleras—. Parecía que se había convertido en Godzilla.

—Casi. Recibió una llamada de Aldo

Bartlett abrió los ojos.

—Claro.

Trevor sacudió la cabeza con fuerza.

—¿Y la ha asustado mortalmente?

—Eso no me cuadra —dijo Bartlett—. Jane no se asusta fácilmente.

—Sí, cuando se trata de Eve y de Joe Quinn. Es evidente que sus amenazas fueron específicas y sádicas.

—Ya veo. —Bartlett movió la cabeza con un gesto de gravedad—. Sí, eso podría llevarla al límite. Es muy recelosa con la mayoría de la gente, pero Eve y Joe son todo su mundo.

—Me hizo prometerle que les protegería. ¿Cómo voy a hacerlo en una situación como ésta?

—Estoy seguro de que encontrarás la manera. Desde que nos conocimos, has estado barajando ideas y posibilidades, dándole la vuelta a las cosas para que se adaptaran a ti. Es un proceso automático en ti. —Sonrió—. Para mí es bastante agotador, puesto que no tengo esa capacidad. Pero decidas lo que decidas yo estaré contigo. Me he dado cuenta de que me habíais dejado a un lado en todo este plan. Eso ha herido mis sentimientos —añadió en tono bajo—. No interferiré en tu camino, pero estoy harto de merodear por el margen. Tengo que ayudar.

—Te dije que tenías que quedarte aquí para proteger a Eve.

—Quinn ha organizado un equipo de seguridad para ella que está mucho más cualificado que yo.

—Según Jane, nada es suficiente.

—Voy a ir contigo.

—Bartlett, no te necesito. —Se detuvo y se encogió de hombros—. Vamos. ¿Por qué no iba a arriesgar también tu cuello? He puesto en peligro a todos los demás.

—¡Por favor! ¿Tienes remordimientos? ¿Puedo recordarte que soy un hombre adulto con libre albedrío? Me dijiste que fue Jane la que organizó todo el plan para ponerse ella misma como cebo.

—Pero yo le proporcioné los medios para que lo hiciera. —Giró el volante—. ¡Demonios! ¿Por qué habría de preocuparse un cabrón como yo? Haz lo que te dé la gana.

El terciopelo rojo estaba sobre en el suelo rocoso en la oscuridad.

Esperándola.

La luz de la linterna de Aldo se movía entre los pedestales de mármol, las luces fotográficas y las baterías, y por detrás de ellos, iluminando los túneles que salían del vomitorio. Sintió la tentación de adentrarse en ellos y explorar, pero nadie podía saber qué trampas habría preparado esa zorra para él. Ya era mucho que ella hubiera encontrado ese túnel que él no conocía. Había sido una gran sorpresa para él cuando les vio llevando el ataúd por un ramal inesperado. Les siguió hasta la escalerilla que conducía a la Via Spagnola antes de dar la vuelta. No había vuelto para hacer un reconocimiento a fondo hasta después de llamar a Jane MacGuire ese día.

Entonces encontró la tela, roja como la sangre, como la sangre fresca.

Esperando el ataúd. Esperándola a ella.

Ya te *tengo,* zorra.

¿Pensabas que ibas a encontrar algún lugar en esta ciudad donde estuvieras a salvo de mí? Había formas de descubrir lo que necesitaba sin arriesgarse a caer en su trampa.

Se agachó y tocó la tela con la yema de sus dedos y le recorrió un escalofrío.

Suave. Blanda. Fría.

Como la carne de una mujer muerta.

—Casi has terminado.

Eve miró hacia la puerta del estudio donde estaba Joe observándola. Ella asintió con la cabeza.

—Cierra. Estoy empezando la fase final.

—Y lo estás deseando. Has estado trabajando a toda máquina. —Se acercó al pedestal y se puso a su lado—. ¿Por qué? Nosotros marcamos el ritmo de los acontecimientos. Aldo no va a hacer nada hasta que nosotros demos el primer paso.

—Quiero acabar. Me siento rara haciendo este rostro con las facciones de Jane. Es casi como una traición. —Allanó la arcilla en la zona de la sien—. Me alegro de poder hacerlo luego para Giulia.

—Quizá si supiera que está ayudando a Jane estaría contenta. —Joe sonrió—. Debería haber supuesto que crearías un lazo afectivo con ella.

—Es interesante. En el museo dijeron que era de clase obrera. Me pregunto cómo sería su vida. —Ladeó la cabeza—. Y me pregunto qué aspecto tiene realmente...

—Pronto lo sabrás.

Asintió con la cabeza.

—Puedes estar seguro. Todo esto es tan extraño... —Se apartó el pelo de la frente—. Primero la reconstrucción de Caroline Halliburton y ahora esto. Las dos, Jane. ¿Sabes?, un día Jane me habló de que las cosas tienen procesos cíclicos.

—Tienes arcilla en la cara. —Joe sacó un pañuelo y le limpió cuidadosamente la frente—. ¿Cuántas veces he hecho esto en todos estos años?

—Seguro que el suficiente número de veces como para merecer un puesto en el *Libro Guinness de los Récords*, dado que mi profesión no es precisamente la más popular del mundo —sonrió— y tú eres muy bueno haciéndolo.

—Es un placer. —Le tocó el labio superior con el dedo—. Siempre. Cuidar de ti me llena... Me reconforta.

—Lo sé. —La sonrisa de Eve desapareció—. Y por eso intentas mantenerme alejada de ese túnel.

—Te mantengo alejada. —Hizo una mueca con los labios—. Ya has hecho tu parte. Déjame ahora hacer la mía.

—No discutí cuando todos hablabais de los detalles, porque sabía que no serviría de nada. —Le puso las manos en sus caderas y apoyó la frente en su pecho—. Pero si piensas que voy a dejar que bajes allí sin mí, estás loco.

—Entonces, estoy loco.

Levantó la mirada.

—No —dijo con firmeza—. Haré todo lo que me digas para no ponerme en peligro, pero voy a estar allí. Dame una pistola. Sabes que sé usarla; tú me enseñaste.

Joe sacudió la cabeza negativamente.

—Tú vas a estar abajo en ese infierno. Jane también. ¿Creéis que podéis mantenerme al margen? O me llevas contigo o iré sola.

Joe suspiró.

—Te llevaré conmigo. —Apretó los labios con fuerza—. Vendrás al pasadizo conmigo. Te estarás callada, y no moverás ni un músculo, pase lo que pase. Dejarás que yo me encargue de todo. ¿Lo has entendido?

Eve no respondió.

—Si no lo haces, lo primero que haré será darte un puñetazo para dejarte inconsciente y asegurarme de que no te matan.

—No te lo perdonaría.

—Me arriesgaré. Es mejor que lo otro. —Le sonrió inquieto—. Me has perdonado por hacer algo mucho peor. Bueno, quizá no del todo, pero me has dejado estar contigo. Y después de todo lo que he hecho, no te voy a perder por ese hijo de puta.

—Es de Jane de quien te has de preocupar.

—No, es de ti. En primer lugar y siempre. Luego viene Jane y después el resto del mundo. —La besó con pasión—. No puede ser de otro modo. Ya deberías saberlo.

Sí, lo sabía y eso había sido su refugio y su fuerza todos estos años. ¡Cuánto le amaba! Le estrechó entre sus brazos.

—Para mí también. Tú primero, Joe.

Joe movió la cabeza.

—Todavía, no. Algún día, quizá, me tocará a mí. —Se frotó contra ella sensualmente—. Pero entretanto... Nunca he hecho el amor contigo en Herculano ni en ninguna otra ciudad antigua. ¿Crees que podríamos arreglarlo? —Miró el cráneo que estaba en el pedestal—. Puesto que la primera reconstrucción de esta dama no va a conllevar ninguna sorpresa, creo que Giulia lo aprobaría.

—Yo también. —Eve empezó a desabrocharle la camisa—. Y, de todos modos, he de demostrártelo. Tú eres lo primero, Joe...

Capítulo 18

20 de octubre, 10:40

—Ha encontrado el vomitorio. —Trevor cruzó la sala y puso la cinta en el vídeo—. A las cuatro y diecisiete de esta madrugada. Me encantan las cámaras con todas estas sofisticaciones.

—¿Estás seguro? —preguntó Jane.

—Oh, sí. —Apretó el botón—. Está muy oscuro, pero esta cámara está preparada para grabar con muy poca luz. Puedes distinguirlo.

Sí, podía distinguirlo, pensó Jane con estupor mientras observaba a Aldo agachándose y tocando el terciopelo rojo. ¡Dios mío!, su expresión...

—Es un demonio —susurró—. ¿Cómo puede alguien ser tan perverso?

La imagen desapareció de la pantalla.

—Es suficiente —dijo Trevor tajante—. Sólo quería que supieras que todo esto está sirviendo de algo. Ha encontrado el señuelo y ahora hemos de conseguir que vaya tras él.

—No, he de ser *yo* quien vaya tras él. —Tragó saliva para aclararse la garganta—. No debería ser tan difícil. Me quiere a mí y a Cira con tanta fuerza que puede saborearlo. Tiene... hambre. Cuando se agachó para tocar la tela parecía un caníbal.

—Entonces de ti depende producirle una indigestión. —Se dirigió hacia la puerta—. Se lo voy a enseñar a Eve y a Joe; les alegrará saber que estamos logrando nuestro objetivo.

—¿Es ésta la única toma de Aldo?

—Sí, no hay más tomas en el vomitorio, pero te garantizo que estará explorando esos túneles ahora que los ha descubierto.

Jane se quedó sentada un momento, después de que Trevor se hubiera marchado, mirando fijamente la pantalla vacía del televisor. No tenía por qué haberle impactado tanto esa breve visión de Aldo. Sabía exactamente lo que era. No necesitaba ese recordatorio.

Pero, ¡Señor!, esa expresión...

Jane estaba sentada en el salón cuando sonó el teléfono a las dos y media del mediodía.

Se puso en guardia.

—Responde —dijo Trevor desde la otra punta de la sala—. Ya sabes lo que has de decir.

Sí, lo sabía. Lo había ensayado mentalmente desde que había perdido la anterior oportunidad. Apretó la tecla de descolgar.

—¿Aldo?

—¿Has estado esperando mi llamada? Eso es bueno. Así es como ha de ser. Te he estado esperando mucho tiempo. Años.

—No puedes esperar eternamente. No te servirá de nada. Estoy demasiado cerca. En dos días más podrás matar a todas las mujeres que quieras que se parezcan a mí, pero yo sobreviviré. Mi rostro estará en todas partes.

Hubo un momento de silencio.

—¿Dos días? Eso no es cierto. Hace dos días me dijiste que Duncan acababa de empezar la reconstrucción y que necesitabas...

—Dos días es mucho tiempo para Eve cuando está motivada. Y puedes estar seguro de que la he motivado. Esperaba que creyeras que tenías todo el tiempo del mundo, de ese modo hemos podido llevar a cabo nuestros planes. Trevor se las ha arreglado para convocar a los periódicos más importantes para que vengan al develamiento. Eve ha hecho un trabajo estupendo. El rostro de la reconstrucción es joven y fuerte y cuando lo miro me veo reflejada.

—Eres el diablo.

—No, eres tú quien ve al diablo. Me aseguro la vida y el poder suficiente para librarme de enemigos como tú.

—Jamás te desharás de mí. Yo soy tu Némesis.

—Eres un pobre y desgraciado pervertido con delirios de grandeza.

—No conseguirás hacerme enfadar de nuevo. —Se calló un momento—. ¿Dónde va a ser esa rueda de prensa?

Jane esperó un poco antes de contestar.

—Aquí en la biblioteca de la villa, por supuesto. A las veintiuna horas, pasado mañana. —Intentó fingir un tono de burla—. Estás invitado. ¿No te apetece ver la repercusión de la reconstrucción?

—Estás mintiendo. No va a ser en la villa.

—¿No? Entonces, ¿dónde va a ser?

—¿Creías que no iba a encontrar todo ese equipamiento del vomitorio?

—Vaya, querido, me parece que has estado espiando. Tienes razón, por supuesto. Creemos que la sesión fotográfica será mucho más impactante en los túneles. Eso irá a tu favor si decides unirte a nosotros.

—¿Crees que no sé que habéis estado esperándome?

—¿Habéis? No necesito a nadie para librarme yo misma de una alimaña como tú. Pero te estaré esperando. He de destruirte antes de que tú me destruyas a mí.

—No iré. No soy estúpido.

—No, eres un cobarde. —Se calló—. Muy bien, no vengas a la rueda de prensa. Nos veremos en el vomitorio mañana por la noche a las nueve en punto. Haré que Trevor lleve allí el ataúd y que se marche. Nos tendrás a las dos, si es que eres lo bastante hombre como para matarme a mí y destruir el esqueleto.

—Mañana por la noche.

—¿No te tienta? No habrá esqueleto para la rueda de prensa del día siguiente y te desharás de mí.

—Es una trampa.

—Si lo es, ¿no eres lo bastante inteligente como para volverla contra mí? No creo que lo seas. No vendrás. Estás demasiado asustado. Sabes que toda la vida te he castigado. Te arrebaté a tu padre. Te robé tu infancia y ahora te voy a demostrar el fracaso que eres...

—Cállate.

—¿Por qué debería hacerlo? No eres nada. Eres una mierda. No necesito ayuda para aplastarte.

—No, eres demasiado orgullosa —dijo con aire despectivo—. Te has estado preparando para recibir a todos los asistentes. ¿Todavía tienes ese Smith y Wesson del treinta y dos que te dio Quinn?

Un momento de silencio, sorpresa.

—¿Lo ves? Lo sé todo sobre ti. Sé que sabes disparar y que te sacaste un permiso de armas cuando tenías dieciséis años. El ordenador es una maravillosa fuente de información e incluso sé el nombre del campo de tiro al que te llevó Quinn para enseñarte.

—Si estás tan seguro de que el destino está de tu parte, eso no ha de preocuparte. ¿No te consideras lo bastante inteligente como para saber si hay alguien más conmigo allí abajo?

—Por supuesto que lo soy.

—¿Te ha dolido? Bien. Te lo mereces. Desgraciado, tienes miedo de una adolescente de diecisiete años.

—No tengo miedo.

—Admítelo. Estás fuera de juego, Aldo. Estaré allí mañana por la noche. Vengas o no. No me importa. Tendré ocasión de matarte otro día. Pero ésta es tu última oportunidad. Después de esa rueda de prensa, no importará que destruyas la reconstrucción. Viviré eternamente.

—¡No! Eso no sucederá y no dejaré que te burles de mí.

—Entonces, no vengas. Léelo en la prensa. —Colgó, respiró profundo y miró a Trevor—. ¿Cómo lo he hecho?

—Casi me engañas a mí —respondió.

Jane movió la cabeza.

—Era muy cauteloso. —Hizo una pausa—. No dejo de pensar en ese vídeo del vomitorio. Se le veía tan seguro, tan en su ambiente en ese túnel. —Tuvo un escalofrío—. Me sentía atrapada y asfixiada allí abajo. Dijiste que era como un laberinto.

—Pero no necesitas saber más de esos túneles. Y recuerda que Aldo está en el mismo barco que tú. No está familiarizado con los túneles de la Via Spagnola. Aunque haga algún pequeño reconocimiento, necesitaría meses para conocerlos sin la ayuda de un plano.

—¿Crees que vendrá?

—Sí, si cree que puede tener alguna ventaja, si ve la forma de matarte y sobrevivir.

—No será fácil. Va a desconfiar. Sabe que tú y Joe estáis intentando atraparle.

—Pero tú le has lanzado el último reto y está lo bastante loco como para intentarlo. ¿No contábamos con eso?

Locura y esa sed enfermiza de matar.

—Sí.

—Y estará allí abajo revisando la zona inmediata. No encontrará nada que no queramos que encuentre. Nuestra principal ventaja es la tentación que tú supones y su desesperación de pensar que Cira pueda llegar a ser eternamente famosa. Si hay algo que le saque de su agujero será eso.

Intentaba pensar, rebobinar mentalmente la conversación palabra por palabra.

—He de parecer vulnerable. No va a aparecer si voy armada hasta los dientes.

Trevor apretó los labios.

—No vas a bajar allí sin un arma.

—¿Crees que me he vuelto loca? Pero sin una chaqueta o bolsillos que puedan ocultar un arma. He de parecer vulnerable —repitió—. Tendrás que colocar un arma en algún sitio donde yo pueda alcanzarla con facilidad.

Trevor pensó en ello un segundo.

—Debajo de la tela de terciopelo rojo. A mano derecha, en la parte inferior según entras en el túnel. En cuestión de segundos podrás alcanzarla y pondré otra en el ataúd. Por si acaso.

Por si algo fallaba. No quería pensar en esa posibilidad.

—Mañana por la noche. —Intentó mantener firme su voz—. Después de todo este tiempo me parece imposible que por fin...

—Deja de pensar en ello —dijo Trevor bruscamente—. Si quieres hacer marcha atrás, hazlo. He hecho todo lo que he podido, pero no me gusta esto. Tendrás mucha suerte si no te mata.

—No es necesario que te guste. Lo único que has de hacer es proteger a Joe y a Eve. —Se calló un momento—. Sigues intentando persuadirme para que lo deje. Pareces... confuso. Quizá no fuera sólo por el dinero. Quizá Pietro significaba algo para ti.

—Qué amable por tu parte concederme algunos sentimientos humanos.

—¿Cómo se supone que he de saber lo que estás sintiendo cuando no dejas que nadie lo vea? ¿Era por el oro o por Pietro Tatligno?

—Por el oro, por supuesto.

—¡Maldito seas! ¡Dímelo!

—¿Qué quieres de mí? —Retorció los labios—. ¿Quieres oír que Pietro me salvó el trasero en Colombia? ¿Que era la única persona que había conocido en quien podía confiar? ¿Que era para mí más que un hermano?

—¿Lo era? —susurró ella.

—¡No, demonios! Todo esto es una sarta de mentiras. Por supuesto, que era por el oro. —Se levantó y se fue hacia la puerta—. Vamos a decirles a Eve y a Quinn que hemos establecido la conexión.

• • •

21 de octubre, 19:37

Estaba oscureciendo.

—Ha llegado el momento —dijo Trevor en voz baja desde la puerta—. Me dijiste que te avisara cuando Quinn bajara al túnel. Ahora se va a la cocina.

Jane se separó de la ventana del salón y se dirigió al pasillo.

—¿Has revisado el pasadizo?

—Vengo de allí. —Sonrió—. ¿No te das cuenta? Parece que haya estado gateando por una alcantarilla. Es seguro. Primero, Bart-lett y yo hemos llevado el ataúd y lo hemos puesto en su sitio y luego he revisado el pasadizo. He dejado allí a Bartlett para asegurar la seguridad de Quinn hasta que llegue a su saliente.

Jane le interrumpió.

—¿Bartlett?

—No te preocupes. Le he dejado una escopeta y le he dado órdenes de que dispare a cualquiera que no seamos Quinn o yo. No es necesario tener habilidades militares para intimidar con una escopeta. Cuando lleguemos allí abajo, Bartlett se quedará cerca de la escalerilla y guardará la entrada a la villa. Es mejor que haya alguien fuera de los túneles para dar aviso, si algo va mal.

Si algo va mal. Otra vez esa palabra que la inundaba de pánico.

—Pensaba que Bartlett se quedaría aquí arriba con Eve.

—Yo también, pero él decidió que no iba a ser así. He ordenado que se queden cuatro guardias de seguridad con ella. A saber cuántos más habrá asignado Quinn.

—Me lo prometiste.

—Y mantendré la promesa. No permitiré que Aldo se me adelante a subir la escalerilla de la villa. —Le dio un empujoncito hacia la cocina—. Si quieres ver a Quinn antes de que baje, vale más que te apresures. Cuando le he dejado estaba abriendo la trampilla.

—¿Le daremos quince minutos y luego le seguiremos?

Trevor asintió con la cabeza.

—Eso debería darle tiempo para llegar hasta el saliente y tomar posiciones. Yo estaré allí para respaldarle en...

—*¡Eve!* —Jane corrió hacia la trampilla—. ¿Qué estás haciendo?

Eve iba por el tercer peldaño de la escalerilla.

—¿A ti qué te parece? —dijo bajando otro peldaño—. Jane, por favor. ¿Qué esperabas? ¿Qué iba a permitir que Joe o tú bajarais a esos túneles sin mí?

—Se supone que tú... —Se giró hacia Joe—. Díselo... Aléjala de aquí.

—¿Crees que no lo he intentado? No ha servido de nada. Ya la conoces. Sólo podemos esperar que podamos controlar los daños.

—¿Por qué no me lo dijiste? —Su voz reflejaba su angustia—. ¿Por qué no...?

—Porque sabía que te enfadarías. —Eve hizo una mueca de preocupación—. Y ya lo estás. Pero ahora no es el momento de empezar a darle vueltas durante días. Venga, Joe. Vamos.

—No lo hagas, Eve —le suplicó Jane—. Por favor.

Eve movió la cabeza.

—Jane somos una familia. Vamos a hacer las cosas juntos. —Bajó un par de peldaños más y desapareció de la vista.

—¡No!

Joe empezó a bajar la escalerilla.

—No podrás convencerla. Yo cuidaré de ella, Jane.

—Cuídate tú, Joe —susurró. ¡Señor! Tuvo la terrible sensación de hundirse. Era sólo el principio y todo estaba yendo mal.

Joe desapareció de la vista. Se perdió en la oscuridad del túnel.

—No lo sabía —dijo Trevor—. A Dios pongo por testigo que pensaba que Eve se quedaría en la villa.

—Te creo —dijo ella temblando—. Esta situación casi te hace creer en el destino, ¿no te parece? —Jane sacudió la cabeza para aclarase las ideas—. Pero no la versión del destino de Aldo. No podemos dejar que suceda.

—Ella estará con Quinn y conmigo. Te lo prometo.

—Más te vale. —Deseaba bajar la escalerilla y correr detrás de Eve y de Joe en la oscuridad. No podía hacerlo, reconoció desesperadamente. Tenía que esperar hasta que estuvieran en sus puestos en ese saliente.

Quince minutos.

21 de octubre, 8:20

—Te dejo aquí —le dijo Trevor en voz baja mientras se arrodillaba en la entrada del pasadizo que conducía al saliente donde estaba Joe—. Voy a dar la vuelta para llegar hasta donde están Joe y Eve. El vomitorio está justo enfrente. —Le dio una linterna—. Recuerda que tienes una Smith y Wesson del treinta dos debajo de la tela y otra pistola en el ataúd. Joe me dijo que sabías usarlas, pero no lo hagas a menos que no tengas más remedio. Si Aldo te ve el arma, puede que piense que matarte de un disparo no sea tan malo. Cuando llegues más adelante, verás que las luces están encendidas. Pero es mejor que intentes permanecer en la sombra.

Jane se humedeció los labios.

—Entonces, ¿cómo me verá?

—Te verá. Pero no se lo pongas demasiado fácil.

Jane se rió temblando.

—No te preocupes. No tengo intención de hacerlo. Pero ocultarme en la sombra no va a servir de mucho. Me has dicho que no me dispararía y que lo que pretendemos es que le atraiga para que Joe pueda dispararle.

Trevor murmuró un taco y le iluminó la cara con la linterna.

—Estás asustada. Podemos dejarlo. No es demasiado tarde.

—No, no podemos. —Jane se tapó la cara para evitar la luz—. Y, claro que estoy asustada. No soy idiota. Vete. Quiero que vayas a proteger a Eve y a Joe.

Dudó un momento y empezó a gatear por la abertura.

Se había marchado.

Silencio.

Oscuridad.

Sola.

¿Estaba realmente sola? ¿Estaba Aldo en alguna parte detrás de ella?

No, Trevor había colocado a Bartlett fuera del túnel para que vigilara. Si Aldo estaba en ese túnel sería más adelante, en el vomitorio. Esperándola.

El corazón le latía con tanta fuerza que oía su eco por el túnel como si de un trueno se tratase.

Todo irá bien. Joe la avisaría si Aldo la estaba esperando en el vomitorio. Dispararía a Aldo o haría un disparo de aviso si eso no era posible.

Respiró profundo y siguió adelante. Justo enfrente, le había dicho Trevor. Tenía que mirar hacia delante, moverse con rapidez y pronto habría terminado todo.

¡Jesús, cuánto odiaba esa oscuridad!

¿Es así cómo te sentías, Cira?

—Mierda, mierda, mierda. —Trevor recitaba ese taco como si fuera un *mantra* mientras recorría el túnel, alumbrando las paredes de un lado a otro con su potente linterna. Ella tenía miedo. Pues claro, que tenía miedo. Sólo era una niña.

Aldo no la veía como tal. La consideraba un demonio. La veía como carne muerta. Maldito fuera. Maldito fuera.

¿Por qué estaba maldiciendo a Aldo? Trevor era quien la había dejado adentrarse sola en el túnel.

Debería ser un lugar seguro. Había tomado todas las precauciones.

No, podía haber tomado otra más. Podía haber hallado otra forma de atraerle sin utilizar a Jane de cebo. Podía haber olvidado a Pietro y recordado que ella merecía vivir una...

Rojo.

Se detuvo de golpe patinando.

La luz de su linterna había captado algo rojo en el suelo cerca de una roca que tenía delante. Sólo había sido un rastro, una visión fugaz y casi lo había perdido

¿Sangre?

Levantó la linterna y exploró con cautela la oscuridad que tenía delante.

Nada.

Se acercó lentamente hacia la roca. Al llegar vio la sustancia roja que goteaba desde detrás. Se agachó y la tocó.

Sí, era sangre.

Sacó su arma de la chaqueta y se acercó más. Ya casi estaba en la parte superior de la roca cuando vio el cuerpo acurrucado del hombre que había detrás de ella.

Había sangre por todas partes. Tenía el rostro cubierto de sangre. Sangre en su camisa. Le habían degollado de oreja a oreja.

¿Quinn?

Dios mío, parecía la escena de una película de terror, pensó Jane.

Miró con mórbida fascinación el ataúd que descansaba sobre el terciopelo rojo y luego hacia arriba donde Joe estaba apuntando con su rifle.

No, no mires allí. No podía estar segura de que Aldo no estuviera mirándola. Apartó la mirada y volvió a mirar el ataúd.

¿Por qué dejaba Aldo que estuviera ella allí sola? ¿Por qué no aparecía?

Tira los dados. Sé fuerte. Atrévete. Dio un paso para salir de las sombras.

—Aquí estoy, Aldo. —Su tono era desafiante. Al menos, eso esperaba—. ¿Estás aquí? ¿Has aunado las fuerzas necesarias para venir a verme?

No hubo respuesta.

—Puedo notar tus ojos mirándome. Cobarde. —Dio otro paso hacia delante—. Es lo que había imaginado. Me tienes miedo. Tu padre, también. Pero todavía me ama. Más que a nada. Mucho más que a ti. Tú no le importabas una mierda.

Sin respuesta.

—No le culpo. Necesitaba un hijo del que pudiera sentirse orgulloso, no un estúpido cobarde como tú. —Se dirigió al ataúd—. Bueno si no piensas aparecer, miraré la reconstrucción para asegurarme de que ha llegado bien después del traslado por la escalerilla. Eve ha hecho un trabajo magnífico...

—Apártate del ataúd. Ella es mía ahora y pronto dejará de existir.

Jane giró a la derecha hacia el túnel de donde procedía la voz. No pudo ver nada.

—¿Aldo?

—Apártate del ataúd.

—¿Por qué? —Se humedeció los labios—. Sal de debajo de tu roca y detenme.

Él se rió.

—¿De debajo de mi roca? Ese refrán viene como anillo al dedo. Resulta que acabo de depositar un fardo molesto debajo de una roca. Bueno, él sólo estaba parcialmente debajo, principalmente estaba detrás. He tenido que conformarme con lo que he encontrado. No es fácil encontrar grandes rocas sueltas en estos túneles. Los ladrones que los excavaron los limpiaron muy bien.

Jane se quedó paralizada.

—¿Él?

—No era tu Eve. Todavía, no. Tendrá que esperar su turno. Pero llegará muy pronto. Veamos, en tan sólo unos minutos...

Podía ser un farol.

—No te creo.

—Peor para ti. Será una sorpresa tan desagradable...

• • •

¡Dios!

Trevor se metió en el túnel para ir al saliente.

Sangre.

Degollado de oreja a oreja.

Corre más rápido.

Siguiente giro.

Más rápido.

Capítulo 19

—Un minuto más —dijo Aldo—. Espero que te hayas despedido de ella.

El miedo se apoderó de Jane. Tenía que ser un farol, pero la amenaza la aterrorizaba. Tenía que obligarle a salir a la luz. Se acercó al ataúd.

—No te muevas.

Jane dio otro paso.

—No des ni un paso más. No tengo que esperar, puedo hacerlo ahora mismo.

Un minuto más.

Puedo hacerlo ahora mismo.

¿Qué podía hacer Aldo que...?

De pronto tuvo una intuición.

¡Oh, Dios mío!

—¡Eve! ¡Joe! —gritó—. ¡Salid de...!

La tierra gimió y retumbó bajo sus pies y el túnel explotó a su alrededor.

Cayó al suelo.

Las rocas volaban.

Sangre en sus mejillas.

Oscuridad.

La explosión había dañado tres luces de la pared.

¡Dios mío!, la pared y la roca tras las que se ocultaban Joe y Eve ya no estaban. Habían quedado reducidas a un montón de escombros y de piedras.

Levántate.

Va a venir.

Ya estaba acercándose. Vio cómo se movía su sombra en la abertura del túnel secundario donde se encontraba.

Las armas.

Una debajo de la tela. Otra en el ataúd.

¡Señor!, el ataúd y la tela habían quedado sepultados bajo las rocas. Nunca podría alcanzarlas a tiempo.

Oyó sus pasos.

—Estamos solos Cira. He colocado la dinamita muy cerca del saliente y no habrán podido sobrevivir.

Jane se había levantado y corría hacia el túnel principal.

Dolor. En la mejilla. En las cervicales. En el hombro.

Olvídalo. Corre hacia el túnel principal. Llega hasta la escala de la villa.

Joe. Eve.

No pienses en ellos. Era demasiado doloroso.

Trevor. También estaba en el túnel con ellos...

Muerte.

Deja de llorar. Corre más deprisa. Sal de aquí para poder matar a este cabrón.

—Ahora no eres tan valiente. —La voz de Aldo tenía un tono de burla—. Corre, conejita.

Debía estar cerca del pasadizo por el que se había metido Trevor para acceder al túnel auxiliar al dejarla. El túnel principal para ir a la villa estaba a cuatro giros más allá.

Sí, ahí estaba la abertura. Más deprisa. Un poco más y lo habría sobrepasado y...

Estruendo.

Rocas que caen.

La tierra temblando bajo sus pies.

¡Otra explosión!

—Esto se encargará de la entrada principal —dijo burlándose—. ¿Pensabas que te iba a dejar volver sana y salva a tu villa? Siempre supe que cabía la posibilidad de que intentaras tenderme una trampa. Pero soy demasiado listo para ti.

Todavía estaba bastante lejos detrás de ella. Le demostraba su desprecio caminando lentamente, paseando, enfurecido.

El pasadizo. Se arrodilló y se metió en el túnel que había tomado Trevor. Aldo dijo que había colocado la carga cerca del saliente que daba al vomitorio. Quizás este pasaje no se hubiera derrumbado por completo, pensó rezando. Quizá le permitiera...

Se ensanchaba, se puso de pie. ¡Podía correr!

—Pero ¿cómo vas a salir de aquí? —Aldo se burlaba gateando detrás de ella—. La otra salida estará bloqueada por las piedras... y los cadáveres. ¿Vas a gatear por encima de ellos?

—¿Y tú cómo vas a salir? —respondió ella—. Esta explosión también ha bloqueado tu salida, te perderás y morirás.

—Hay otras salidas. No me perderé. Sé todo lo que he de saber sobre estos túneles.

—Mientes. Habrías necesitado semanas para conocerlos.

—¿Es eso lo que te dijo Trevor? —Se acercaba. Se movía rápido—. Incorrecto. Verás por qué en...

Jane cayó sobre algo... suave.

¡Un cadáver!

Sangre. Degollado.

Su inspiración fue prácticamente un sollozo.

—¡Ah, ya le has encontrado! —dijo Aldo—. De hecho, tenía que habértelo indicado. Le escondí detrás de esa roca. Alguien debe haberla movido. Quizás será mejor que acabe con esto más rápido.

Jane intentó pasar sobre ese espeluznante cadáver.

—¿Quién es?

—Quinn, por supuesto.

Intentó pensar, recordar. De pronto, sintió alivio.

—No es Joe. Joe es más delgado y más fuerte. Entonces es Trevor.

Aldo se rió entre dientes.

—Tienes razón. Ha sido una broma.

—¡Sádico hijo de puta!

—Tengo derecho a divertirme en esta situación. He esperado mucho tiempo.

—¿Quién es?

—Sontag. Revisé los datos del registro de la propiedad en mi ordenador y descubrí que la villa era de Sontag. Si Sontag era el propietario, debía conocer bien los túneles. Mi padre me dijo que era un cerdo, por lo que no me cabe la menor duda de que los utilizara para sus propios fines. Pero cuando supe que ibas a utilizar el vomitorio para esa asquerosa sesión fotográfica me di cuenta de que familiarizarme con estos túneles sin ayuda iba a suponer una tarea monumental. Por lo que opté por ir a la fuente.

Se le oía más cerca. Encuentra un arma, cualquier arma.

Aldo volvió a hablar.

—Le hice una visita, le persuadí de que viniera conmigo y me hiciera de guía. Tuvo muy buena disposición. Hasta me señaló el pasadizo secreto y el saliente que le había enseñado a Trevor. Cuando conseguí la copia de los planos, pensé que ya no me era útil.

—Así que le mataste.

—No podía arriesgarme a que se lo dijera a Trevor. Había intimidado mucho a Sontag.

Otro giro más en el túnel. Debía estar acercándose al final. Podría encontrárselo bloqueado en cualquier momento.

—De todos modos, también le habrías matado.

—Eso es cierto. He de admitir que ha sido una liberación. Últimamente me he sentido muy frustrado. Pero ahora estamos llegando al final.

—Aunque me mates, el ataúd está sepultado bajo todas esas rocas. No podrás destruir ese esqueleto.

—No tengo prisa. Tengo tiempo para esperar a que saquen todas esas rocas de la entrada. Ya tendré mi oportunidad. Te oigo respirar. Con fuerza. Con mucha fuerza. Me dijiste que eras fuerte. ¿Cómo de fuerte te sientes ahora, Cira?

—Lo suficiente. —La roca estaba más suelta por aquí. Había trozos en el suelo. Debía estar acercándose al lugar de la explosión.

Estaría atrapada. Encuentra un arma.

Sal de su vista.

Aceleró y tomó la siguiente vuelta. Buscó frenéticamente con la mirada

¡Allí!

Cogió un fragmento de unos veinte centímetros y se lo puso en el cinturón de sus pantalones. ¿Sería lo suficiente afilado?

Corre.

Calor. Humo.

Noche asfixiante.

—Casi has llegado al final —dijo Aldo—. Tengo el cuchillo en la mano. Es un bisturí de cirujano. Hermoso. Afilado. Eficaz. Una última cara que arrancar. ¿Sabes cuánto duele?

—No será la última. Hablas como si tuvieras una misión, pero no eres más que un asesino. Te gusta demasiado.

—Es cierto, es un placer y un deber borrar tu faz del universo.

—¿Lo ves? Pero matarme no te servirá de nada. El esqueleto que hay en el ataúd no es el de Cira. Se llama Giulia.

Se hizo el silencio.

—Mientes.

—Todo esto ha sido una farsa.

—Zorra —gruñó—. Estás mintiendo. Ha llegado mi hora. Mi destino.

—Eres un perdedor. Trevor sacó el esqueleto de un museo de Nápoles. Puedes comprobarlo.

Las paredes se cerraban sobre ella.

No había aire.

Antonio...

Los cascotes eran cada vez más grandes y había más cantidad.

Le tenía justo detrás.

¡Jesús, había una pared de roca delante de ella!

No esperes a llegar hasta ella. Date tiempo para maniobrar.

—Eres un estúpido. Ha sido muy fácil engañarte. No has ganado nada... —le dijo gritando, tropezó y cayó al suelo. Pudo oír su grito de triunfo.

—¿Quién es estúpido ahora? —Le puso la mano en el hombro y la zarandeó—. Aunque te creyera. Todavía soy demasiado...

En ese momento, Jane sacó la roca que se había guardado en el cinturón y se la clavó en el pecho con toda su fuerza.

Dio un grito.

Jane rodó hacia un lado e intentaba empujarle para apartarlo de ella. ¡Señor!, pesaba mucho, era un peso muerto.

Pero no estaba muerto. Se movía; el bisturí que tenía en la mano brillaba con la tenue luz de la linterna que se había caído al suelo.

Salió a toda prisa, buscando desesperadamente otra roca puntiaguda o algo que pudiera utilizar como arma.

—No voy a morir —susurró él—. No puedo morir. No es... mi destino. Eres tú quien ha de morir.

—Ni lo sueñes.

Esa piedra... estaba a su alcance. Gateó hacia ella.

Dolor.

Su cuchillo le atravesó la pantorrilla.

Olvídalo.

Su mano se aferró a la piedra y rodó sobre ella misma.

Atácale. Atácale. Atácale.

Pero él estaba cerca, casi volvía a estar encima de ella. El primer ataque dirigido a su frente apenas le rozó.

Él levantó el cuchillo.

Ella le golpeó con la piedra en el brazo. Golpe flojo. Desvió el ataque, pero todavía tenía el arma. Prueba otra vez.

—Te estás desvaneciendo —murmuró él—. ¿Dónde está tu poder? —Volvió a levantar su arma—. Quémate en el infierno, Cira. Yo soy el que tiene el...

Un disparo.

Dio una sacudida en el momento en que la bala se clavaba en su entrecejo. Cayó encima de ella.

¿Bala? se preguntó mareada. Notaba el frío metal del bisturí de Aldo presionándole el pecho. Casi esperaba que se moviera, que volviera a atacarla.

Pero ya se había ido; estaban apartando con esfuerzo su cuerpo de encima de ella y echándolo a un lado.

—¿Estás herida?

Trevor. Era Trevor, comprendió medio desmayada.

—Contéstame. ¿Estás herida? —Tenía la camisa medio rota. Su rostro estaba cubierto de tierra.

—Estás vivo.

—No lo estaré mucho tiempo si tú no estás bien. Quinn me estrangulará. ¿Qué te duele? Respóndeme.

Intentó pensar.

—Hombro. Rocas.

Él la alumbró con la linterna.

—Morados. No parece que haya nada roto. ¿Alguna parte más?

—Pierna derecha. Aldo... —Le movió la cabeza para despejarla—. ¿De dónde has venido?

—Empezaba a abrirme camino a través de esos escombros de allí delante. Estaba intentando salir cuando oí tu voz. —Le estaba rompiendo sus pantalones de color caqui—. Casi me vuelvo loco. Podía oírte, pero no podía llegar hasta ti. Pensaba que no llegaría a tiempo. —Examinó la herida—. No te ha tocado la arteria. No hay demasiada hemorragia. Habrá que dar algunos puntos. —Le hizo un vendaje de compresión con su camisa—. Pero quizás esté a salvo de la ira de Eve.

—¿Eve? —Se le cortó la respiración—. ¿Está viva?

Asintió con la cabeza.

—No hemos podido llegar hasta ella, pero nos ha dicho que está bien.

—Y ¿Joe?

—Cortes menores, creo. No he tenido tiempo de comprobarlo.

—¿Por qué no?

—La entrada del vomitorio ha quedado bloqueada tras la explosión. Tenía que intentar dar toda la vuelta para poder llegar hasta ti. Joe estaba intentando sacar a Eve de entre los escombros, así que le dije que iba a por ti.

—Aldo me dijo... que no podías estar vivo. Que ninguno de vosotros podía haber sobrevivido. Me dijo que había colocado los explosivos cerca del saliente del vomitorio.

—Lo hizo, pero no estábamos allí cuando explotaron. Llegué hasta Eve y Joe a tiempo para sacarles inmediatamente. Maldita sea, había revisado ese saliente un rato antes y también lo hizo Joe. Ha debido colocarlos en una grieta y camuflarlos. Está tan oscuro que sin instrumentos no...

—No me importan los explosivos. Entonces, ¿Eve y Joe han escapado con vida?

—No exactamente. —Terminó el vendaje y se sentó sobre las rodillas—. Salimos de la zona cero, pero no a tiempo para evitar la explosión. Eve iba delante de nosotros y ha quedado atrapada en un desprendimiento.

—Entonces, debe estar herida. Hemos de ir a ayudarla.

—Tú no vas a ninguna parte. Joe está ayudándola.

—Hemos de ir a ayudarles.

—Está bien. Voy a ir al túnel principal a buscar ayuda y...

—Aldo también ha volado la entrada a la Via Spagnola.

—Entonces, Bartlett estará reuniendo a un equipo de rescate. Si no pueden abrirse camino por la salida bloqueada, tendré que adentrarme en el laberinto de túneles para encontrar la salida.

—Eso es lo que planeaba Aldo. Me dijo que conocía el camino. Sontag se lo había enseñado. —Se estremeció—. Sontag está muerto. Le ha cortado...

—Lo sé. Vi su cuerpo y me asusté mucho. Supe que si Aldo había llegado hasta Sontag le habría contado todo lo que sabía. Y puesto que encontré a Sontag en este pasadizo del túnel, Joe y Eve eran claramente sus objetivos. No sabía qué estaba tramando, pero sí que tenía que sacarles rápido de allí. —Se levantó—. Quédate aquí e intenta no moverte. No quiero que vuelvas a sangrar. —Se dirigió de nuevo al túnel—. Traeré ayuda lo antes que pueda.

Su voz se desvaneció al girar por el túnel.

¿Quedarse allí?

Miró el cuerpo de Aldo a sólo unos metros de ella y sintió un escalofrío y repulsión.

Eve y Joe.

Su linterna se apagó de pronto y se quedó en la oscuridad.

Ya no había duda.

Empezó a arrastrarse con cautela hacía la zona del derrumbamiento de donde había salido Trevor. Si él había podido llegar hasta ella por allí, ella también podría llegar hasta Eve y Joe.

Oyó a Joe apartando piedras y hablando con Eve a unos pocos metros después de haber sobrepasado el bloqueo.

—Joe, mi linterna se ha apagado, sigue hablando —gritó.

Se calló un momento.

—¿Jane? Gracias a Dios.

—Trevor me dijo que Eve estaba atrapada, pero que estaba bien. ¿Está todavía...?

—Bien. —Era la voz de Eve—. ¿Estás herida?

—Un poco. —Jane se sintió reconfortada. Eve parecía estar bien como decía.

—¿Qué has querido decir con eso?

—Bueno, no me quedé atrapada en el derrumbamiento.

—¿Y Aldo?

—Aldo está muerto. —Ahora podía ver la luz de la linterna de Joe—. Trevor se ha ido a buscar ayuda.

—¿Por qué no has ido con él?

—No me invitó. Y si lo hubiera hecho, no habría ido. ¿Cómo podía dejaros aquí abajo? —Se sentó a su lado, cogió una piedra y la tiró a un lado—. ¿Cuánto más hemos de excavar para sacarla, Joe?

—No mucho. —Le sonrió—. Menos que cuando lo estaba haciendo solo.

Jane asintió con la cabeza mientras cogía otra piedra y la apartaba.

—Puedes estar seguro. Estar solo, duele. Dos es mejor que uno.

—¿Cómo está Jane? —preguntó Joe mientras Eve salía del *box* de urgencias.

—No muy contenta —respondió Eve con cara de apuro—. Le han cosido media pantorrilla y aunque es una herida menor, le han dicho que tiene que pasar la noche en el hospital para estar en observación. Está indignada por que no me hayan dejado a mí en lugar de a ella.

—No sería una mala idea.

—Sí, sí que lo sería. Estoy bien. Sólo unos cuantos morados.

—Entonces, regresemos a la villa y metámonos en la cama. —Empezó a recorrer el pasillo—. Necesitas descansar un poco y...

—No.

—¿No? —La miró—. ¿Te vas a quedar con Jane?

Movió la cabeza.

—No me necesita y tengo que hacer algo. —Pulsó el botón del ascensor—. Y tú también has de hacer algo.

—Es una locura, Eve. —Joe colocó el cráneo de Giulia sobre el pedestal—. Tendrías que estar en la cama, no trabajando.

—He de hacerlo. —Enfocó la luz hacia la reconstrucción—. ¿Tuviste algún problema con la policía local para sacarlo del ataúd?

—No se lo pregunté. Simplemente me abrí camino por los escombros que había encima del ataúd y lo cogí. Había mucha confusión allí abajo. Hay tantos equipos de rescate, arqueólogos y policía interfiriéndose mutuamente, que lo único que tuve que hacer era fingir ver que sabía a lo que iba. Esto jamás hubiera sucedido en casa. ¡Jesús, qué ganas tengo de volver a Atlanta!

—Yo también. —Se estremeció mientras miraba la reconstrucción. Era macabro ver el rostro de Jane en ese esqueleto antiguo. ¡Olvídalo! Jane está viva y esto no es más que tu propia obra—. Estoy harta de todo esto. Mientras estaba atrapada debajo de todas esas rocas, sólo podía pensar en Jane y en ese asesino. Casi me vuelvo loca. —Se mordió los labios—. No quiero pensar en el daño psicológico que le ha hecho ese cabrón. Si fuera como el resto de las chicas, se pasaría la vida mirando atrás por si la persigue alguien.

—No es como el resto de las chicas. Lo superará.

—Eso espero. Pero ha durado demasiado tiempo. Le ha hecho daño y no puedo tolerarlo. Quiero que vuelva a tener una vida normal.

—Unos días más no importa.

—A mí sí me importa. —Le sacó los ojos de cristal a la reconstrucción—. Quiero salir de aquí y esto es lo último que me queda por hacer para cortar los vínculos con esta ciudad. He de devolverle a Giulia su verdadero rostro y entregársela a Trevor para que la lleve al museo. —Empezó a borrar cuidadosamente los rasgos que había creado. La profundidad era correcta y no hacía falta cambiarla para empezar la fase final—. Así que déjame sola para que pueda acabar con esto. Va a ser una noche larga.

—Estaré por aquí haciéndote compañía.

Ella sacudió la cabeza negativamente.

—Si quieres ayudar, llama a la compañía aérea y reserva billetes para mañana por la noche. Luego, habla con las autoridades italianas y asegúrate de que no nos van a poner ningún impedimento para marchar.

—Ya nos han tomado declaración y he movido algunos hilos para que lo dejen todo parado por el momento.

—Cerciórate. Tengo que ver el fin de todo esto —añadió con voz de cansancio—. ¡Por Dios!, y mi Jane también necesita ver el final.

Asintió con la cabeza.

—Me voy a poner a ello.

* * *

Suave.

Trabaja rápido. No pienses. Deja que el rostro de Giulia cuente la historia.

El labio superior algo más curvado.

Suave.

Más definición debajo del pómulo.

Suave.

Sus manos se movían con rapidez y destreza sobre el rostro de Giulia.

Vacía tu mente.

¿Tendría que ser más corta la nariz? Parece correcta.

Casi estamos. Un poco más sobre la ceja.

No, eso no.

—Ayúdame Giulia. Has estado perdida demasiado tiempo.

Suave.

Tenía las yemas de los dedos calientes, aunque la arcilla estaba fría.

Suave.

Dime. Me han dicho que eras una obrera, pero eso no basta. Necesitas una cara, para que te *conozcamos*.

Suave.

Eso es, ayúdame.

Un poco más.

¡Listo!

Respiró hondo y dio un paso atrás.

—Eso es todo lo que puedo hacer, Giulia. Espero haberlo conseguido... ¡Oh, Dios mío! —Cerró los ojos y susurró—: «¡Por Dios bendito!»

• • •

—Quiero largarme de aquí, Eve —dijo Jane furiosa—. Deberían haberme dejado marchar de urgencias ayer noche. No me pasa nada. A ti es a quien se le derrumbó el túnel encima.

—Pero sólo tengo morados. —Eve le llenó el vaso de agua y se lo dio—. Tú tenías cortes, una lesión en el hombro y habías perdido sangre por la herida de la pierna. Además, el médico ha dicho que empeoraste la lesión del hombro al apartar esas piedras para desenterrarme.

—No me dolió... —Corrigió lo que dijo al ver la expresión de escepticismo de Eve—. ...Demasiado. —Dio un sorbo y dejó el vaso—. ¿Cuándo me van a dejar salir?

—Esta tarde. Joe ya ha hecho las reservas para el vuelo de medianoche. Volvemos a casa.

—Estupendo. ¿Seguro que te encuentras bien?

—Jane, estoy bien. Joe está bien. Es la tercera vez que me lo preguntas hoy. Ahora deja de preocuparte. No es propio de ti.

—No era consciente de que os ponía en peligro. —Le alargó la mano—. Lo siento. Jamás me lo habría perdonado si os hubiera pasado algo grave.

—Nosotros lo elegimos y volveríamos a hacerlo. —Sonrió mientras le iba apretando la mano—. No podríamos vivir sin ti. Como ya te he dicho muchas veces, la familia lo es todo.

—No, cuando casi hago que... —La hizo callar cubriéndole los labios.

—Calla —le dijo—. No te debió resultar fácil arrastrarte por ese túnel en la oscuridad para llegar hasta mí. ¿Por qué lo hiciste?

—Me necesitabas.

—Tiro la toalla. —Se levantó—. No quiero oír nada más al respecto. ¿De acuerdo?

Tragó saliva para aclararse la garganta.

—Vale, pero no puedes evitar que piense. —Respiró profundo—. ¿Dónde está Trevor? No he sabido nada de él desde que él y Bartlett nos sacaron del túnel.

—Le he visto esta mañana antes de venir al hospital. Ha recogido a Giulia para devolverla al museo.

—Pero no la has terminado.

—Sí, que lo he hecho. Anoche. Trabajé toda la noche para acabarla. No fue difícil. Ya había tomado todas las medidas básicas. Sólo tenía que hacer la fase final.

Jane sonrió y movió la cabeza.

—Sólo tú podías pensar en hacer una reconstrucción después de haber sido rescatada de un derrumbamiento.

—Era importante para mí. —Le estrechó la mano a Jane—. Quería terminar con esta pesadilla. *Tenía* que acabarla.

—Lo entiendo. Yo también. Después llamaré a Sam Drake y le daré la primicia; se alegrará de poner fin a todo esto. ¿Qué aspecto tenía? ¿Era guapa?

Eve miró hacia otro lado.

—No, no era muy guapa. Tenía una cara con rasgos duros e interesantes.

—¿Ya se la ha llevado Trevor? —Se calló un momento—. No ha venido a verme. No es que le esperara.

—Supongo que intenta no interponerse en el camino de Joe.

—¿Cree que Joe le arrestará? Te ha salvado la vida. Probablemente, también salvó la mía.

—Es posible que a Joe le resulte más cómodo que desaparezca. Así no tendrá que tomar ninguna decisión.

—No se quedará mucho tiempo. Ya tiene lo que quería —añadió—. Pero no le habría hecho ningún daño venir a despedirse.

—A veces sí —dijo Bartlett desde la puerta—. Mírame a mí. Estoy muy triste por tener que despedirme de ti, Jane. —Se acercó y le tomó la mano—. Pero los buenos amigos nunca se despiden para siempre ¿verdad?

—¿Vuelves a Londres? —le preguntó Eve.

—Me lo estoy pensando. —Sonrió—. A lo mejor acompaño a Trevor durante algún tiempo. Es imposible aburrirse a su lado.

—¿Adónde irá? —preguntó Jane.

—No tengo la menor idea. Tendrás que preguntárselo a él. —Miró a Eve—. Adiós. Gracias por tu amabilidad.

Eve le dio un fuerte abrazo.

—Cuídate. Llámame si necesitas algo. —Le dio un beso en la frente a Jane—. Vendré a recogerte a las dos.

—Estaré lista. —Jane observó cómo abandonaba la habitación antes de volver a mirar a Bartlett—. No voy a tener la oportunidad de preguntarle nada ¿verdad?

—Puede. Aunque sería más inteligente por su parte desaparecer con la puesta de sol.

—¿Dónde está?

—Me dijo que iba a devolver el esqueleto al museo de Nápoles. Luego tomará el vuelo de las seis de la tarde para Roma. Después, no tengo ni idea.

—¿Por qué me estás diciendo esto si crees que para él sería mejor no verme?

Se encogió de hombros.

—Últimamente he estado reflexionando sobre lo corta que es la vida y que a veces la sensatez quizá no sea lo mejor.

Cuando estaba moviendo esas piedras con Trevor y el equipo de rescate, intentando sacaros a todos del túnel, pensaba en lo dulce que puede ser la vida y lo penoso que es perder un solo minuto de ella. —Se dirigió hacia la puerta—. Probablemente por eso me iré con Trevor y no regresaré a mi trabajo de contable. Estaremos en contacto, Jane.

Se quedó allí estirada, mirando el relajante paisaje marino que había en la pared que tenía enfrente. Todo en esa habitación era brillante, relajante, pensado para ayudar y hacer que todo estuviera bien. Totalmente opuesto a la opresiva oscuridad de ese túnel. Esa pesadilla parecía ahora muy remota.

No podía respirar.

Calor. Humo.

Noche asfixiante.

¿Desaparecerían también sus sueños con Cira?

Aunque volviera a soñar, sin duda sería mejor. Había dedicado mucho tiempo a investigar y a estrujarse el cerebro para encontrar alguna razón lógica para una experiencia totalmente irracional. Debería anotar esos sueños con Cira como uno de los misterios de la vida y volver a la realidad. Sí, eso era lo más razonable.

Y Mark Trevor debería desaparecer de su mente con la misma lógica y sentido práctico. Había sido una experiencia interesante y ella había aprendido algo de sí misma a raíz de su encuentro. No obstante, lo más probable es que en seis meses ya se hubiera olvidado completamente de él. Estaría empezando una nueva vida y no miraría atrás.

Se habría terminado.

* * *

Nápoles estaba cubierta por el crepúsculo, bulliciosa, ajetreada, antigua, pero intentando reconciliarse con sus tiempos y concentrada en el futuro.

Diferente de Herculano, pensó Trevor mientras miraba por el vidrio cilindrado del aeropuerto. Herculano vivía en el pasado y le gustaba hacerlo. ¿Por qué no? La ciudad de Cira poseía un glorioso pasado que iba con ella...

—Eres un grosero.

Trevor se quedó helado y se giró lentamente para mirar a Jane que estaba detrás de él.

—¡Qué sorpresa! ¿Verdad? —Iba vestida con pantalones caqui y una camiseta blanca holgada. Tenía la mejilla amoratada, estaba pálida y su rostro reflejaba tristeza.

¡Dios, era tan bella!

—Para mí también es una sorpresa. —Se acercó a él—. Porque estoy enfadada por tu grosería y estupidez. Podías haber venido a despedirte al hospital. Así no malgastaría mi tiempo contigo.

—Estoy de acuerdo. No deberías estar aquí. ¿Cómo tienes la herida de la pierna?

—Duele, pero sobreviviré. Bartlett debe haberte dicho que lo superaré. ¿Dónde está? ¿Ha decidido venir contigo?

Asintió con la cabeza.

—Está en la cafetería.

—¿Y adónde vas?

—Primero a Suiza.

—Pero no te quedarás allí. Irás a buscar el oro de Precebio.

Trevor sonrió.

—Es el oro de Cira. Quizá lo haga más adelante. Ahora está todo demasiado reciente por aquí.

—No creo que Joe vaya a dejar caer el peso de la ley sobre ti.

—Supongo que Scotland Yard tendrá sus propios planes. No les gusta que nadie entre en su *web* o curiosee en sus archivos de casos. —Se encogió de hombros—. De cualquier modo, soy de los que siempre evitan los problemas.

—Mentiroso.

Se rió entre dientes.

—Bueno, a menos que tenga un cincuenta por ciento de probabilidades o que pueda sobornar a alguien para zafarme del asunto.

Jane movió la cabeza.

—Bartlett me ha dicho que eres adicto a andar por la cuerda floja. Eso también es una estupidez. Deberías crecer.

—Lo intentaré.

—No, seguirás arriesgándote año tras año hasta que te maten. Por eso me sorprende haber dedicado parte de mi tiempo a venir aquí.

—¿Por qué lo has hecho?

—Me has salvado la vida. Has salvado a Eve y a Joe.

—También ayudé a que todos os pusierais en peligro. —La miró para leer en su rostro—. No, ésa no es la razón.

—No, no lo es. —Dio otro paso y se acercó más—. He venido porque esto no ha terminado. Estaba en la cama del hospital diciéndome que iba a olvidar esos sueños con Cira y a borrarlos por completo de mi mente. Iba a poner punto final a toda esta historia.

—Muy inteligente.

—Sólo que no ha terminado; no pienso mirar atrás y lamentarme el resto de mi vida. Yo no soy así. No hay nadie más realista que yo y no soporto la idea de no poder descubrir cuál es mi conexión con Cira. Así que, ¿quieres que te diga lo que voy a hacer?

—No puedo esperar.

—No seas sarcástico. Quieres saberlo.

—El sarcasmo puede ser una defensa de primera línea. Demonios, sí, quiero saberlo todo sobre ti. Siempre lo he querido. —Siempre lo querré. Mantén la distancia. Sólo has de aguantar un poco más.

—Bien. Entonces te alegrará saber que voy a volver al instituto y luego iré a Harvard. Después voy a descubrir lo que le sucedió a Cira. Puede que espere hasta que me haya graduado en el instituto o puede que no. Ya lo decidiré.

—¿Vas a volver aquí?

—Iré a donde haga falta para hallar las respuestas. No me importa un comino tu oro, pero he de leer esos manuscritos. Ya te lo he dicho: no se ha terminado. He de descubrir si Cira murió en la erupción. Si no fue así, quiero saber qué es lo que fue de ella. Y he de saber cómo supe de ella a través de mis sueños, por qué los tuve. Es importante para mí.

—Has visto la excavación. Puedes tardar años en hallar una respuesta.

—Tengo tiempo. Sólo tengo diecisiete años. —Le miró directamente a los ojos—. No me importa lo que pienses, eso está de más. Voy a regresar a casa y vivir cada minuto de mi vida. Voy a crecer, aprender y a experimentar. Voy a ver si encuentro algún hombre que haga que tú me parezcas aburrido. No debería ser muy difícil. Y, Dios sabe, que no quiero tener una discusión contigo sobre tu anticuado sentido de lo que es o no es correcto. No puedo entender cómo un hombre que admite ser un estafador y un bribón pueda ser tan idiota. Algún día lamentarás haberme rechazado.

—Ya lo he hecho.

—Ahora es demasiado tarde. Tuviste tu oportunidad —Se dio la vuelta y empezó a marcharse. Entonces, se volvió a girar—. Pero puede que tengas otra si crees que te la mereces y si yo no encuentro a nadie mejor. Así que más te vale sacarte a Cira de la mente. No me gusta la competencia. Ella está muera y yo estoy viva, y cuando haya terminado de convertirme en la persona que quiero ser, no podrás compararme.

No esperó respuesta. Trevor la miró mientras cruzaba el vestíbulo. Llevaba la cabeza alta, los hombros rectos y su porte era indómito.

—Pensé que a lo mejor vendría a decirte adiós. —Bartlett estaba de pie detrás de él, mirando a Jane—. O quizás ha sido un *au revoir*. ¿Lo ha sido?

Au revoir, hasta que volvamos a encontrarnos.

—No estoy seguro. —Casi había desaparecido de su vista, pero todavía podía sentir la fuerza y la determinación que irradiaba de cada uno de sus movimientos. De pronto sintió una oleada de entusiasmo—. Creo que ha sido un *au revoir*. —Empezó a reírse—. Y, si lo ha sido, ¡qué Dios me ayude!

Querido lector,

Espero que hayas disfrutado con la historia de Jane MacGuire en *Callejón sin salida*. Me ha gustado mucho dejarla compartir escenario con Eve y con Joe, por primera vez, en calidad de protagonista. De hecho, tras terminar el libro he sentido que no podía dejarla marchar. Así que ya he empezado a escribir otra historia, que se titulará *Countdown* (Cuenta atrás), donde veremos la continuación de las aventuras de Jane, pero creo que esta vez la pondré a prueba al límite. El lanzamiento de la edición original será en tapa dura, en abril de 2005.

Iris Johansen